R. Stamelman
– Juillet 2000 –

36-7: retrouver le mobile idéal de la beauté

« Partage du savoir » est une collection qui tend à rendre compte des réalités complexes, des préoccupations humaines et contemporaines. Elle a vocation à dépasser le seul cadre disciplinaire de la recherche universitaire. Il s'agit ici de rétablir les passerelles entre la science et le citoyen.

EDGAR MORIN

LE BEAU SEXE FAIBLE

Les images du corps féminin entre cosmétique et santé

BRUNO REMAURY

LE BEAU SEXE FAIBLE

Les images du corps féminin entre cosmétique et santé

BERNARD GRASSET
PARIS

Ce livre a reçu le soutien de la Fondation d'entreprise Banques CIC pour le livre et de la Fondation Charles Léopold Mayer pour le progrès de l'homme.

Remerciements

Le séjour de recherches aux Etats-Unis nécessaire à l'aboutissement de ce travail a été rendu possible par à une bourse Lavoisier du ministère des Affaires étrangères.

Merci à :

Monsieur Serge François, du ministère des Affaires étrangères ;

Madame Sylvie Ebel et Monsieur Pascal Morand, de l'Institut français de la mode ;

Messieurs Tom Bishop et Allen Ellensweig, de New York University.

Madame Françoise Héritier, Messieurs Marc Augé, Jean-Jacques Courtine et Eric Fassin, membres du jury de cette thèse ;

Merci aux entreprises du cercle Jean-Goujon pour le soutien financier apporté à cette recherche ;

Merci également à Marie-Dominique Brette, Joël Denot, Robert Dimit, Lydia Kamitsis, Stéphanie Lang, Dominique Lotti, Didier Saco, Jennifer Vinopal et Marie Weigel pour leur aide patiente.

Merci enfin, et tout particulièrement, à Monsieur Yves Hersant, de l'Ecole des hautes études en sciences sociales, directeur de cette thèse.

La femme « mise en culture »

A la fin des années 80, une rumeur insistante mettait en scène une jeune et belle Suédoise qui, après avoir eu des relations sexuelles avec un partenaire de hasard, laissait derrière elle, tracé au rouge à lèvres sur la glace de la salle de bains, *bienvenue dans la confrérie des porteurs du sida*. Une rumeur qui voyait réunies l'image de la féminité séductrice (la belle fille, le rouge à lèvres), l'apparence de santé (la Suédoise renvoyant inlassablement à l'image de la jeune fille fraîche et saine) et l'archétype de la femme malsaine, elle-même porteuse de la maladie. Une rumeur à l'époque présente, à quelques variantes près, dans plusieurs pays et qui proposait une image du féminin remarquablement frappante, à la fois littéraire (l'amante qui dévore ses conquêtes, la mort au si beau visage) et cinématographique (le miroir marqué de rouge à lèvres dans lequel se reflète le visage de la victime), image d'une maladie alors encore neuve qui venait réactiver de manière soudaine le vieux mythe de la féminité venimeuse. Quelque temps plus tard, en 1993, Benetton créait une polémique en montrant pour sa campagne de publicité un pubis et une fesse sur lesquels était tatoué en gros plan « *HIV positive* ». Mêmes composantes pour l'essentiel : ce qui était choquant était sans doute moins le tatouage lui-même que le fait qu'il figure sur des peaux parfaites appartenant à des corps qu'on devinait jeunes, beaux et désirables, et de plus sur des parties traditionnellement associées au registre de l'intimité érotique. Dans le même temps, une autre publicité montrait une femme nue, au corps également désirable, mangeant un yaourt dont on apprenait que ce qu'il faisait à l'intérieur se voyait à l'extérieur, prolongeant ainsi de manière plus directement physiologique l'ancienne équation platonicienne entre beauté intérieure et beauté extérieure. De l'une à l'autre, le lien était facile à tracer : ce que ce yaourt fait à l'intérieur se voit à l'extérieur, au contraire de la séropositivité dont on ne voit pas à l'extérieur ce qu'elle fait à l'intérieur. Une dialectique entre santé qui se voit et maladie qui se cache, entre corps transparent et corps opaque, qui peut également se traduire en termes de substances et d'humeurs : le yaourt ou la crème de beauté répondent ici au sang et aux fluides sexuels. D'autres images en découlent directement, celles qui vendent des produits alimentaires avec un vocabulaire de produits de beauté (« Juvamine, la bonne mine au rayon frais ») et celles qui vendent des produits de beauté avec un vocabulaire de produits alimentaires (« Crème fraîche de beauté, le nouveau régime aroma-lacté pour une peau en pleine forme »). Ce sont ces petits faits, associés à beaucoup d'autres, qui m'ont peu à peu amené à m'intéresser au pourquoi et au comment de ce balancement du corps entre intérieur et extérieur, entre beauté et santé, entre apparence et maladie, problématique d'essence ontologique qui me paraissait recouvrir un des systèmes clefs de représentation du corps. Face à ce système, mon but a été de m'intéresser à ce qui pourrait constituer les contours de cet « éternel du corps féminin », image fondamentale du corps féminin entre peau et chair, entre lait et sang, dans son épaisseur, dans toute sa substance.

A travers l'analyse de ce corps, j'ai ainsi moins essayé de dépeindre les différents archétypes du féminin que d'en débusquer ce qui en constitue l'essence même, un *imaginaire physiologique*, c'est-à-dire les composantes que la culture attribue depuis toujours à la femme comme étant partie intégrante de sa physiologie même : de quelle matière est-elle faite (nature de la chair) ? Quelles sont les conséquences de cette nature biologique sur son corps en terme de beauté, de santé ou de fécondité (belle et saine ou belle malsaine) ? Quelles relations entretient-elle avec les substances qui l'entourent (substances corporelles ou substances rapportées) ? De quelles techniques enfin dispose-t-elle pour parfaire, ou bien défaire, cette nature physiologique (embellir, soigner, ne pas vieillir) ? Mon objectif a été, non pas de démontrer à quelles images de la femme aboutit cette « mise en culture » du corps féminin, mais plutôt de découvrir, par la confrontation d'expressions contemporaines de l'identité corporelle féminine avec d'autres plus anciennes, les mécanismes profonds qui les conditionnent.

Je n'ai projeté en aucun cas une histoire des représentations du corps féminin ou encore de la pensée cosmétique et médicale sur la femme, même si je me suis fréquemment servi de l'état de la recherche au sein de ce qu'on désigne couramment sous le vocable d'« histoire du corps », replaçant modèles d'identités et comportements de manière historique afin de comprendre leur actualisation. Pour autant, a contrario d'un regard qui cherche à enregistrer les évolutions fines et les mutations imperceptibles que connaît la sensibilité corporelle, j'ai cherché à me situer dans une perspective qui se placerait *en dehors* de l'histoire, hors des évolutions et des mutations que connaît l'imaginaire du corps, pour m'intéresser aux permanences et récurrences, analyse que je crois bien plus à même de mettre au jour les relations entre les différentes composantes d'un système de représentations rattaché à un socle invariant de nature anthropologique[1].

Il s'agissait également d'interroger la perspective parfois un peu positiviste dans laquelle une partie des sciences sociales analyse le corps, perspective qui tend à induire l'idée d'un corps qui irait quelque part, placée sous la logique analytique du « processus de civilisation » qu'avait décrit Norbert Elias. Prenant la suite de l'ethnologie positive du XIXᵉ siècle, nombre de travaux de l'histoire des mœurs ont ainsi cherché à inscrire le corps dans une trajectoire évolutionniste, replaçant minutieusement l'évolution des techniques du corps comme celle des comportements dans le sens de l'histoire. Même si là n'était pas le propos de la thèse d'Elias, davantage tournée, précisément, vers la relativisation de la notion de « civilisation », elle n'en a pas moins induit l'idée que l'histoire sociale du corps allait dans le sens d'une évolution positive et que le corps était soumis à progression dans son appareillage social, comme il l'était dans sa réalité biologique. Je ne veux pas non plus bien sûr avoir l'air de dire qu'il n'y a rigoureusement pas d'évolution, et il est évident que l'état de la technique comme sa diffusion influent sur les comportements, comportements qui influent eux-mêmes en retour sur l'état de la technique. Mais cette vision, parce qu'elle ne peut s'appuyer que sur les faits, laisse parfois trop dans l'ombre ce qui les sous-tend – invariants et récurrences que je regroupe ici sous le terme d'imaginaire du corps. Parce qu'elle est largement issue de la sociologie, l'histoire du corps s'intéresse à l'homme dans une dimension collective qui enregistre les évolutions lorsqu'elles commencent à être pratiquées par un nombre significatif d'individus. Doit-on cependant attendre l'apparition de la fourchette pour analyser ce que représente la mise à distance des aliments ou bien la démocratisation du miroir pour observer la relation que l'homme entretient avec sa propre image ? Plus encore que les faits de l'histoire du corps, c'est la relation que nous entretenons avec eux qui permet selon moi de mieux comprendre les fondements de l'identité corporelle.

Se pose bien sûr à ce stade la question de l'énonciateur, question qui m'a été soulevée à maintes reprises lors de ce travail : au nom de quoi, en ordinaire représentant du sexe masculin que je suis, pouvais-je ainsi parler de ce que, *par nature*, j'ignore ? Question souvent complétée d'une autre : à une époque où la conquête du droit des femmes passe également par une recherche universitaire faite *par* des femmes *sur* les femmes, et ce particulièrement au sein des *Women's Studies* américaines, n'étais-je pas en train d'opérer une tentative de récupération d'un « terrain » scientifique exclusivement féminin ?

En ce qui concerne la première question, la réponse est évidente : je travaille moins sur les femmes que sur *l'image de la femme* dans la culture, et mon « matériau » premier n'est pas le corps lui-même ou encore l'image que la femme s'en fait mais seulement les représentations que la culture en propose. A ce titre, je travaille sur un matériau accessible à tous et pour l'étude duquel il est peut-être même préférable de se tenir légèrement à l'extérieur. Après tout, ayant vocation à développer une analyse anthropologique du système de représentation du corps féminin dans la culture occidentale, et l'anthropologie ayant précisément pour objet de « traiter au présent de la question de l'autre[2] », peut-être vaut-il mieux rester effectivement à l'extérieur, à l'instar d'un simple ethnologue à qui, en fin de compte, personne ne reproche le fait d'être italien tout en travaillant sur la culture maori ou encore d'être protestant et de s'intéresser aux rites chamaniques. Ainsi que l'avait fait remarquer avec humour Jackie Pigeaud, auteur d'un des deux prérapports de ma thèse, ma position me donnait le rôle du *kataskopos*, de l'espion qui observe et qui n'est ainsi, de l'extérieur, pas mal placé pour le faire. Ainsi, moins qu'un travail sur les femmes (travail pour lequel je ne me sens aucune légitimité), ce travail porte sur *La* femme et sur la manière dont se déploie au travers de sa « mise en culture » l'imaginaire que l'homme (au sens d'*homo*) s'est toujours fait et se fait encore de son corps (même si, on le verra, transparaîtra souvent derrière cet imaginaire le regard que l'homme, au sens de *vir*, premier autre de cet autre et surtout producteur historique du discours, accorde au corps féminin).

En ce qui concerne la deuxième question, celle de la notion de « domaine réservé » à l'intérieur des sciences sociales, je la crois assez suspecte, trouvant tout à fait pernicieux d'établir une répartition du champ des sciences sociales à l'intérieur d'ensembles culturels clos. C'est malheureusement ce qui se passe parfois, et je n'aime pas l'idée que l'histoire de la maternité ne puisse être étudiée que par des chercheurs femmes ou que la sociologie de l'intégration soit réservée aux chercheurs noirs Cette attitude est particulièrement forte aux Etats-Unis où les rayons de librairie répartissent entre *Women's Studies* et *Ethnic and Racial Stu-*

dies des ouvrages le plus souvent écrits « de l'intérieur » par des chercheurs issus des communautés en question. Loin d'être une distribution libératoire visant à la reconnaissance d'un statut, cette « confiscation du sujet » me paraît être dangereusement discriminatoire puisque, pour corollaire inverse, il deviendrait théoriquement difficile à ces chercheurs de sortir du champ d'étude auquel leur « état » les prédestine. La question du « choix délibéré de l'autre » en sciences sociales me paraît au contraire essentielle pour dépasser aujourd'hui les nombreux clivages que l'on voit se relever entre « races », « genres » ou milieux sociaux.

Mais s'il est question « d'interpréter l'interprétation que d'autres se font de la catégorie de l'autre[3] », afin de précisément dépasser les clivages qui peuvent naître de son incompréhension, se pose également la question du « lieu de l'autre », du point où la culture rencontre cet autre. C'est à ce lieu qu'il faut s'attacher pour percevoir ce système de représentation et comprendre son fonctionnement en lien avec le présent. De la même façon que l'ethnologue commence son approche d'une culture par les lieux exemplaires où celle-ci s'articule et s'échange, commençons notre analyse par une promenade imaginaire sur une place d'une quelconque de nos villes occidentales, espace exemplaire de la mise en scène du quotidien. S'y côtoient des femmes et des images de femmes, femmes réelles, pressées ou pensives qui passent au-dessous ou à côté des représentations que la culture donne d'elles. Sur un panneau publicitaire rotatif apparaissent tour à tour trois publicités : une femme au clair visage sublimé vantant une marque de cosmétique, une brune sensuelle conduisant une voiture de sport, une jeune fille à l'attitude nonchalante et au visage provocant utilisant un téléphone portable. Plus loin, une affiche mal collée vante un serveur minitel dit « de charme » à l'aide d'une femme blonde aux cheveux décoiffés, aux lèvres entrouvertes et aux appâts insistants. A côté de celle-ci, la silhouette de Marilyn Monroe dans *Sept ans de réflexion* sert d'enseigne au néon à un bar pendant que, de l'autre côté de la place, l'enseigne d'un détaillant de sport montre une jeune femme mince vêtue d'un maillot de bain en train d'effectuer un plongeon impeccable. Encore un peu plus loin, des visages de femmes souriantes car débarrassées de leurs rides et de leurs troubles digestifs se pressent dans la vitrine d'une pharmacie, à quelques pas d'une immense photo un peu floue de deux jeunes rêveuses dans la vitrine d'une boutique de vêtements. Au coin du carrefour, le kiosque est lui aussi couvert de visages : femmes rêvées des magazines de mode, « vraies » femmes des magazines de psychologie, de santé et de société, femmes célèbres des magazines *people*, de cinéma ou de télévision.

Premier tour de la place, premier constat : il y a beaucoup plus de femmes que d'hommes dans le paysage quotidien des images, et c'est évidemment la femme qui fait l'objet du système d'image le plus vaste et le plus inlassablement répété. A l'instar de Charles Denner dans *L'homme qui aimait les femmes*, notre culture voit la femme partout, recomposant inlassablement ses archétypes par leur permanente remise en image. Qu'elle soit destinée à un public féminin (registre de l'identification au modèle) ou à un public masculin (registre de l'altérité désirable), la femme reste au premier rang de la représentation, les images masculines destinées à l'identification au modèle ou à l'altérité désirable, si elles sont plus répandues que par le passé, restant quantitativement moins présentes. Féminisation des valeurs de la société nous disent certains sociologues. C'est peut-être en partie vrai, mais moins dans l'image de la femme qu'au travers du *regard de la femme* sur d'autres images qui ne me concernent pas ici, celles des éléments de la culture traditionnellement reliés au « féminin » (l'enfant, l'intérieur, le jardin, le quotidien, etc.). Je crois que la surabondance des images de femmes que notre culture affiche sur ses murs, moins que d'une féminisation de celle-ci, témoigne au contraire de la tradition masculine de mise en image de l'objet du désir. Notre culture encore largement, sinon masculine, au moins masculinisée, se donne toujours pour spectacle ce qu'elle a envie de contempler et en l'occurrence l'autre désirable, la femme. La femme représentée incarne décidément mieux que quoi que ce soit *l'autre* de notre culture.

Refaisons une fois encore le tour de la place et des différents clichés de la féminité qui s'y donnent à voir : certains sont manifestement là pour provoquer un désir d'identification (ceux des marques de cosmétique et de prêt-à-porter, du maillot de bain, de l'antirides et du tranquillisant digestif); d'autres, à l'évidence, pour susciter le désir masculin (la blonde du serveur minitel, la brune à la voiture de sport, la silhouette de Marilyn), d'autres aux fins d'identification encore (femmes du monde et actrices), mais renvoyant davantage celles-ci à *des* femmes qu'à la femme. Première constatation, que tout le monde sait : l'image de la femme dans la culture se superpose avec celle de la beauté. Mais deuxième constatation directement issue de la première : les femmes de la place sont toutes ramenées à leur corps, corps esthétisé répondant aux canons de jeunesse et de beauté, corps hypersexué répondant au désir masculin ou corps médicalisé luttant contre la constipation et le vieillissement. Il apparaît ainsi, reprenant la série de réflexions évoquée au tout début, que le lieu où la culture rencontre la femme est *son corps*, un corps en fait double : au travers de son enveloppe d'abord, avec tous les corollaires de jeunesse et de beauté (ou de vieillesse et de laideur) qui y sont attachés; au travers de son fonctionnement ensuite, avec tous les corollaires de santé et de potentiels de sexualité et de fécondité (ou de maladie et de stérilité), rejoignant ainsi la préoccupation ontologique évoquée au début de ce chapitre. M'est ainsi apparu que « le sexe » – puisque l'on parlait il n'y a encore pas si longtemps des « personnes du sexe » – que le sexe donc se répartissait bel et bien entre ces deux appellations les plus marquées : le *beau sexe* et le *sexe faible*. Car il est tout de même frappant de constater que, pour la culture, femme et sexe sont devenus synonymes, comme si la femme *était* le sexe, et que cet amalgame a donné lieu à deux locutions qui renvoient précisément les femmes dans ces dimensions simultanées de beauté et de faiblesse.

Le point d'où observer ce « lieu de l'autre » s'impose ainsi de lui-même : il s'agira d'étudier ici les mises en discours écrites et visuelles du corps féminin dans ses deux dimensions essentielles de beauté (des écrits de cosmétologie aux argumentaires publicitaires des produits de beauté) et de santé (des écrits médicaux et de physiologie aux médecine et diététique vulgarisées des magazines de santé), autant d'expressions exemplaires de la manière dont la culture se représente le corps de la femme dans son quotidien. Se superposent à cela les représentations plus littéraires du féminin, mythes, récits et anecdotes, personnages et images qui hantent toujours les détours de la culture. Par culture, j'entends simplement le sens commun que l'on donne à ce mot, c'est-à-dire les manifestations d'un donné collectif constituant un ensemble de discours et de pratiques fondées sur un système de représentations commun, prenant pour principe qu'il n'en est ni de nobles ni de vulgaires.

Voulant traiter du système contemporain qui régit *majoritairement* (c'est-à-dire en termes quantitatifs) les images du corps, j'ai naturellement été amené à choisir le système occidental du fait de son ampleur, sans considérer par ailleurs qu'il soit ni le plus symbolique, ni le plus significatif, ni le plus puissant, ce qui n'est par ailleurs probablement pas le cas. J'ai, simplement, voulu analyser le plus courant. J'ai également délibérément choisi d'éliminer comme ne participant pas de mon propos les représentations psychologiques (conscientes ou inconscientes) de soi-même, à savoir l'image que les femmes se font de leur propre corps, puisqu'il ne s'agissait pas, comme je l'ai déjà dit, de s'intéresser plus que cela à la dimension du *soi* pour au contraire se concentrer sur la question de *l'autre* (partant également du principe que toute femme est toujours « l'autre » d'une autre femme). Certes, me rétorquera-t-on, celles-ci sont conditionnées par celles-là et les images que notre monde propose du corps féminin (du reste remarquablement répétitives) ont bien évidemment une influence sur la manière dont les femmes se perçoivent elles-mêmes. C'est vrai, mais pas dans les deux sens, et il est plus facile aux modèles d'influer sur les comportements qu'aux comportements d'infléchir de manière significative et durable les modèles même si, sur le très long terme, ils subissent bien sûr une influence en retour. D'autre part, le « point fixe » que représente l'existence de grands modèles culturels ne saurait que changer sans réellement changer, les nouvelles dimensions apportées par l'évolution des comportements ne pouvant modifier sa nature profonde sans en altérer le sens.

Mais où débouche cette exploration de l'imaginaire physiologique féminin ? Considérant que les sciences sociales, moins que raconter le monde, doivent tenter de le comprendre (au sens premier mais également au sens spatial : comprendre, c'est englober, se situer par rapport à), je chercherai ici à proposer un *point de vue* (toujours au sens spatial), perspective critique sur cette image que la culture propose du corps féminin. Ainsi, au-delà du seul intérêt générique pour une exploration des imaginaires du corps, j'aimerais au long de ce travail proposer une réflexion sur un élément dont je dois avouer qu'il ne m'était pas de prime abord apparu comme essentiel : le caractère extrêmement normatif et aliénant des « figures rhétoriques de la persuasion » qui s'attachent aux discours sur le corps féminin. M'étant approché de la masse de ces injonctions destinées à un public féminin avec un œil extérieur, j'ai été frappé par la puissance de la normativité sous-jacente de ce qui est, en fin de compte, un véritable dispositif répressif dont la femme fait l'objet au travers de son corps.

L'extrême pesanteur des images du corps, comme leur ample récurrence, sont particulièrement évidentes lorsque l'on regarde comment ces domaines sont mis en forme par le discours populaire contemporain : argumentaire publicitaire des produits de beauté et médecine vulgarisée des magazines de santé. Il s'agit ainsi de mettre au jour dans ce travail, en montrant sur quels mécanismes elles s'appuient, les formes répressives plus ou moins subtiles que peuvent prendre les discours sur le corps féminin. Pour le dire autrement, et rejoignant ainsi une préoccupation déjà ancienne, les discours journalistiques et publicitaires touchant à l'identité de la personne me sont toujours apparus comme bien plus pernicieux que ce que leur courte portée médiatique ne laisse supposer. Mon but ici, en en démontant les quelques principes rhétoriques, est de les maintenir « à distance », gardant une position critique face à des formes de discours d'autant plus insidieuses qu'elles adhèrent de manière étroite à notre quotidien et que leur normativité finit par se fondre avec la banalité. Cet ouvrage se donne ainsi également pour but de démonter le dispositif de cette injonction permanente de la femme à parfaire sa beauté, comme sa santé, afin de mettre en lumière tout ce qui renforce cette mise en sujétion de l'individu à son propre corps.

Le propos final de cet ouvrage répond ainsi à une double volonté. D'une part, au plan de la discussion, montrer comment l'évolution des représentations du corps, particulièrement celles que recouvre l'imaginaire physiologique, s'inscrit dans une perspective de permanence et de récurrence située en dehors de l'histoire. D'autre part, au plan de la démonstration, tenter d'éclairer les relations de pouvoir qu'impose à ses récepteurs la culture populaire contemporaine du corps : pourquoi, et par quels procédés discursifs, la femme est-elle de cette façon et à ce point condamnée à *être* un corps, son corps ?

PREMIÈRE PARTIE

Les images du corps féminin

1 – Le corps au présent : l'« hypothèse de maturité »

La première chose qui frappe à l'étude des mises en discours du corps, c'est leur remarquable inscription dans une vision positiviste. Il existe en effet un schéma discursif parfaitement récurrent qui veut que le corps soit considéré par l'ensemble de la culture comme un objet en voie d'accomplissement. Souvent présenté de pair avec l'évolution de la civilisation, son destin est généralement confondu avec elle dans l'évocation d'un futur radieux, celui où l'homme, allégé des servitudes corporelles, serait débarrassé de la laideur, de la souffrance et de la vieillesse. Toujours, lorsqu'il s'est agi de représenter le degré d'aboutissement et de maturité d'une culture ou d'une civilisation, c'est le corps qui a été un des premiers convoqués. C'est devenu un lieu commun de toute la littérature prospective, de l'*Utopie* de More à la science-fiction contemporaine, que de dépeindre un corps enfin débarrassé de sa gangue d'imperfections comme signe exemplaire d'une civilisation évoluée. C'est également le lieu commun de toutes les politiques totalitaires que de chercher à établir la supériorité de la nation par la représentation d'une perfection corporelle et d'une suppression, sinon de la maladie, du moins de son spectacle. Cette image d'un corps libéré, délivré, abouti, est toujours placée au premier plan de la représentation du processus de civilisation. Elle en est simultanément l'expression première et la preuve ultime, parfois aussi la mesure même, l'étalon universel. Ce mythe de l'accession progressive à un corps parfait situé dans l'avenir se confond également avec le mythe de la redécouverte d'un corps tout aussi parfait, mais situé dans le passé. Corps de l'origine – celui de l'Age d'or ou du paradis terrestre – sans souffrance et sans laideur, promis à l'éternelle félicité, trace lui aussi d'une perfection de l'humanité. Ainsi, en face de notre corps, matière fragile et sans cesse menacée, s'est toujours représenté son « double transfiguré », image d'un corps accompli, débarrassé des inquiétudes et des dégoûts de notre trop humaine condition. Une galerie de statues dans laquelle sont rangés les corps mythiques de l'Age d'or, ceux des surhommes, dieux ou héros, de même que les images d'un corps en devenir, celui d'une humanité dont le degré de civilisation consacrera enfin les corps glorieux.

Ce « double transfiguré » du corps, au-delà de la mythologie, est tout autant présent dans la culture scientifique au travers de l'image de la perfection corporelle, première référence, bien sûr, de la médecine, mais également d'autres domaines de la culture, comme l'hygiène ou l'activité corporelle. Dans ce mouvement, particulièrement depuis le XVIIIe siècle, s'impose l'image d'un corps gravissant inexorablement l'escalier de l'accomplissement grâce aux progrès de la science. « Corps exact » qui s'est imposé graduellement comme le modèle dominant et au réglage duquel nombre de sciences se sont astreintes : la médecine et l'hygiène bien sûr, mais aussi l'anthropologie médicale et tous ses dérivés : morphologie, génétique, phrénologie; suivies très vite de l'« autre » réglage, celui dont s'occuperont la psychiatrie et la psychanalyse. Dans le même temps se parfait son réglage esthétique, celui de la mesure et du canon, pendant que se développent les techniques qui permettent d'y accéder : éducation physique et cosmétologie, diététique et chirurgie.

Tous tiennent le même discours, centré autour de la même hypothèse : le corps de l'homme s'éduque, se parfait, se « civilise ». Avec le début du XXe siècle, le corps voit réuni l'ensemble des discours toujours en vigueur aujourd'hui, discours qui en font simultanément le matériau, l'expression et l'enjeu même du processus de civilisation : apogée d'une recherche de la juste proportion comme du juste équilibre biologique – physique comme mental –, va-et-vient permanent entre forme et substance, entre art et science, entre beauté et santé, volonté obstinée de réglage et d'ajustage, observation passionnée du processus de perfectionnement du corps de l'homme et, au-delà, de l'humanité tout entière. Pour la science de notre monde contemporain, le corps est une des pièces centrales d'étalonnage du dispositif de civilisation (pour en vanter l'avancement mais également pour en signaler les dérives : chirurgie plastique intensive, manipulation génétique, clonage... mais que ce soit en positif ou en négatif, c'est toujours l'*avancement* de la culture qui est de la même façon mis en avant au travers du corps). Ce corps exact, ultime promesse de l'évolution, est plus que jamais au cœur de notre quotidien et les notions de santé parfaite, de jeunesse éternelle et de beauté idéale, si leurs implications individuelles sont souvent critiquées, restent au centre de la représentation dominante dans laquelle s'inscrivent aujourd'hui l'homme, son corps et les progrès de sa science. Le corps de cette fin du XXe siècle est plus que jamais représenté comme l'expression parfaite d'une évolution : le corps de l'homme est l'image même de sa culture.

Conséquence naturelle de ce regard positif : la culture occidentale considère à toutes les époques son degré de civilisation comme achevé, se créditant d'un relatif aboutissement, d'un acquis de maturité. La nôtre n'y fait pas exception et la plupart des analyses faites aujourd'hui abondent dans ce même sens : par le développement de ses savoirs comme de ses savoir-faire, l'homme contemporain porterait sur son corps un regard d'une exceptionnelle compétence et d'une maturité inédite. Il bénéficierait, chaque jour davantage, d'une meilleure connaissance de lui-même et se débarrasserait peu à peu des encombrantes béquilles qui lui étaient imposées par l'obscurantisme de la culture et les retards de la science pour accéder à une nouvelle liberté. La plupart des discours contemporains sur le corps tiennent ainsi pour acquise l'idée que le corps se dirige peu à peu vers une forme de maturité. Une certaine vulgarisation sociologique, généralement liée au marketing de la consommation, s'est particulièrement astreinte ces dernières années à montrer que nous étions chaque jour plus adultes dans nos comportements face aux pratiques corporelles, que celles-ci relèvent de la médecine, de l'esthétique ou encore de l'alimentation. Pour nombre de ces observateurs nous serions, à la fin de ce XXe siècle, en train d'atteindre, sinon l'aboutissement, du moins le palier supplémentaire de la longue marche civilisatrice qui nous conduit vers l'accomplissement futur de notre « conscience corporelle ». Cela, aujourd'hui, c'est la représentation dominante de l'identité corporelle : une *hypothèse de maturité* qui règle la majorité des discours sur le corps.

Cette hypothèse est généralement construite à partir d'un postulat de départ simple : le développement des procédés, qu'ils soient ceux des techniques corporelles ou ceux de leur diffusion, oblige à l'apprentissage de nouveaux savoir-faire. Ces nouveaux savoir-faire induisent une meilleure connaissance de soi-même, connaissance qui provoque une nouvelle relation avec son corps, plus mature, faite de pilotage savant de soi-même, de recul sur les pratiques et d'érudition consumériste. Ce discours permet alors de poser les bases d'une tranquille réassurance : l'individu maîtrise aujourd'hui de mieux en mieux son corps, il connaît ses limites autant que les possibilités qu'offrent les récents développements de la technique, il a atteint une maturité qui lui permet une meilleure prise en charge de lui-même. Admise, comprise, relayée par beaucoup, l'hypothèse de maturité est considérée aujourd'hui comme celle qui permettrait le mieux d'embrasser le corps dans ses enjeux comme dans son devenir. Cette hypothèse tient bien, sans doute parce qu'elle est facile à tenir et qu'elle permet cette mise en perspective que j'évoquais plus haut, celle qui lie l'histoire du corps à celle du progrès et l'histoire de l'homme à celle de sa libération corporelle. Elle permet aussi d'affirmer le franchissement d'un degré, de dire que si l'homme est en devenir de maturité, c'est que nous le sommes nous-mêmes, c'est que celui qui parle l'est, permettant également ce que Michel Foucault avait appelé le « bénéfice du locuteur ». Optimiste ? Certainement. Ce discours est tout entier tourné vers le « rêve évolutionniste », celui dans lequel l'homme, devenu adulte, est enfin son propre maître.

Cette hypothèse est pourtant à questionner, et semble trop souvent n'être qu'une façade incomplète, qu'un discours venant à point pour masquer l'inquiétude permanente que comporte toute définition de l'identité corporelle. Elle pourrait peut-être se retourner dans des termes très exactement contraires à l'affirmation qui précède : le développement des procédés, qu'ils soient ceux des techniques corporelles ou de leur diffusion, oblige à un apprentissage de plus en plus rigoureux de savoir-faire chaque jour plus nombreux et souvent contradictoires. Cette « obligation de connaissance » de soi-même provoque un contrôle accru du corps, induisant une relation plus inquiète, faite de soupçons, sans possibilité de recul sur les enjeux des différentes techniques proposées et sur les conséquences de pratiques trop récemment introduites. Ce retournement de discours le fait radicalement s'opposer au message de réassurance précédent : l'homme d'aujourd'hui a toujours plus de mal à maîtriser son corps mais est au contraire toujours plus dominé par lui, et à mesure qu'il cherche à se rapprocher de son image, elle lui devient plus difficile à appréhender.

Les analyses et évocations contemporaines de l'identité corporelle féminine naviguent peut-être plus encore sur le même courant positiviste. Des études de sciences sociales au discours des magazines de mode, la femme est également représentée comme ayant dépassé, à l'ère postféministe, l'incertitude de sa propre image. Un ouvrage récemment paru en France, *La troisième femme*, est ainsi largement construit sur cette hypothèse de maturité, hypothèse qu'il épuise même parfois à force de positivisme. Selon son auteur, nous aurions ainsi atteint un « stade terminal du beau sexe », une « culture de stimulation et d'optimisation sans fin de la beauté, une culture positive, rien que positive du beau sexe[1] ». « Stimulante », « optimiste » et « positive », la culture de la beauté féminine en arriverait ainsi à son terme, c'est-à-dire à la fin de l'histoire puisque, bien sûr, il n'y a rien après la maturité, que la maturité. Mais tout aussi révélateur que cet ouvrage est l'accueil qui en a été fait par la presse : de nombreux comptes rendus dans les journaux, des interviews dans les magazines féminins, bref tout un battage médiatique venant cautionner cette thèse de manière presque totalement consensuelle, sans l'ombre d'un doute pourrait-on dire. Et même si quelques femmes, particulièrement dans les milieux intellectuels, ont exprimé leur scepticisme face à cette thèse, la presse en revanche lui a fait un écho largement positif, chacun y trouvant à l'évidence matière à (se) rassurer, à convaincre et sans doute aussi à faire vendre, tant il est vrai que tous, autant que nous sommes, avons toujours préféré les prophètes optimistes, fussent-ils les moins convaincants.

Ce thème est ainsi solidement ancré au cœur du discours journalistique, particulièrement de celui des magazines féminins qui y trouvent un moyen de séduire la lectrice : « Généralement, les fins de siècle sont heurtées, chaotiques, pleines d'angoisse et de fureur. Certains voudraient nous faire croire que [...] les années 2000 seront maussades, grises, froides et cyniques. Grave erreur. Jamais les femmes n'ont paru si sûres d'elles, si sereines, si épanouies, si sensuelles. [...] La femme moderne apparaît comme une nomade, une voyageuse sûre de sa féminité. Elle est légère, enjouée et d'une totale maturité[2]. » Une femme d'une « totale maturité », à preuve la maîtrise de plus en plus grande dont elle ferait preuve en ce qui concerne son image et la manière dont elle la gère. A preuve également l'explosion de techniques et de procédés offerts entre lesquels elle saurait parfaitement choisir pendant que la multiplicité des images et des modèles proposés, par leur accessibilité même, aiderait encore à l'éduquer. Ce discours positif sur le développement corporel enjoint ainsi la femme à s'identifier à nombre d'images et de pratiques, celles du *corps accompli*, produit d'un travail sur soi-même qui tend vers différents modèles de beauté et de santé, quelle que soit par ailleurs la manière dont l'époque les représente et dont l'individu les actualise. Ce modèle se fonde sur un dispositif rhétorique simple : il faut vivre son corps, en prendre conscience pour le parfaire, « rentrer » à l'intérieur pour en « extraire » le maximum, message d'une philosophie du physiologique que représente bien le slogan *Make the most of yourself* inlassablement répété par les marques américaines de produits les plus divers présentes sur ce marché, des vitamines aux produits de beauté, des boissons hypocaloriques aux centres de remise en forme. Cette pensée de l'accomplissement inscrit le travail du corps dans la perspective plus générale de l'éducation, inscription très profondément ancrée dans la culture et dont nous prolongeons l'existence aujourd'hui même si, pour des raisons essentiellement rhétoriques, nous faisons à chaque fois mine de le redécouvrir. A toutes les époques, l'individu, qu'il soit homme ou femme, s'est rêvé une corporéité accomplie, celle d'un lien retrouvé avec le corps des origines, image d'un corps libéré de la maladie, du poids du temps ou des menaces externes, d'un corps serein et énergique, d'un corps parfait, triomphant et utopique.

« Quel âge ? Jeune ! » Ce slogan publicitaire accompagnait il y a peu de temps un produit antirides dans les vitrines des pharmacies. On y voyait un visage de femme souriant, à la peau à peine marquée par le temps, d'un âge effectivement indéfinissable, quelque chose autour du cliché de la belle femme de quarante ans. Rien de changé depuis que la nymphe Juventa a été transformée par Jupiter en source de l'éternelle jeunesse : ce qui importe, c'est l'éternelle apparence de jeunesse, en attendant la cauchemardesque pilule qui stopperait effectivement le vieillissement (ne rions pas, c'est sans doute ce que la science risque d'apporter un jour pour d'évidentes raisons commerciales : il suffit de se rappeler l'engouement, même s'il a été passager, qu'a créé la mélatonine, alors rebaptisée par la presse « la pilule de la jeunesse »). Mais une apparence de jeunesse elle-même liée à la santé du corps et condition première de sa beauté. L'accomplissement du corps pour la femme signifie l'accomplissement de cette triade jeunesse-beauté-santé qui veut que se réalisent simultanément la beauté du corps par sa jeunesse, sa jeunesse par sa santé et sa beauté par sa santé, et ce dans une optique anthropologiquement évidente puisqu'il s'agit évidemment des trois conditions « culturelles » de la fécondité et donc de la perpétuation de la lignée. Je reviendrai plus loin sur ce fondement culturel de la féminité, mais il est déjà intéressant de noter que, s'il a vacillé sous l'effet de la reprise de contrôle de leur propre corps que les femmes ont opéré grâce à la contraception, le modèle qui en résulte n'en a pas pour autant disparu et que, en reprenant possession de son corps, la femme n'a pas pour autant abandonné (ou pu abandonner) les grands modèles qui le régissaient. Cette triade du corps accompli, faut-il le préciser, est devenu le modèle corporel dominant des sociétés occidentales, et les pratiques d'embellissement et de perfectionnement corporel se sont remarquablement intensifiées ces dernières années, consolidant encore un marché florissant qui comporte ses industries, ses lignes de produits, ses enjeux marketing et financiers, ses lieux de communion-communication, ses médias et ses chroniqueurs. Parallèlement à cela, son imposition et la médiatisation de ses techniques ont pu être à juste titre considérées comme un phénomène de société et, de ce fait, largement relayées et commentées par la presse. Elle a fait également l'objet de nombreuses études de sociologie appliquées au marketing, particulièrement en ce qu'elle représente un marché important et, au moins, un argument publicitaire pour vendre des produits ou services non directement reliés à ce marché. Mais le pourquoi de cette intensification de ce modèle du corps accompli et ses conséquences dans le développement des techniques corporelles a déjà été largement analysé, notamment par la sociologie et par l'histoire, et plus que les raisons qui poussent aujourd'hui l'individu à développer ainsi son corps, ce que j'aimerais interroger c'est la mise en discours de cette relation, c'est-à-dire le type de représentations qui préside à la forme du lien entre l'individu et cette pratique.

Le discours dominant, particulièrement le discours journalistique ou encore celui des analyses sociologiques appliquées au marketing, tient ainsi généralement pour acquis l'idée que la femme voit la relation à son corps bénéficier d'une acuité inédite, qu'elle dispose de nombreux moyens destinés à le parfaire et à l'embellir et qu'elle compose elle-même le programme en termes de techniques et de substances le mieux adapté à ses besoins. A nouveau, on mélange l'évolution des techniques et celle des attitudes : si la femme a effectivement aujourd'hui un nombre accru de propositions autour d'elle, cela veut-il dire qu'elle change sa manière de les aborder, qu'elle entretient une autre relation avec elles ? Non seulement il n'en est rien, mais je crois même que c'est le contraire, que plus les pratiques corporelles se diversifient, plus elles provoquent une dépendance marquée aux modèles traditionnels, une *incarnation* profonde des discours. Je suis persuadé que plus la femme se multiplie dans différents savoirs et dans différentes pratiques, moins elle se libère des représentations qui les sous-tendent. Et qu'elle est d'autant plus dépendante d'un système qui la dépasse largement qu'elle en pratique les techniques quotidiennement, de manière intensive et quelquefois même désordonnée. Entre jeunesse éternelle, beauté parfaite et santé accomplie, la femme voit se multiplier les enjeux liés aux pratiques corporelles, pratiques d'autant plus urgentes qu'elles sont inscrites par la culture au plus près de sa chair, lieu même, ainsi que je l'évoquais au début de ce texte, de sa rencontre avec la culture. A l'opposé de cette hypothèse de maturité qui est aujourd'hui la nôtre, j'aimerais montrer que l'identité corporelle est loin de s'être dégagée de schémas traditionnels, que la relation que la femme entretient avec l'image de son corps relève, encore et toujours, d'un système archaïque et obligé et que, loin de l'image de libération dont le discours dominant se fait l'écho, la femme est plus que jamais mise en demeure par la prescription qui l'environne, notamment celle des discours journalistiques et publicitaires, à accomplir cette « éthique toute moderne qui, à l'inverse de l'éthique traditionnelle qui veut que le corps *serve*, enjoint à chaque individu *de se mettre au service de son propre corps*[3] ».

Je voudrais dans ce qui suit explorer les formes que prend cette mise au service du corps autour des deux axes essentiels que sont la beauté du corps et sa santé. Ou, plus exactement, les formes du discours par lequel s'incarne cette double injonction de corporéité : d'une part, un « devoir de beauté » directement issu de l'association femme-beauté et, d'autre part, un « devoir de santé », dimension de l'imaginaire corporel féminin peu étudiée jusqu'à présent et qui donne pourtant lieu, tout autant que la beauté, à l'établissement d'un forte relation d'obligation. Comment, et par quels procédés discursifs, devoir de santé et devoir de beauté sont-ils aujourd'hui révélateurs du décalage entre pratiques et discours, entre représentations d'un « accomplissement corporel » et permanences des archétypes du féminin.

2 – *Au service du corps : le devoir de beauté*

Puisque l'image de la femme, on l'a dit, se confond pour la culture avec l'image de la beauté, le premier pas vers l'accomplissement corporel passe évidemment par le devoir de beauté quotidien. C'est un des leitmotive du discours sur la femme : la femme peut être belle, doit être belle, « parce que véritablement la femme à qui manque la beauté est bien dépourvue[4] ». Etre belle ou ne pas être. La femme sans beauté n'est pas totalement femme, voilà ce que laisse entendre ce discours, qualité d'autant plus nécessaire qu'elle reste le plus souvent représentée au premier plan de la réussite, que celle-ci soit sentimentale ou sociale. C'est encore et toujours le mythe du prince et de la bergère : la dernière des femmes, la moins bien classée socialement peut, par sa seule beauté, accéder au premier rang de la société. C'est aussi Marilyn Monroe qui, dans *Men Prefer Blondes*, réussit à convaincre le père, qui lui reproche d'avoir séduit son riche fils, en lui faisant remarquer qu'il y a équivalence entre la richesse de son fils et sa beauté à elle. Elle le veut parce qu'il est riche (en l'occurrence), lui la veut parce qu'elle est belle. Sa beauté devient la réponse « marchande » à l'autre, principe autour duquel s'organise le système de représentations lié à la beauté féminine. C'est ce présupposé de valeur sociale accordée à la beauté qui règle ainsi quelques-uns des grands mythes contemporains de la beauté, du « beau mariage » à l'élection de Miss Monde, des concours mannequins des magazines de jeunes filles au succès médiatique des top-models. A l'instar du billet gagnant, la beauté d'une fille est représentée comme devant lui assurer, si elle a tiré le bon numéro dans la course au titre de la plus belle, succès (au moins mondain), richesse, amour et bonheur : comment réussir sa vie grâce à sa beauté.

Entendons-nous bien, je ne suis pas en train de dire que les femmes elles-mêmes mettent la beauté comme condition première de leur réussite, et il est évident qu'un des acquis majeurs du féminisme a été de sensiblement améliorer la possibilité pour les femmes de passer du statut d'objet à celui de sujet, même si beaucoup reste à accomplir dans ce domaine. Ce que je constate simplement ici c'est l'importance forte au plan de la culture de l'image du *beau sexe*, qui veut que la féminité soit représentée par la société presque chaque fois en association avec la beauté. Il suffit par exemple de voir la place médiatique qui est accordée à l'apparence chaque fois que la femme est présente : ainsi de la beauté des femmes ayant une visibilité quelconque (femmes politiques, journalistes, sportives), trait qui ne rajoute rien à leur compétence professionnelle mais que le discours se plaît toujours à évoquer là où personne ne songerait une minute à parler du physique d'un homme public (au passage, « homme public » renvoie au rôle social, « femme publique » renvoie au désir et donc au corps et à la beauté, bonne illustration sémantique de ce ghetto de la corporéité dans lequel la femme est tenue par la culture). Pour la femme, la beauté est représentée comme un devoir culturel. Pour *la* femme mais pas pour *les* femmes, qui peuvent heureusement effectuer le choix de placer leur individualité dans d'autres images d'elles-mêmes, position sans doute partagée par un nombre croissant de femmes, mais avec d'autant plus de difficultés peut-être que – précisément – la culture et le discours dominant l'enjoignent à une pratique toute différente. Ainsi, et j'insiste sur ce fait, chaque fois que j'écris « la femme » dans ce texte, il faut entendre « l'image de la femme dans la culture » ou encore « les représentations de la féminité ».

Dans les représentations de la féminité, la beauté est ainsi depuis toujours associée à la femme et sa culture, de fait, est généralement présentée comme un devoir pour elle. Quelles qu'aient pu être par ailleurs les possibilités mises en œuvre (essentiellement selon l'état de la technique et le niveau de vie) de même que le degré d'acceptation ou de rejet par la morale ou par la loi, la relation obligatoire à la beauté accompagne l'image de la femme dans toute la culture occidentale. Et que l'on ne dise pas, prétextant que certaines époques ont diabolisé la beauté féminine, que celle-ci s'est trouvée dévalorisée, voire inexistante. Bien au contraire, quand on la diabolise, c'est évidemment en vertu de cette association incontournable qui fait de la femme l'objet du désir. Même si la mise en pratique de la culture de la beauté évolue suivant les époques et les classes sociales, son imaginaire, c'est-à-dire sa « mise en culture », traverse effectivement l'ensemble de la culture, comme en témoignent les traditions narratives tels les mythes ou les contes populaires dans lesquels l'association femme-beauté occupe le centre du dispositif narratif. De la même façon, les textes médicaux ou littéraires traitant du soin de beauté se retrouvent à toutes les époques, et s'ils sont rares à certaines, c'est encore une fois dû à l'état de la technique ou de sa diffusion plus qu'au statut de la beauté féminine dans la culture. Du traité de Criton, médecin de Trajan que cite fréquemment Galien, au *De medicamine faciei feminae* d'Ovide, des recettes de cosmétiques du *Passionibus mulierum medendis* de Trotula de Salerne aux environs de l'an mille à l'*Ornatus mulierum*, texte anglo-normand du XIIIe siècle, de l'*Abdeker* du siècle des Lumières aux traités d'hygiène féminine du XIXe siècle, de *The Art of Feminine Beauty* d'Helena Rubinstein dans les années 30 au « Spécial beauté » de *Madame Figaro*, la littérature sur le soin de beauté reste une constante. Toujours, il s'est agi pour la femme de disposer d'un éventail de pratiques corporelles aux fins de « préserver sa beauté et de l'accroître[5] » par une pratique quotidienne, à chaque fois bien sûr dans la mesure de ses possibilités. La rhétorique implacable de cette relation femme-beauté pourrait même être formulée à l'envers : si l'image de la femme n'a pas toujours été directement reliée à ce devoir de beauté, elle n'en a, en revanche, jamais été totalement libérée.

L'aspect contraignant de ce devoir de beauté, relation obligée de mise au service de son corps par la femme, quoi qu'en disent les hypothèses de maturité déjà évoquées, est loin d'être supplanté. J'en veux pour preuves les polémiques qu'il continue de susciter, le plus souvent au travers d'une critique acerbe de l'univers de la beauté et des valeurs qui y sont attachées. Ainsi, en 1990, paraissait aux Etats-Unis un livre dans lequel ce que l'auteur appelait le « mythe de la beauté » était perçu comme « l'expression d'une contre-offensive du pouvoir pour reprendre le contrôle sur les femmes[6] » et où était dénoncée une manipulation implicite derrière le discours des fabricants de beauté. Le succès médiatique de ce livre comme de son auteur (d'autant plus scandaleuse dans son propos qu'elle était présentée comme belle par la presse) est exemplaire de l'importance de cette attitude, particulièrement aux Etats-Unis où de nombreux ouvrages paraissent chaque année autour de cette même idée d'une beauté vécue comme un « mécanisme socialement construit par le contrôle socio-patriarcal ». Ce mouvement de rejet de la culture de la beauté est évidemment un courant issu d'une culture féministe qui s'inscrit dans la lignée des *Women's Studies*. Il est surtout le signe que la beauté féminine représente un poids réel dans l'imaginaire d'une culture où le pouvoir social de la beauté n'est pas vécu comme une abstraction. Mais si ce devoir de beauté est probablement aussi ancien que les rapports de séduction entre les sexes, la teneur du discours qui le véhicule a tout de même évolué pour deux raisons essentielles : l'imposition croissante de modèles toujours plus médiatisés d'une part ; la diffusion croissante de techniques corporelles de plus en plus sophistiquées et accessibles d'autre part.

D'une part, l'imposition croissante des modèles : le développement de leur médiatisation est un phénomène dont on sait l'importance en terme d'impact sur le niveau d'imposition des images. On connaît également son influence sur le terrorisme accru d'une perfection corporelle, d'une beauté devenue une valeur d'accomplissement et d'échange social. Un des bons exemples de l'évolution de la relation aux modèles est sans doute à chercher dans la multiplication de la notion de canon. Du canon de beauté à « la fille canon », le sens du mot canon s'est déplacé : « être canon », aujourd'hui, ne renvoie plus *au* Canon mais à *un* canon, parmi d'autres, c'est-à-dire simplement à une des images de la perfection corporelle moins reliée à un schéma mathématique qu'à une des nombreuses références collectives induites par l'image, caractéristique qui leur autorise une relative amplitude. S'il y a aujourd'hui plus d'un canon, c'est aussi parce qu'il y a plus d'une image, et que chaque nouveau modèle de beauté (mannequin, chanteuse, actrice) se juxtapose dans l'espace puisqu'il n'est plus possible de les faire seulement se succéder dans le temps. Ainsi, plusieurs modèles se partagent aujourd'hui la mise en discours visuelle du corps, différents modèles qui renvoient à autant d'imaginaires du corps féminin. Semblent se partager plutôt puisque, pour l'essentiel, la plupart des caractéristiques demeurent communes. Entre le canon de l'élégance (où le modèle de la minceur prédomine), le canon de la tonicité (où le modèle du muscle domine) et le canon de la sensualité (où le modèle de la rondeur est, sinon aussi clairement exprimé qu'il a pu l'être, du moins davantage présent que dans les deux autres) se déploie l'essentiel des modèles féminins, modèles de toute façon centrés autour de nombreux traits communs à l'ensemble de ces canons : des seins, une taille, des jambes, etc.

Mais si l'on parle aujourd'hui de canons au pluriel, n'est-ce pas également une manière détournée de prôner à nouveau la maturité, quelque chose comme « puisqu'il n'y a plus de modèle unique, c'est le moment d'inventer son propre modèle, de s'inventer soi », discours également récurrent qui vient à point pour servir l'hypothèse que je cherche ici à remettre en question. Message libérateur parfaitement démagogique puisque, à l'évidence, cette idée d'une beauté « différente » reste étroitement cantonnée à un petit nombre de modèles tout aussi contraignant que les précédents. On pourrait même dire que, sous cette apparente « libération » du canon corporel, se cache un degré de contrainte supplémentaire de ce que tous ces canons ne sont que des leurres d'adaptation de la beauté à soi-même et que, si différentes femmes représentent bel et bien différents types (la mince, la musclée, la pulpeuse), le modèle le plus inlassablement répété est au contraire un modèle syncrétique dans lequel toutes les prescriptions (être blanche, être mince, être ferme, avoir des formes) se trouvent réunies. Ainsi d'un ouvrage récent paru aux Etats-Unis et en France ayant pour but de montrer de « nouvelles définitions de la beauté » au travers d'interviews et de photographies. Là où les discours se veulent matures (la beauté intérieure, l'apologie de la différence, etc.), les images représentent, sous des styles il est vrai variés, des femmes qui sont toutes ou presque jeunes, minces, blanches et souvent célèbres (actrices et mannequins). Hormis deux ou trois femmes plus âgées, quelques femmes noires (mannequins noirs « officiels » et deux ou trois photos ethnographiques), deux ou trois enfants et quelques hommes par ailleurs également jeunes et de race blanche, ces « nouvelles » définitions de la beauté redisent, si besoin en était, l'évidence qu'est la suprématie du modèle de beauté culturellement dominant[7]. Canons multiples, ou mieux canon unique à facettes multiples, toutes ces images quotidiennement répétées du corps féminin n'ont fait qu'accroître un ensemble de normes qui « offrent l'image moderne de la femme, sa surface visible, telle qu'elle *doit* être, si l'on nous accorde que les représentations majoritaires qu'une société accroche sur ses murs en permanence présentent de façon implicite ses modèles d'identifications[8] ».

Au passage, l'image moderne de la femme s'inscrit elle-même dans cette hypothèse de maturité au travers d'une des caractéristiques de la « rhétorique du canon » : sa relation au passé. Pour chaque époque en effet, la recherche du canon se fonde moins sur le fait de trouver la juste proportion que de la *retrouver*, comme si elle était la trace d'une perfection naturelle qui aurait simplement été perdue par l'homme dans les temps obscurs qui le précèdent. A l'instar de l'aboutissement que chaque époque (ou presque) revendique, chaque nouveau canon est ainsi généralement représenté comme l'idéal retrouvé, argument loin d'être obsolète aujourd'hui. Ce qui est surtout frappant dans la succession des canons féminins, au-delà de cette longue série de corps qui la peuplent – Hélène ou Cléopâtre, Diane ou Ninon, Marilyn ou Brigitte –, c'est la permanence du sentiment de justesse :

chaque époque, pour elle-même, est certaine d'avoir retrouvé la juste proportion. Elle n'ignore rien du modèle qui l'a précédée, sait parfaitement que celui qu'elle s'est choisi ne sera pas définitif et pourtant, malgré cela, considère son modèle comme parfaitement naturel, les autres contre nature, et croit posséder, en dépit des évidences, la certitude de sa propre vérité.

Cette intensification des modèles de beauté est évidemment particulièrement le fait des médias (journalistiques et publicitaires) dont le propos est précisément de vendre de la beauté féminine, modèles intensément répétés qui, malgré les attaques dont ils font l'objet de la part des femmes, non seulement ne diminuent pas d'intensité mais semblent encore se renforcer au fil des années : l'image du corps accompli accompagne aujourd'hui un nombre croissant de moments de notre vie, des céréales du petit déjeuner à la séance de cinéma du soir. Mais si ce « terrorisme des modèles corporels » joue effectivement un rôle dans le niveau de répétition et d'intensification du message, il n'en change pas fondamentalement la teneur. La notion de modèle esthétique, quel que soit le biais par lequel elle a pu se diffuser, a toujours fait partie du paysage de la culture, et l'intensification de sa répétition ne change pas fondamentalement son rôle : celui de représenter l'idéal corporel à atteindre, quelles qu'aient pu, par ailleurs, en être les caractéristiques. Il faut noter au passage que ce phénomène tout médiatique d'intensification des modèles provoque parfois, non sans paradoxe, une réaction de la part des mêmes médias sous la forme d'un discours d'autosuggestion déclarant une prétendue sortie des stéréotypes, vision rêvée plus que réelle d'une image du corps féminin. Quand il fait un article sur « la beauté des rondes », le discours médiatique s'offre ainsi le luxe d'une position idéologiquement flatteuse alors même que les modèles qu'il affirme en parallèle par l'image sont de plus en plus didactiques. De même, et de façon non moins paradoxale, ce même argument peut également servir de support publicitaire pour promouvoir des produits de beauté : « L'industrie de la beauté dominée par l'homme a réussi à rendre les femmes esclaves de leur propre corps. [...] Alors je souhaite que l'on commence une révolution de pensée. L'estime de soi est notre arme. Tout comme la route de la dignité et de la liberté personnelle, c'est aussi la pierre angulaire de l'activisme politique et de la démocratie. Il est vraiment temps que le changement s'opère. La révolution commence ici », selon un catalogue publicitaire distribué par la marque de produits de beauté The Body Shop. Une rhétorique qui mêle beauté, conscience de soi et représentation d'un « seuil » à franchir, forme subtile d'imposition d'un modèle « autre ». L'estime de soi que le Body Shop évoque ici n'est qu'une des formes modernisées de l'accomplissement corporel, plus pernicieuse peut-être encore parce qu'elle s'affirme comme libératrice : qu'il faille s'y soumettre ou le dominer, l'accomplissement corporel est purement et simplement impossible à contourner.

D'autre part, la diffusion croissante des techniques corporelles : si le degré d'imposition des modèles ne change pas fondamentalement la teneur de la relation que nous entretenons avec eux, la démocratisation des « techniques du corps » me paraît en revanche changer en profondeur la teneur du message. La mise à la disposition d'un nombre sans cesse croissant de pratiques liées à la beauté a conditionné l'évolution des représentations qui y sont attachées. En devenant de plus en plus nombreuses et accessibles, avec une réputation d'efficacité accrue, les techniques corporelles ont induit l'idée que la beauté elle-même se démocratisait, qu'elle était enfin accessible à tout le monde. C'est la démocratisation des techniques du soin de beauté qui a provoqué un changement radical dans le discours en faisant passer la femme d'un « vous devez être belle » commun à toutes les époques à un « vous pouvez être belle, si vous le voulez ». En ajoutant l'illusion de l'accessibilité au devoir de beauté, la cosmétologie moderne (et l'hygiène, le sport et la chirurgie) a déplacé le débat : de simple cadeau de la nature, le thème de « la beauté pour tous » est devenu un enjeu qui paraît d'autant plus facile à saisir qu'il est sans cesse déclaré à portée de la main.

Ce que je voudrais souligner ici, c'est que le terrorisme contemporain des modèles de beauté a moins à voir avec le degré de répétition du message qu'avec l'évolution même de ce message, évolution due, encore une fois, à la démocratisation de la technique. Ce qui est normatif pour la femme aujourd'hui, ce n'est pas le fait de se voir imposer des modèles de beauté – ils ont toujours existé –, ni de s'entendre dire sans cesse qu'elle doit être belle – elle a rarement eu droit à d'autres discours –, mais de s'entendre affirmer sans cesse qu'elle peut l'être, si elle le veut. Les fabricants de beauté sont évidemment impliqués au premier chef dans cette évolution du discours. Prenant le relais de l'hygiénisme du XIXe siècle qui avait commencé à dire « vous pouvez être belle », mais avec une marge autre et des moyens plus aléatoires, les fabricants de beauté imposent de plus en plus l'idée d'une beauté facile à conquérir, à portée de main et, en tout cas, garantie par les progrès de la cosmétologie, puisque « aujourd'hui avec Lancôme, être belle, c'est devenu facile[9] ». Par l'apprentissage, chaque femme peut devenir la technicienne de sa propre beauté : « Il n'y a pas de femme laide [...] chaque femme intelligente qui le veut vraiment peut devenir au moins jolie. Jusqu'où elle ira ne dépend que d'elle[10]. » Historiquement, la femme était concernée par sa beauté. De plus en plus, elle en est *responsable*. De devoir social (« si j'y arrive, tant mieux »), la beauté est devenue un devoir moral (« si je veux, je peux ») dans lequel l'échec n'est plus le seul fait d'un handicap de départ mais bien plutôt le résultat d'une incapacité individuelle : le laideron du siècle dernier n'était pas responsable et pouvait toujours accuser la nature ; le laideron de notre fin de siècle est négligent et coupable, et ne doit plus s'en prendre qu'à lui-même. Une intensification du dispositif répressif dont les femmes font l'objet au travers de leur corps et qu'exprime bien un malaise croissant, preuve si besoin était du décalage entre l'image que le discours contemporain propose de la femme et la conscience de soi – l'identité corporelle au sens strict – qu'elles peuvent avoir d'elles-mêmes. Une récente enquête américaine déclarait ainsi que l'image globale du corps chez les femmes semblait avoir empiré de manière significative (30 % des femmes entre 18 et 70 ans se déclaraient insatisfaites de leur corps il y a dix ans, elles seraient 48 % aujourd'hui[11]). Un écart que l'on imagine volontiers important : il y a loin des déclarations optimistes du marketing à la réalité individuelle, mais un écart qui exprime surtout combien ce dispositif d'injonction à l'accomplissement du corps s'est intensifié ces dernières décennies.

Depuis une trentaine d'années la multiplication des techniques et des outils ainsi que la diffusion élargie des modèles ont provoqué de la sorte une pression prescriptrice plus forte en faveur de toujours plus d'autocontrôle : « la chose la plus importante pour une femme qui entreprend un programme de soin d'elle-même est d'apprendre comment s'éduquer efficacement pour le meilleur résultat, en prenant en considération le temps, les coûts, ses objectifs et ses capacités – vous devez exercer votre intelligence », écrivait récemment un magazine américain[12]. En suivant le discours dominant qui l'enjoint à cultiver chaque jour un « soin de soi » présenté comme une forme de conscience libératrice, la femme rejoint ainsi le « souci de soi », relation de l'individu à son propre corps dont Michel Foucault, en même temps que la généalogie, a bien montré le subtil fonctionnement répressif. Il s'agit, encore et toujours, de mettre la femme en demeure d'être au service de son propre corps pour le parfaire, pour le dépasser, pour l'accomplir, et ce quel que soit le prix à payer. *No pain no gain* était le slogan d'une Jane Fonda devenue l'incarnation même de ce souci de soi au féminin : l'accomplissement corporel commence là où finit l'insouciance du corps. Prenons l'exemple du fitness, pratique corporelle largement en développement depuis quelques années et dont les origines remontent à l'hygiénisme du XIXe siècle. Le fitness, technique qui a eu tendance à s'intensifier ces dernières années, est un sport largement pratiqué par les femmes (environ 60 % de femmes pour 40 % d'hommes dans les grands clubs de la région parisienne par exemple), toujours en vertu de cette même rhétorique de l'apprentissage et de la conservation de la beauté. Le fitness, ainsi, est « un sport tout indiqué pour les femmes. S'il y a bien un sport qui les intéresse, c'est celui d'être belle. Et le fitness, c'est tout à fait ça. Le fait de prendre des coupe-faim ou de ne pas manger équilibré est à prohiber. Le sport est le moyen réaliste pour atteindre les objectifs qu'elles se sont fixés. Les femmes doivent apprendre à accepter et à vivre leur corps toute leur vie », déclarait récemment un magazine français. La chose est claire : faire du sport, c'est être belle, et être belle, c'est apprendre à vivre son corps. Le fitness intègre parfaitement les trois composantes de la triade évoquée plus haut : pratiquer le fitness, c'est tout à la fois lutter contre l'usure du corps (et donc pour l'entretien de sa jeunesse), embellir sa silhouette (mincir, raffermir) et soigner sa forme (terme dont il n'est pas anodin au passage qu'il recouvre, comme son équivalent anglais *shape*, les deux dimensions de silhouette et de tonus, c'est-à-dire de beauté et de tonicité). Cette ambiguïté entre beauté et « forme » est inhérente à la définition même de ce modèle. Et, quelques lignes plus loin, l'article de conseiller aux femmes de « ne pas accorder trop d'importance à l'aspect de leur corps car il change tout au long de la vie. Mieux vaut s'attacher à améliorer ses capacités ». Un discours qui se veut volontariste et mature pour un visuel qui, comme d'habitude, le contredit : l'interviewée est montrée « en action » sur trois photographies, de face, de dos et de profil et dans trois tenues différentes (du plus moulant au plus flou). Une image à trois faces qui renoue avec la tradition des concours de beauté : on juge sous tous les angles et dans différentes tenues vestimentaires, du plus habillé au plus déshabillé. Un discours qui tend, une fois encore, à assimiler un discours de modernité à une image parfaitement stéréotypée de la féminité.

Mais le plus intéressant dans le fitness est certainement le fait qu'il passe généralement par une mise en discours ludique faisant une large part aux « plaisirs du corps ». C'est par exemple ce que déclare l'éditorial de ce magazine :

> La période tant espérée des vacances est enfin là. Vous l'attendiez de pied ferme. Très déterminé, vous avez, tout au

cours de l'année, fréquenté assidûment votre salle de gym, entraîné vos muscles et surveillé votre alimentation. Résultat : vos efforts ont porté leurs fruits et vous êtes fier de votre corps et de votre forme. Vous débordez d'énergie. Pas de doute, vous êtes prêt à affronter la plage et le regard d'autrui... Notre mot d'ordre : amusez-vous, détendez-vous, faites-vous plaisir. Profitez-en au maximum. Vous l'avez bien mérité[13].

Le genre (au masculin) de ce texte ne doit pas tromper. Ce magazine possède un lectorat majoritairement féminin (la plupart de ses autres éditoriaux sont écrits au féminin) et est exemplaire des différentes relations que la femme entretient avec cette recherche du corps accompli. S'y trouvent parfaitement exprimés l'ensemble des images récurrentes dans ce type de discours, et surtout tout ce que cette rhétorique d'apparence ludique dissimule. Ce texte reprend dans les grandes lignes un schéma narratif classique qui se déroule autour de l'exécution d'un *contrat* : le chevalier, pour épouser la princesse qu'il aime, doit auparavant tuer le dragon qui terrorise la ville. Après avoir triomphé d'une longue série d'épreuves, il trouve le dragon et le tue. Victorieux, il épouse la princesse. Le texte cité ci-dessus en reprend exactement les quatre phases : le contrat initial, la préparation du sujet, l'épreuve proprement dite et enfin la récompense.

Première phase : le lieu de l'épreuve et le contrat proprement dit. C'est « la période tant espérée des vacances », temps social qui est aussi celui de l'arène corporelle la plus intense, la plage étant un lieu où les niveaux sociaux, culturels et de comportements normalement pris en charge par l'ensemble des techniques de l'apparence semblent, sinon disparaître, du moins s'amenuiser au profit des seules techniques d'un corps dont la légitimité (et du coup l'arrogance) est tout entière contenue dans la plastique. Le fait marquant de cette « arène corporelle balnéaire », c'est que les autres modes de distinction, certes encore lisibles à des détails infimes, pèsent moins que l'évidence de la seule beauté physique. Sur la plage, le corps devient plus encore l'instrument, non pas du désir comme le laisserait croire une trop rapide analyse, mais aussi et surtout du *pouvoir* – pouvoir de susciter ce désir, pouvoir de franchir l'arène sans essuyer de regards détournés ou méprisants, pouvoir de surclasser les autres par la seule évidence de sa supériorité physique, celle de la force et de la beauté. Cela, c'est l'arène, et c'est également l'objet du contrat : « Affronter le regard d'autrui. » Ce contrat, le sujet brûle de le remplir (« vous l'attendiez de pied ferme ») et se sent « très déterminé ».

Deuxième phase : la préparation. Comme le chevalier avant de rencontrer le dragon, le sujet s'est entraîné longtemps (« le cours de l'année ») et a traversé un désert disciplinaire (« fréquenté assidûment votre salle de gym »), pendant lequel il s'est soumis à une préparation qui est une discipline (« entraîné vos muscles ») tout autant qu'une ascèse (« surveillé votre alimentation »).

Troisième phase : l'épreuve proprement dite. Le sujet est fin prêt (« vos efforts ont porté leurs fruits »), les armes lui sont fourbies (« fier de votre corps et de votre forme ») et, plein de vigueur et d'ardeur combative (« vous débordez d'énergie »), il part affronter l'épreuve. A ce point du récit, le sujet est devenu héros (ou héroïne). Le texte ne décrit pas directement l'épreuve mais l'éditorial du même magazine un an plus tôt était plus précis sur cette phase de l'épreuve (et au féminin cette fois) : « On vous regarde, on vous envie. [...] Vous êtes radieuse et vous le savez. » Le récit de l'épreuve est devenu inutile tant le triomphe est assuré (« pas de doute, vous êtes prêt »).

Quatrième phase : la récompense. Le sujet peut profiter de son statut de vainqueur d'un cœur léger (« amusez-vous, détendez-vous, faites-vous plaisir ») et, récompensé de son effort (« vous l'avez bien mérité »), il va jouir de sa victoire avec la même intensité avec laquelle il s'y était préparé (« profitez-en au maximum »).

Ce qui est exemplaire dans cet éditorial, c'est la manière dont s'y déploient trois niveaux du discours corporel : *le plaisir* – santé, vitalité, joie de vivre, détente, énergie ;

l'effort – entraînement, surveillance, détermination, récompense, mérite, et *l'inquiétude* – besoin de sécurité, affrontement avec le « regard d'autrui ». Sous un traitement apparemment léger, l'ensemble du discours relève d'un ton passablement dirigiste, celui qui associe l'action au « mot d'ordre » du rédacteur. Le plaisir, dans ce discours, est irréversiblement associé à l'effort, la détente à la détermination, la joie de vivre au mérite et la tâche à effectuer à l'obligation de réussite sous peine d'échec et de disqualification sociale. L'intensité de l'effort est clairement proportionnelle à l'angoisse que soulève chez le sujet l'idée du regard d'autrui. Rien de gratuit, rien de léger, le bonheur est ici le produit d'un travail, logique déjà ancienne dont les fils nous ramènent pêle-mêle vers les données de l'échange capitaliste ou vers l'image de l'effort récompensé cher à la pensée chrétienne.

Etroitement identifiés à leur message de plaisir, ces discours sur le corps ont souvent été analysés comme relevant d'un courant « hédoniste » (vaste concept un peu fourre-tout qui a fait les riches heures de la sociologie appliquée au marketing de ces dernières années). Il s'agissait, une fois encore, de placer ces techniques dans un registre évolué, celui où la femme, libérée de nombreuses contraintes et maîtresse d'elle-même, pouvait s'adonner enfin aux plaisirs du corps. Exemple parfait de l'hypothèse de maturité qui m'occupe ici, cette image hédoniste du *self-improvement* est ainsi devenue pour certains le témoin par excellence de l'aboutissement d'une culture qui mettrait l'accomplissement du corps comme stade ultime de son procès de civilisation. Non seulement il n'en est rien, mais il est au contraire évident que cette relation au corps relève d'une prescription morale et obligée au soi corporel, d'un devoir de contrôle des « finalités du corps » auquel la société oblige et dont l'origine se trouve aux sources mêmes de la culture. Aux Etats-Unis ainsi, pays où les logiques sociales – notamment celles liées à l'image du corps – sont plus évidentes qu'ailleurs, ce phénomène est particulièrement facile à relier à une prescription d'origine, celle d'une éthique individuelle plongeant directement ses racines dans le puritanisme[14], éthique qui enjoint l'individu à faire de toute chose, et surtout du rapport au temps, quelque chose d'utile. Et ce quelque chose d'utile, c'est bien sûr l'enrichissement, qu'il soit celui du compte en banque, de l'esprit ou du corps. Aujourd'hui, les salles de gymnastique qui se remplissent à l'heure où se vident les bureaux relèvent toujours de ce rapport nécessaire à un loisir productif qui participe à l'enrichissement d'une des ressources de l'homme : en l'occurrence son propre corps. Que les finalités de l'enrichissement diffèrent suivant les époques ne change pas fondamentalement la relation au temps du corps. L'enjeu, toujours, est de discipliner la matière *au quotidien*, afin de « faire le maximum de soi-même ».

Un « devoir de beauté » masculin ?

On pourra certes m'objecter que ces techniques d'accomplissement corporel, que cette mise au service du corps ne concernent pas que les femmes et qu'une part importante de ce qui vient d'être dit s'applique tout autant aux hommes. C'est vrai, mais différemment pour chacun, et il faut noter que si cette relation au corps s'adresse de manière égale à l'homme et à la femme, cette dernière subit toutefois une pression spécifique, et ce dans plusieurs dimensions :

1. La femme est, quantitativement parlant, soumise à une pression plus forte et plus fréquemment diffusée pour davantage d'autocontrôle. J'en veux pour preuve la régularité médiatique accordée aux discours sur la beauté féminine, tout particulièrement de la part de la presse de mode. Ce n'est pas par hasard si *Le Nouvel Observateur* titrait récemment sur « la dictature de la beauté » sans même préciser s'il s'agissait d'un dossier traitant de la beauté féminine, le contenu, par le titre seul, étant déjà implicite. Par ailleurs figurait à l'intérieur un article sur « les hommes aussi » dont la longueur ne devait pas représenter plus de 10 % de la taille du dossier, une proportion probablement représentative de la

place d'ensemble qu'occupe ce discours. La minceur et les régimes, surtout, font l'objet d'une répétitivité remarquable, particulièrement dans les magazines féminins au début du printemps. Ce qui ne veut certes pas dire que les hommes ne peuvent être de leur côté préoccupés par de tels sujets, les hommes mais pas l'homme au sens où l'entend la culture. Même si quelques titres font leur apparition sur ce marché, les messages spécifiquement destinés aux femmes restent quantitativement dans une proportion écrasante.

2. Les modèles de beauté féminins sont plus nombreux et médiatisés en tant que tels. Le nombre de femmes auquel se référer est relativement inépuisable par rapport aux modèles masculins et un grand nombre de ces modèles sont présentés par ailleurs pour cette seule qualité (les mannequins) et n'existent qu'en tant qu'objets (d'admiration, de désir) en dehors de tout « talent » autre. Il existe certes des hommes qui sont également médiatisés en tant qu'objets, mais en nombre nettement inférieur et de manière plus anecdotique par rapport aux grands modèles masculins, eux généralement mis en avant pour un talent, une aptitude. En outre, nombre de femmes célèbres pour leur talent sont également mises en avant pour leur beauté. C'est le cas des actrices ou des chanteuses mais également, comme je l'ai déjà évoqué, de sportives ou de femmes ayant un rôle public, multipliant d'autant le nombre de modèles potentiels.

3. Les techniques de beauté et de soin du corps spécifiquement destinées à la femme sont plus nombreuses, variées et font l'objet d'une industrialisation plus intense. Malgré un relatif développement depuis le début des années 80, le marché des produits de beauté pour hommes reste quantitativement limité là où le marché féminin des produits de beauté et de maquillage fait l'objet de développements internationaux importants. Du coup, c'est encore la femme qui subit la pression publicitaire et commerciale la plus forte. Par ailleurs, s'il existe des techniques de soin de beauté communes aux deux sexes (le fitness notamment) et d'autres spécifiquement féminines (le maquillage), il n'en existe aucune qui

soit spécifiquement masculine. Jusqu'où peut-on, du reste, parler de beauté aux hommes ? Il est à ce titre tout à fait révélateur que la rhétorique publicitaire des produits de beauté masculins utilise plus largement le mot « soin » que le mot « beauté », moins compatible avec l'identité corporelle masculine[15].

4. L'évolution du modèle de beauté historique renforce encore cette sujétion : en passant du modèle de la graisse (valorisation de la rondeur) au modèle du muscle, modèle traditionnellement masculin, la femme subit également l'obligation de techniques plus contraignantes. Là où la régulation de la graisse passait essentiellement par une alimentation riche et régulière, l'accession au muscle demande davantage d'astreintes (régimes, entraînement, musculation).

Mais on pourra également m'objecter que la sujétion que produit ce « devoir de beauté » au féminin, que l'exclusivité de cette assimilation de la beauté à la femme sont en passe de devenir obsolètes sous l'influence d'une beauté masculine chaque jour plus présente dans l'imaginaire contemporain de la beauté corporelle. On parle beaucoup en ce moment, surtout aux Etats-Unis, du « séisme du renversement des rôles entre les sexes qui transforme l'homme en objet de désir autant que la femme l'a traditionnellement été[16] ». Cette apparente féminisation de l'image de l'homme a été largement commentée et analysée, notamment par la sociologie appliquée au marketing, comme un changement, en passe d'être radical, de définition de la masculinité. Ce postulat théorique est trop simple et il est selon moi inexact de voir dans le statut médiatique contemporain du corps masculin le signe d'un échange des genres, d'une nouvelle définition d'un homme « transformé en objet de désir », c'est-à-dire littéralement un *homme-objet*. Car parler d'un homme objet de désir implique que celui qui actionne le désir devienne l'autre, c'est-à-dire la femme, et que ce soit par conséquent elle qui se mette à diriger majoritairement les opérations de séduction, ce qui est faux. Certes, la séduction est une opération réciproque et la femme, objet « culturel » de la séduction, peut également en être sujet, que celle-ci lui soit attribuée de manière active (tu me plais), ou plus généralement de manière passive (est-ce que je te plais [17] ?). Mais quelle que soit la manière dont elle est censée séduire, c'est elle qui reste majoritairement représentée comme l'objet d'un désir qu'un autre (en l'occurrence l'homme) actionne. Face au regard de l'homme, et quelle que soit la nature de l'approche ou de la relation, la femme reste potentiellement objet de désir par le simple fait d'être femme. Entendons-nous bien, cela s'opère au-delà d'une donnée « biologique » (l'attrait du mâle pour la femelle, l'instinct sans lequel l'espèce ne se reproduit plus, etc.) mais à l'intérieur d'une donnée *culturelle*. Elle est désirable parce qu'elle porte le nom de femme et le fait de se ranger sous cette simple étiquette, avant même d'être vue, la place du côté des destinataires d'un désir qu'un autre (en l'occurrence l'homme) actionne. J'ai écrit « la femme reste objet de désir », j'aurais pu écrire « la femme reste une femme », phrase qui aurait signifié exactement la même chose, preuve que le terme femme porte déjà en lui-même implicitement son statut d'objet du désir masculin (de la même façon que si j'écrivais « l'homme reste un homme », je sous-entendrais de manière automatique son statut de détenteur du désir, parfois même en situation d'être dépassé par lui comme dans le célèbre « n'être pas de bois »). La polémique étonnée qu'a récemment suscitée un ouvrage de sociologie développant précisément cette évidence montre par ailleurs la difficulté avec laquelle la société prend conscience de la permanence des schémas de la relation masculin/féminin [18].

D'autre part, le fait que l'homme « devienne un objet de désir » laisserait à penser qu'il ne l'était pas auparavant, ce qui est également faux : l'homme était-il moins un objet de désir parce qu'il était moins montré ? Et doit-on penser que la femme regardait moins l'homme lorsqu'il se donnait moins à contempler ? Enfin, jusqu'où cet étalage de la beauté masculine est-il véritablement nouveau et l'image du corps qui nous est proposée dans cette vague médiatique change-t-elle de manière radicale l'identité corporelle masculine ?

L'ancienne distinction entre force de l'homme et beauté de la femme reste globalement d'actualité et cette « nouvelle » beauté masculine se focalise la plupart du temps sur le corps et sa puissance. Beauté du muscle toujours, cette apologie de la beauté masculine reste en fin de compte encore très liée à une image assez classique de l'identité corporelle masculine. Cet apparent brouillage des codes corporels entre hommes et femmes dont nombre d'écrits récents – essentiellement dans la presse – se sont fait l'écho n'est en fait qu'un échange de pratiques, et relève davantage de données générales simplement régies par l'évolution des usages culturels et sociaux. Le fait que les femmes pratiquent aujourd'hui davantage la culture physique tout comme le fait que les hommes fassent davantage usage de produits de soin pour la peau ne signifient pas l'échange des rôles sociaux attribués à chaque sexe, mais seulement l'échange de certains usages entre les sexes, échanges non de territoire mais de seules pratiques, sortes de « caractères sexuels secondaires » comme la valorisation de la longueur de la chevelure pour les hommes, le fait de s'asseoir avec les jambes croisées ou de se découvrir ou pas dans un lieu public. Loin d'être un glissement d'un rôle social vers l'autre, ce mouvement est simplement l'échange entre hommes et femmes de pratiques corporelles, ainsi que le montre la pénétration du pantalon dans la garde-robe féminine au cours de ce siècle, glissement d'usage qui a posé en termes parfaitement identiques la question de l'appartenance au *sexe* au travers des pratiques vestimentaires du *genre*[19].

Je crois par ailleurs que c'est du côté de l'homme seul qu'il convient de chercher une raison à tout cela, et le caractère sexuel secondaire que l'homme abandonne en l'occurrence (et sur une échelle qu'il faut bien reconnaître importante), c'est tout simplement une partie du refus historique de la beauté du corps et du narcissisme qui lui était associé. Si l'homme s'exhibe de plus en plus, ce n'est probablement pas parce qu'il est devenu un objet de désir pour l'autre (il l'a en principe toujours été) mais plutôt parce qu'il est lui-même l'objet de son propre désir. L'homme qui est devenu plus narcissique est-il pour cela devenu plus féminin ? Oui si l'on considère le narcissisme esthétique et la coquetterie comme inhérents à la nature même de la femme (et certaines époques l'ont prétendu). Non si l'on considère plus raisonnablement que narcissisme et coquetterie sont des comportements dont l'usage est régi par la culture d'un lieu et d'une époque donnés. Par ailleurs, et n'en déplaise aux observateurs angoissés de ces phénomènes, narcissisme masculin et « féminisation » (et donc affaiblissement) des valeurs d'une société ne vont pas forcément de pair. C'est même plutôt l'inverse, et il serait d'ailleurs intéressant de faire un parallèle entre narcissisme masculin (et valorisation du corps puissant) et période d'arrogance culturelle ou encore de surdomination politique. Il suffit pour s'en convaincre de se rappeler ces périodes d'intense narcissisme masculin qu'ont été les règnes d'Henry VIII ou de Louis XIV, le premier Empire ou encore les années de prise de pouvoir d'Hitler et de Mussolini.

Cet homme narcissique n'en est ainsi pas moins « masculin », c'est-à-dire en prise avec le rôle auquel son sexe l'assigne – et n'est en tout cas pas moins masculin qu'une femme pratiquant une activité « physique » ou intellectuelle en serait moins féminine, même s'il y a encore quelques attardés pour le penser. Difficile quoi qu'il en soit, derrière cet échange de pratiques, de parler de « renversement des rôles entre les sexes », la femme non seulement ne commençant pas à dominer le processus de séduction mais surtout – et c'est probablement cela le plus important – n'ayant pas pour autant cessé d'être, des deux sexes, celui qui est par excellence représenté comme l'objet de séduction. Au contraire, il est même vraisemblable que l'adoption par l'homme d'un certain nombre de valeurs d'esthétique corporelle jusque-là plutôt féminines provoque, moins qu'un échange des rôles, une surenchère dans la course à la séduction à laquelle se livrent les deux sexes depuis toujours. L'augmentation du narcissisme masculin ne peut que provoquer un renforcement de ces valeurs chez la femme, du simple fait d'une arène concurrentielle rendue plus serrée.

Ainsi, la partition des rôles entre l'homme et la femme, pour l'essentiel, existe et existera toujours. Ce qui change, ce qui a changé, ce sont seulement les moyens que notre époque accorde à chacun. Que l'homme ait aujourd'hui accès à des pratiques et à des valeurs d'esthétiques corporelles traditionnellement reconnues comme féminines ne change rien à la relation historique qu'entretient la femme avec la beauté et qui m'intéresse ici. Je crois même au contraire que cette adhésion masculine à certaines des pratiques et des valeurs traditionnellement attachées à l'univers de la beauté féminine rend plus étroite et nécessaire encore la relation entre la femme et sa beauté.

En revanche, et ce qui explique le pourquoi de ces commentaires aussi marqués (et aussi inquiets), si le narcissisme masculin n'est pas une pratique nouvelle et si elle varie suivant les époques, elle est, comme je l'ai signalé plus haut, toujours évoquée avec inquiétude puisqu'il est pour l'instant inconcevable pour une société que les hommes et les femmes s'y ressemblent (le fait même qu'elle s'en inquiète montre que cette éventualité est impossible : si les hommes et les femmes devaient véritablement fondre leurs comportements sexuels et leur apparence l'un dans l'autre, la chose paraîtrait alors probablement tellement naturelle qu'elle semblerait aller de soi et qu'il n'y aurait plus personne pour s'en inquiéter, comme personne ne songe à s'inquiéter de ce que les danses de salons soient devenues individuelles). Et si ce narcissisme masculin s'est montré à visage plus découvert à certains moments de l'histoire, comme dans l'époque où nous vivons, il n'en a pour autant jamais complètement disparu, témoin la régularité avec laquelle sont revenues tout au long de l'histoire les critiques de « ces petits agréables qui déshonorent leur sexe et celui qu'ils imitent. Ni la nature, ni la raison ne peuvent porter la femme à aimer dans les hommes ce qui lui ressemble, et ce n'est pas non plus en prenant leurs manières qu'elle doit chercher à s'en faire aimer[20] ». Rien de bien différent au fond entre cette réflexion de Jean-Jacques Rousseau, dans l'intention et dans l'inquiétude sous-jacentes, et l'article sur le rôle de l'homme que j'évoquais plus haut, preuve si besoin était que ces comportements restent possibles à toutes les époques, et surtout qu'ils sont toujours perçus avec réticence de la part de la société (à l'heure où je relis ces lignes, le magazine *Elle* publie un article intitulé « Hommes/femmes, la crise des identités », un titre inquiet pour un contenu rassurant, l'ensemble de l'article visant à démontrer, après description d'évolutions comportementales conjointes, que les hommes n'étaient toujours pas au fait des tâches domestiques et que les femmes continuaient de compter moins d'aventures sexuelles, qu'au fond peu changeait et que c'était, de plus, plutôt rassurant). Avec l'existence d'une identité pour l'homme et d'une pour la femme, le schéma d'un corps pour chacun, même si ses limites évoluent, reste au centre de la mécanique du regard de désir que la femme, son corps et sa beauté doivent susciter : l'ancrage au féminin de la beauté traverse la culture occidentale comme un des traits marquants de cette « valence différentielle des sexes » dont Françoise Héritier a montré le fonctionnement.

3 – Au service du corps : le devoir de santé

Ce devoir de beauté s'inscrit en parallèle d'un devoir lié à la santé, également profondément inscrit au féminin et tout aussi contraignant que le précédent : le rapport qu'entretient la femme avec la santé est un rapport étroit et, si la médecine est encore souvent représentée du côté des hommes (une enquête récente déclarait ainsi que, hommes et femmes confondus, la grande majorité des patients préférait être opérée par un chirurgien de sexe masculin), la santé est, elle, du côté du féminin. Dans l'histoire comme dans notre monde contemporain, dans les cultures traditionnelles comme dans celles scientifiquement développées, la femme est étroitement identifiée à l'univers de la santé, la sienne comme celle des autres. Parce qu'elle est mère et épouse, c'est elle qui prend traditionnellement en charge, dans l'ensemble des cultures, le soin de santé quotidien. Dans le monde entier, les femmes assurent ainsi la majeure partie des soins primaires (hygiène, alimentation, soins quotidiens, mais aussi accouchements des autres femmes, bénévolat dans les hôpitaux) dont presque toutes les composantes essentielles relèvent de son domaine, à l'intérieur de la famille[21]. C'est, encore et toujours, l'image de la femme compatissante et soignante, celle que, dans son ouvrage consacré à la femme, Michelet développe dans un chapitre intitulé « Les puissances médicales de la femme ». Aujourd'hui dans les pays occidentaux, cette relation entre la femme et le soin de santé quotidien reste entière et, même si nombre de soins s'effectuent à l'extérieur du foyer du fait d'une prise en charge médicalisée plus forte, c'est encore à la femme (ou à l'épouse ou à la mère) que revient le plus souvent, sinon l'administration du soin, du moins son organisation.

Seconde caractéristique de cette association entre femme et santé : un devoir de santé qui est plus étroitement associé au féminin du fait de la prise en charge médicale régulière par la gynécologie et l'obstétrique dont elle fait l'objet. Le poids de la presse de santé est particulièrement significatif de cette association culturelle entre femme et santé pour la période contemporaine. Ainsi aux Etats-Unis, les quelque soixante-dix titres présents sur le marché, hormis certains titres spécialisés, parfois proches du magazine de charme et plutôt destinés à un lectorat masculin, revendiquent sans équivoque un lectorat majoritairement féminin, avec un contenu qui fait la part belle à une médecine « féminine » (gynécologie, cancer du sein, problèmes de poids, régimes...) de même qu'aux petites maladies familiales dont l'action préventive ou curative est traditionnellement dévolue à la femme, sans compter des rubriques beauté, cuisine ou « art de vivre » proches des magazines féminins. Pour la France, *Top Santé*, le premier titre de la presse de santé, possède avec une diffusion de près de 700 000 exemplaires un lectorat à plus des deux tiers féminin, les autres titres affichant une proportion quasi identique[22].

La représentation de la santé qui s'y véhicule s'inscrit évidemment dans la lignée du devoir féminin d'accompagnement et de soins quotidiens que j'évoquais à l'instant à propos des « puissances médicales de la femme ». Il s'agit d'optimiser la protection du corps à l'aide d'un système défensif régulier, soit afin d'améliorer sa résistance, soit dans le but de pallier les éventuels dysfonctionnements ou encore de soigner les maux survenus. On trouve dans ces organes de vulgarisation médicale une lecture remarquablement transversale du corps et de la santé, avec une insistance particulière sur l'éventail des différentes pratiques corporelles et de santé disponibles, et plus particulièrement sur les nouveaux traitements. En cela, ces journaux sont exemplaires d'un comportement d'auto-responsabilisation face à la santé qui a tendance à s'intensifier. La baisse du modèle médical unique et la diffusion de méthodes thérapeutiques alternatives diversifient les voies de la guérison, pendant que l'accroissement de l'information médicale vulgarisée prédisposerait à une meilleure autonomie de l'individu face à la maladie dans deux dimensions : savoir choisir son traitement et savoir (se) l'administrer de la meilleure façon. Se retrouve ici la principale caractéristique que j'évoquais plus haut à propos du devoir de beauté : de la même façon que pour la beauté, l'accroissement de l'information et l'accessibilité plus large aux techniques d'entretien du corps ont provoqué une responsabilisation croissante face aux modèles thérapeutiques. Historiquement, la femme était concernée par sa santé mais avec des moyens autrement plus aléatoires. Aujourd'hui, elle en est d'autant plus responsable que l'arsenal de pratiques dont elle dispose pour elle-même et pour son entourage est devenu à la fois plus large et plus performant. Le fait d'être en bonne santé est devenu le résultat d'un travail sur soi-même là où, autrefois, il était avant tout un état. On ne parle plus du fond de santé que connaissaient les générations précédentes (*avoir* la santé) mais plutôt d'une santé à conquérir (*être* en bonne santé), et l'échec, comme pour la beauté, est devenu le résultat d'une incapacité individuelle. Susan Sontag a parfaitement analysé, dans *La maladie comme métaphore*, comment la société reproposait à l'individu cette vision responsabilisée (jusqu'à la culpabilité) de son corps et de sa maladie.

Une responsabilisation qui est évidemment à l'origine d'une inquiétude sous-jacente pouvant aller jusqu'à une sorte de « *zapping* thérapeutique ». Un des traits marquants de la santé – et qui devient plus aigu au fur et à mesure que les moyens thérapeutiques se diversifient – est précisément la gestion de plus en plus hésitante (quand elle n'est pas erratique) des différents moyens possibles. L'enjeu devient, dans une perspective aussi inquiète que ludique, « d'essayer » tour à tour plusieurs techniques (l'homéopathie, l'acupuncture, la phytothérapie, etc.), sans que l'une d'elles ne prédomine pour une raison ou pour une autre, un comportement qui s'intensifie en même temps que l'information se diffuse, que les modèles se diversifient et que les pratiques se démocratisent. La relation à la guérison qu'entretient aujourd'hui la culture occidentale est marquée par la perte de confiance dans le modèle médical « officiel », la multiplication des informations (parfois contradictoires), l'éclatement des modèles thérapeutiques et la diversification des pratiques de santé.

Reprenons l'exemple de la presse de santé au travers du contenu d'une de ses parutions. S'y trouvent un article sur les maladies exotiques assorti de conseils d'hygiène et de vaccination, un article sur l'amélioration du sommeil grâce au hatha-yoga, un article sur la prévention des MST, un article sur le traitement des mycoses, un article d'information sur l'appareil digestif, un article d'information sur les usages du laser en chirurgie, un article sur les plantes qui régulent la circulation sanguine et un article sur le mal des transports et la fatigue des voyages[23]. Un contenu qui déroule plusieurs modes de santé (médecine allopathique, hygiène, technique corporelle « douce », dermatologie, technologie de pointe, phytothérapie...), tous centrés sur une vision défensive du corps, avec des titres et intitulés faisant largement usage de termes comme *régler*, *améliorer*, *traiter*, *protéger*, *apprivoiser*, etc. Images d'un corps ajusté et équilibré, d'un corps que l'on soigne, que l'on entoure, que l'on écoute. Mais un contenu qui fait aussi une large place à des termes comme *attention*, *obligatoire*, *danger*, *ennemis*, ou bien à des actions comme *respecter*, *garder à l'esprit*, *attaquer*, *lutter*, un vocabulaire davantage tourné vers une position d'écoute inquiète, celle d'un corps fragilisé, à l'intégrité incertaine, facilement menacée. Cette notion d'écoute inquiète est sans doute le prix le plus élevé que la femme, plus encore que l'homme, paie pour sa surinformation et la maîtrise de sa propre santé (il semble en effet que les femmes aient, davantage que les hommes, tendance à déclarer des symptômes et des maladies en plus grand nombre, dans une proportion supérieure d'environ 40 %[24]). Prix socialement élevé aussi, dont on mesure aujourd'hui les effets dans la non-maîtrise des dépenses de santé publique. Largement exploitée par ces mêmes supports, cette rhétorique de la « paranoïa corporelle » va parfois jusqu'à suggérer purement et simplement la maladie par une petite phrase comme : « Vous êtes fatiguée, nerveuse, irritée, et si c'était [... ?] » Il ne s'agit ici que de s'emparer des symptômes du quotidien pour en faire surgir des causes possibles qui, de supposées, peuvent aussi bien être perçues comme réelles, plaçant l'individu plus étroitement encore face à sa peur de lui-même.

On observe couramment depuis une trentaine d'années tout ce que ce phénomène de « l'écoute inquiète » a produit comme conséquences sur les pratiques de santé, particulièrement l'amplification donnée à cette mise à distance de la maladie et à cette sensibilité accrue face aux différentes formes du « mal être ». Pour autant, cette inquiétude a toujours existé dans l'histoire des comportements face au malsain et à la maladie. Qu'on se souvienne du *Malade imaginaire* de Molière, des injonctions de Madame de Sévigné à sa fille à propos du « mauvais vent » de Grignan ou encore des inquiétudes d'Erasme, dont l'attention à la salubrité ne laisse pas d'étonner dans l'image d'un siècle que l'on imagine volontiers sale et négligent. Toujours, à toutes les époques, la peur de la maladie, réelle ou imaginaire, a rôdé. Si elle semble plus aiguë aujourd'hui, c'est vraisemblablement que, de la même façon que l'afflux d'informations accroît les efforts de prise en charge de sa propre santé par l'individu, il accroît également le potentiel d'inquiétude par la présentation sans cesse renouvelée de maladies toujours plus présentes et toujours plus « figurées ». Il est aujourd'hui établi que plus les discours « rationnels » sur la santé s'intensifient, plus l'inquiétude de la maladie, je ne dirais pas forcément s'accroît, mais « prend corps », au double sens du terme : elle se dessine mieux dans l'imaginaire individuel en même temps qu'elle pénètre au quotidien dans le corps même, tout cela en vertu d'un principe somatique qui accompagne le développement du savoir médical, même (et surtout) lorsqu'il est pratiqué en amateur, à l'instar d'un Jean-Jacques Rousseau qui, après avoir étudié la physiologie et l'anatomie, déclare ne pas pouvoir lire la description d'une maladie sans aussitôt en ressentir les symptômes[25].

Et quand il n'y a plus de maladies accessibles, on en crée

de nouvelles, trouvant autour de nous de nouvelles menaces dans notre environnement quotidien. Ainsi de la parution récente d'un livre destiné à combattre les maladies qui surviennent dans et par la maison, soudain présentée comme un environnement malsain (pêle-mêle : les moquettes synthétiques sont toxiques, des bruits inaudibles peuvent être à la longue dangereux, tout comme les ondes que diffuse le radioréveil ou encore les rayons X qu'émet le téléviseur, enfin déclaré comme un instrument nocif encore que les « programmes ne soient pas en cause[26] »). Certes, cet exemple prête à sourire. Il n'en reste pas moins qu'il est révélateur de ce besoin latent de créer d'autres sujets d'inquiétudes corporelles, de donner corps à d'autres menaces, bref de « voir de la maladie » partout. Les innombrables rumeurs sur l'aspect cancérigène des chewing-gums à la chlorophylle ou sur les tumeurs à l'oreille provoquées par les téléphones cellulaires relèvent de ce même désir de créer du risque, de s'inventer un ennemi, et de l'imaginer d'autant plus nuisible qu'il serait caché et méconnu. On se rappelle que les découvertes pasteuriennes avaient provoqué une véritable phobie du microbe, suscitant de nouveaux comportements hygiéniques comme d'enfiler des gants pour toucher des billets de banque ou se passer fréquemment les mains à l'eau de Cologne. « Il faut dire qu'à cette époque les microbes étaient tout neufs, puisque le grand Pasteur venait à peine de les inventer, et [ma mère] les imaginait comme de très petits tigres, prêts à nous dévorer par l'intérieur[27]. » Pasteur a en effet « inventé » les microbes tout comme Fracastoro, au XVIe siècle, avec l'incroyable intuition des *seminæ* à propos de la contagion de la syphilis, avait ouvert le champ à la peur de l'ennemi invisible, tapi et sournois[28].

Ainsi, plus l'information croît, plus le malaise s'intensifie : on cerne mieux les maux visibles et on imagine encore davantage les maux invisibles. L'attitude reste la même et l'inquiétude entière, mais elles se fixent sur un savoir élargi. Il serait extrêmement intéressant, au passage, d'arriver à tracer le portrait des grandes peurs causées par les fléaux du passé, la peste et le choléra en tête, en les comparant avec l'évolution de ces peurs imaginaires d'un ennemi invisible. Comparer, en somme, la conscience de la maladie visible avec l'imaginaire du mal invisible. En tout cas, et ce n'est pas un des moindres paradoxes de la modernité, alors même que notre culture médicale individuelle est probablement plus précise qu'elle ne l'avait jamais été, nous continuons, sinon à inventer des maladies, du moins à leur inventer de nouveaux agents, plus dangereux encore que les précédents. Le sida, en ce sens, a été (et est encore largement) exemplaire : les débuts de l'épidémie ont été marqués par des comportements irraisonnés qui faisaient voir, dans l'ignorance relative des formes de contamination, des facteurs de risques dans des actes parfaitement anodins, comme utiliser un téléphone public ou pousser un chariot de supermarché. Et de la même façon que le « malade imaginaire » invente des facteurs contaminants, quand ce ne sont pas des maladies, il s'attribue également des symptômes réels de maladies qu'il ne possède pas. Là encore, le sida est exemplaire de ces comportements irraisonnés, au travers d'une « séropositivité imaginaire » hélas assez répandue[29]. Une fois encore, ce qui change, c'est l'impact des modèles plus que leur existence, la netteté des contours de cette « écoute inquiète » plus que son existence même. Le « mal être » a toujours existé. Ce qui est plus marqué aujourd'hui, c'est l'acuité de sa perception et l'arsenal accru de pratiques qu'il entraîne.

Il va de soi que, dans ce modèle, la femme est au premier rang de l'information comme de l'inquiétude – le ciblage essentiellement féminin des différents messages de santé ne trompe pas –, et ce dans quatre dimensions essentielles :

— la découverte des maux des autres : en charge du soin familial, c'est elle qui élargit cette notion d'écoute inquiète aux corps qui l'entourent, ceux de sa famille et de ses enfants ;

— la prévention : en charge de l'hygiène familiale, c'est elle qui prévient par sa gestion de l'environnement ou de l'alimentation les nuisances qui peuvent survenir ;

— l'accompagnement : en charge de l'administration du quotidien, c'est elle qui peut décider de la méthode thérapeutique qui sera administrée et qui, le plus souvent, l'administre ;

— la transmission du savoir corporel : par sa proximité avec l'éducation des enfants, c'est elle qui transmet le plus souvent à son enfant sa propre vision du corps et de la maladie.

Les « puissances médicales de la femme » dont parlait Michelet, si elles sont inhérentes à la définition culturelle du féminin, sont de plus en plus sollicitées parce que de plus en plus informées et de plus en plus inquiètes. Cela d'autant plus que la santé est devenue une des valeurs majeures de nos sociétés et que son acquisition est devenue un argument capital : que ce soit du yaourt, des automobiles ou encore des loisirs, nous consommons de plus en plus de la santé, ou à tout le moins ses images. Plus que jamais, la femme est « contrainte par corps » à savoir écouter (et s'écouter), à savoir prévenir et soigner, et à savoir guérir.

Le beau mal

Mais si femme et santé sont à ce point liées, n'est-ce pas également parce que femme et maladie le sont également ? C'est le second constat qu'il convient d'opérer dans cette relation entre femme et santé : si le devoir de santé incombe à la femme plus qu'à l'homme, c'est également parce qu'elle porte un héritage culturel qui la relie à la maladie et ce, dans deux dimensions essentielles : la femme est malsaine et elle-même porteuse de la maladie. A ce point revient la rumeur de la Suédoise séropositive, belle, malade et porteuse du mal, une image que l'on pourrait croire disparue tant notre époque s'astreint à mettre à distance les images de la maladie en même temps qu'elle affirme son intelligence face au corps. Une image qui continue pourtant de hanter la culture, peuplée de visages troubles qui se glissent dans ces anciens replis de l'image de la féminité venimeuse. Dans *Merci la vie*, film sorti en 1991, Bertrand Blier met ainsi en scène

Gérard Depardieu glissant à l'oreille d'un médecin en mal de clientèle : « Et si j'apporte la maladie ? » « L'idée n'est pas stupide » répond le médecin. « Restez dans votre fauteuil et préparez vos yeux. » La porte s'ouvre et entre Anouk Grinberg qui incarne dans le film une jeune femme séropositive, parée selon les codes de la séductrice (voilette ombrant le regard, large décolleté, maquillage appuyé), qui s'assied et dévisage alors le médecin. Parfaite image de la femme qui porte la maladie au-devant d'elle et qui rejoint tout à fait celle de la Suédoise évoquée plus haut. Une autre rumeur qui prétendait que l'actrice Isabelle Adjani était atteinte du sida repose sur le même mécanisme : associer une image de la maladie et de la contagion à une incarnation de la séduction féminine, avec d'autant plus de facilité qu'elle véhicule, de par les personnages qu'elle a interprétés, une image de « fatalité ». Une association femme-maladie constante et dont témoigne l'histoire des maladies : les grandes épidémies comme la peste noire des années 1348-1352 ou l'épidémie parisienne de choléra des années 1830 ont fait une large place aux personnifications du fléau sous des traits féminins. Et comme on l'imagine, cette association s'est opérée de manière plus étroite encore autour des maladies sexuellement transmissibles, particulièrement à partir du moment où celles-ci ont été identifiées comme telles. La syphilis, notamment, si elle possède à ses débuts un visage masculin (Syphilis est le nom d'un berger dans le poème de Fracastor), prend à partir du XVIIIe siècle un visage féminin qui vient s'inscrire dans la tradition des représentations de la féminité venimeuse. Au passage, il faut noter que venimeux vient de *venes nom*, terme qui signifie à l'origine philtre d'amour, *venes* étant construit sur la même racine indo-européenne que Vénus, cousinage sémantique qui relie de manière évidente l'univers du venin à celui de la beauté féminine via le philtre, autre fluide à mi-chemin entre le poison et le désir.

Le corps de la séropositivité asymptomatique, particulièrement, de ce qu'il ne porte pas trace du virus qu'il contient pourtant, a réveillé ces représentations de la féminité venimeuse, donnant au féminin une image renouvelée d'inquiétude et de soupçon. J'en veux pour preuve le fait que la plupart des messages destinés à la prévention contre le VIH, dès lors qu'ils mettent en scène le couple, décrivent un risque de transmission par le biais d'une relation extra-conjugale dans laquelle c'est explicitement l'homme qui est l'agent transmetteur. Mais si c'est l'homme qui transmet le virus à sa famille, cela veut aussi dire qu'il l'a contracté à l'extérieur, le mal ainsi venant encore une fois de la femme séductrice et tentatrice, de la belle amante de passage. Alors même que, on le sait, les cas de contamination de l'homme vers la femme sont nettement plus élevés que ceux de la femme vers l'homme, c'est encore et toujours la femme qui est le plus souvent représentée dans ces messages comme l'agent premier, le maillon initial d'une chaîne de transmission qui finit inévitablement par contaminer la cellule familiale (sans compter les nombreux messages dans lesquels un visage de femme, le plus souvent séduisant, est simplement montré assorti d'un message – généralement une question – destiné à mettre en place le soupçon : est-elle ou n'est-elle pas porteuse du virus ?). Il est vrai que, si la responsabilité de la prévention incombe aux deux sexes, c'est davantage l'homme qui en assume le geste au travers de l'usage du préservatif. De ce fait, une stratégie d'information qui s'adresse plus explicitement aux hommes n'est pas illogique. Il n'en reste pas moins qu'elle continue d'induire en filigrane l'idée de la femme contaminatrice qui répand le venin autour d'elle. C'est par exemple dans ces mêmes termes de maillon initial d'une chaîne de transmission qu'a été évoquée la prostituée italienne ayant eu pendant deux ans, entre 1995 et 1997, des rapports sexuels non protégés alors qu'elle se savait séropositive. Celle que la presse italienne avait dénommée de manière exemplaire « *Lady Aids* » a été à l'origine d'une forte réaction de panique et de pronostics quelque peu amplifiés quant au nombre de personnes qu'elle aurait pu contaminer, exagérations angoissées tout à fait exemplaires de cet imaginaire de l'amante de passage, porteuse de la maladie.

Tous ces exemples sont le signe que cette représentation

de la féminité fatale reste de manière tangible attachée à la perception de la féminité même si, de ce que son expression officielle est moins importante qu'à d'autres moments de la culture, on pourrait en déduire qu'elle a disparu. Ainsi, dans *La troisième femme* encore, Gilles Lipovetsky évoque la « fin de l'imaginaire de la beauté maudite » en prenant en exemple le personnage de Juliette Binoche dans *Fatale*, de Louis Malle, personnage précisément éloigné des caractères traditionnels de la femme fatale. Une observation juste, mais qui fait l'impasse sur une évidente constatation : quel que soit son visage, dans ce film comme ailleurs, c'est simplement encore et toujours *la femme* qui est fatale (et d'autant plus inquiétante peut-être que son visage relève du quotidien ?). Cet « après-femme fatale » n'est que la recomposition sous d'autres codes du cliché classique de la féminité venimeuse. Quels que soient les codes qui l'expriment, cette image fait partie des grands archétypes du féminin, image autour de laquelle s'organisent différentes dimensions d'inquiétude et de soupçon depuis toujours attachées à l'identité corporelle féminine et dont Pandore est sans doute, tout comme Eve, une des premières grandes incarnations. Pandore est la première femme, envoyée sur terre pour punir les hommes du vol du feu par Prométhée. Comblée de présents par les dieux, Pandore est donnée par Zeus en mariage à Epiméthée, le frère de Prométhée. Devenue sa femme, Pandore ouvre une jarre d'où s'échappent les maux qui se répandent sur la terre, alors que seule l'espérance reste au fond : « La race humaine vivait auparavant sur la terre à l'écart et à l'abri des peines, de la dure fatigue, des maladies douloureuses qui apportent le trépas aux hommes. Mais la femme, enlevant de ses mains le large couvercle de la jarre, les dispersa par le monde et prépara aux hommes de tristes soucis[30]. » Pandore devient un « piège profond et sans issue, destiné aux humains. Car c'est de celle-là qu'est sortie la race, l'engeance maudite des femmes[31] ». Pandore, comme Eve, arrache l'humanité à la félicité originelle pour la précipiter dans le malheur : peines, maladies, vieillesse et trépas, et mérite à ce titre qu'on l'interroge sur la dimension mythique de la malédiction dont elle est porteuse.

Non pas mère du genre humain (c'est plutôt Pyrrha, la fille qu'elle a d'Epiméthée, qui l'incarnera), Pandore est la « mère des femmes » et donc, à ce titre, la mère du genre féminin. Mieux encore qu'un mythe de la première femme, le mythe de Pandore est celui de l'incarnation du féminin. La transcription originale que donne Hésiode du mythe se déploie autour de quelques points qu'il est intéressant de souligner :

— Pandore est parée de tous les dons (*Pan dora* signifie « qui a tous les dons ») : Aphrodite lui donne sa beauté, Athéna la sagesse, Hermès l'éloquence.

— Pandore est le don des dieux à l'ensemble des hommes (*Pan dora* signifie également « qui est le don de tous ») : elle n'est pas envoyée pour punir seulement un homme (Prométhée), mais la race des hommes.

— Pandore est un « beau mal » : l'expression est d'Hésiode et sera reprise dans différentes versions ultérieures du mythe.

— Elle ouvre une jarre à partir de laquelle les maux se répandent à la surface de la terre : dans la première version d'Hésiode, c'est elle qui ouvre la jarre ; dans d'autres traditions, c'est Epiméthée qui, inspiré par Pandore, ouvre le récipient (version qui se rapproche de la Genèse).

— Dans une deuxième version d'Hésiode, la jarre n'apparaît pas, et c'est Pandore seule qui est porteuse des maux qu'elle va donner aux hommes.

— Comme le fait remarquer Panofsky, le motif de l'ouverture de la jarre n'est pas formulé[32]. Les interprétations ultérieures privilégieront la curiosité (ou, dans les versions plus ésotériques, la recherche de la connaissance).

Traditionnellement, à partir de la Renaissance, ce mythe a été tenu pour un équivalent païen du péché originel et de la découverte de la connaissance, dans une perspective chrétienne qui reliait précisément Pandore à Eve. La Renaissance a par ailleurs légèrement modifié la version antique du mythe en remplaçant la jarre par une boîte qui aurait été donnée à Pandore par Zeus lui-même pour qu'elle la ramène sur terre. Les analyses postérieures ont ainsi déplacé la responsabilité de Pandore vers la boîte elle-même et Pandore, dans les interprétations du mythe qui suivent, n'est plus coupable que de curiosité et de faiblesse. De cette version tardive, la culture classique retiendra de Pandore l'image d'une femme inconsciente qui apporte le malheur aux hommes tout en leur laissant en héritage l'espérance qui reste au fond de la boîte, une dimension du mythe qui n'est pas présente dans les versions originelles mais qui sera largement privilégiée dans les interprétations ultérieures. D'un mythe sur l'origine du féminin, on est ainsi passé à un mythe sur l'origine du malheur et de l'espoir, c'est-à-dire sur la fatalité. A l'évidence, ces deux mythes ne sont pas non plus sans lien de parenté, et visage du féminin et visage de la fatalité sont étroitement liés dans nombre d'expressions de la culture.

La femme qui apporte la fatalité avec sa beauté parcourt un grand nombre des expressions de la culture comme une part importante de l'histoire des femmes. De Salomé à Carmen, de « la Belle dame sans mercy » à Gilda, elle voit son visage à chaque fois réactualisé en fonction des archétypes féminins dominants, et ce jusqu'à l'époque contemporaine. Elle véhicule cet imaginaire du « beau mal », celui de la femme dont la beauté entraîne avec elle le malheur des hommes. Différents visages parcourent encore notre siècle, souvent véhiculés par le cinéma : dans *Loulou* (1929), film de Georg Wilhelm Pabst dont le titre original est *Die Busche der Pandora* (la boîte de Pandore), Louise Brooks incarne ce personnage de la courtisane dont la beauté (et l'inconscience) conduit les proches à la ruine et à la mort. Ainsi, dans la scène centrale du film où se décide le sort des personnages, l'arrière-plan présente une série d'étagères sur lesquelles sont posées, bien en évidence, une, puis deux, puis trois urnes ouvertes et renversées, figuration par Pabst du moment par lequel Loulou scelle l'issue fatale. De *L'ange bleu* à *La mariée était en noir*, le thème de la beauté qui apporte le désespoir et la mort reste présent aujourd'hui, même si l'époque contemporaine semble davantage privilégier des visions policées et « gentilles » de la féminité. Mais si les représentations archétypales de la femme fatale ont évolué – moins directement reliées au cliché hollywoodien de la brune aux lèvres fixes et aux sourcils aiguisés – vers des visages plus quotidiens, le lien entre femme et fatalité reste présent, quelles que soient par ailleurs les formes qu'il décide de revêtir.

Cette Pandore liée au destin, si elle est prégnante dans l'histoire de la culture, ne doit pas occulter pour autant la dimension selon moi originelle du mythe, précisément reliée au corps et à la maladie. Il n'est pas anodin que la tradition renaissante ait déplacé le sujet des maux vers une boîte, objet extérieur qui lui est seulement confié et qui serait le piège. Dans le mythe d'origine, rappelons-nous que c'est Pandore elle-même et non sa jarre qui est le véritable piège. La jarre elle-même n'a été que peu analysée et mérite pourtant que l'on s'y attarde : dans les versions originelles du mythe, il s'agit d'un *pithos*, vaste récipient de terre cuite où était conservé l'huile ou le vin et qui était, dans la maison, un objet à caractère domestique, relevant en cela largement du féminin. Le *pithos* grec est également un objet qui servait de sépulture et plus tard d'habitation : c'est dans un *pithos*, et non dans un tonneau, que Diogène se retire. En tant que sépulture, il est notamment utilisé en Crète pour enterrer les enfants dans une position fœtale, replaçant ainsi le corps dans une situation de naissance. Il est à ce titre une représentation de la matrice, de l'utérus. On comprendra aisément où je veux en venir : la jarre de Pandore, c'est son ventre, et c'est en *s'ouvrant* à Epiméthée (ou en se laissant ouvrir par lui, ce qui revient au même), qu'elle répand à la surface de la terre les maux qui étaient contenus en elle-même, en même temps qu'elle devient la mère de « l'engeance maudite des femmes ». Au passage, la deuxième version d'Hésiode dans laquelle la jarre ne figure pas est dans cette optique d'autant plus exemplaire de la relation directe entre la malédiction que véhicule Pandore et son propre corps. Doublement liée à la notion de don (elle les a tous, elle est celui de tous), la première femme est ainsi un « beau mal » destiné à l'homme, mal qui répand les maux à la surface de la terre par la seule présence de son corps. Elle apporte, en même temps que sa beauté, l'inquiétude et le soupçon, mettant en place un imaginaire trouble de la féminité qui parcourt l'ensemble de la culture. Cet imaginaire de la femme malsaine se retrouve bien évidemment avec une acuité particulière dans la littérature médicale : dans son *Passionibus mulierum medendis*, un médecin de l'école de Salerne – pourtant femme elle-même – évoque ainsi « combien de maladies ont les femmes avant qu'elles ne les apportent en ce monde[33] », prêtant par la même une dimension médicale au mythe : la femme, éternelle malade, est elle-même porteuse de la maladie. Il s'agit encore et toujours de cet imaginaire de la femme fatale – fatale non pas dans son lien avec la destinée mais dans celui, plus direct, avec la maladie et la mort.

Cet imaginaire de la femme malsaine a bien sûr trouvé de manière récurrente des liens avec « l'autre » grand système de représentation de la féminité : la relation entre femme et beauté, images esthétisées de la maladie qui prolongent évidemment cet imaginaire du « beau mal ». La belle malsaine et le désir qui lui est associé hantent toutes les époques de la culture, connaissant bien sûr différentes amplitudes. Probablement à son apogée avec le XIXe siècle, cette esthétique d'un corps malade (ou à tout le moins malsain) se prolonge aujourd'hui dans de nombreux domaines de la culture, arts plastiques ou cinéma, et tout particulièrement dans la mode. Elle s'inscrit, comme elle l'a toujours fait, « à rebours » du modèle dominant : au XIXe siècle, le modèle de la beauté phtisique et nerveuse s'inscrit en réaction au modèle dominant de la bourgeoise grasse et sédentaire et, aujourd'hui, certaines images d'une beauté maladive s'inscrivent en rupture par rapport au modèle dominant du corps accompli, mince, lisse et tonique. Les manifestations en sont variées, d'attitudes résolument marginales à des répercussions plus commerciales mais qui toutes véhiculent cette « mise en négatif » des références traditionnelles de la beauté, imaginaire du renoncement qui prend ses racines dans le mouvement punk et qui parcourt les deux dernières décennies de manière particulièrement marquée dans le travail de certains créateurs de mode ou de certains photographes. La belle malsaine reste, à toutes les époques, une autre manière de signifier l'esthétique du corps mais surtout de placer la femme dans une sphère « autre », de la sacraliser, de la sublimer.

Car il y a bien une *sublimation* par la maladie. Le XIXe siècle, apogée d'une féminité stéréotypée, grasse et féconde, aura également magistralement mis en scène l'idée que la maladie (ou que son apparence) individualise, qu'elle élève au-dessus du standard collectif, qu'elle apporte une différence et parfois cette aura de beauté qui faisait dire d'une femme à René Crevel que « la maladie donnait à son visage une étrange splendeur[34] ». Cette vision du malsain est un des liens qui relie beauté et différence, beauté et individualité. La tuberculose, à ce titre, aura été le point culminant esthétique de l'histoire des maladies, image de la belle tuberculeuse qui se poursuit jusque dans les années 30, celle de la jeune fille mince, un peu nerveuse et pâle, et en qui l'œil averti diagnostique un début de tuberculose. Bien sûr, elle est attirante, et « si fière de sa minceur et de son succès[35] ». Les techniques de l'apparence et les cosmétiques suivront évidemment cette esthétique et le XIXe siècle fera une grande consommation de citron et de vinaigre destinés à brouiller le teint, de veilles et de fatigues également destinées à procurer un visage fatigué : « Du reste, il faut en convenir, le fard a bien perdu de sa vieille réputation et les parfumeurs de leur douce clientèle, aujourd'hui qu'il est de mode d'être pâle et défait comme un mourant, d'avoir le teint plombé ou les joues creuses, parce que cela donne l'air distingué, artistique, et que, selon certaines personnes, c'est la seule physionomie qu'un être à grandes passions puisse raisonnablement accepter et montrer au public sans crainte de se faire tort ou de se compromettre[36]. » Un discours que ne désavouerait pas le courrier des lectrices de *Vogue* dans lequel les propos amers sur la beauté souffreteuse de certains mannequins reviennent régulièrement.

Cette femme malsaine est bien sûr exemplaire de la

fascination que dégage la maladie lorsque s'y mêle une attraction érotique, une paire désir/morbidité qui est étroitement liée à de nombreuses représentations de l'identité corporelle féminine. Dans ce cadre, particulièrement fascinantes sont les évocations de la beauté flétrie, abîmée, irrémédiablement détruite par la maladie. Il faut se rappeler que la *Dame aux camélias* commence avec l'hallucinante description du cadavre en cours de décomposition de Marguerite que son amant a exhumé afin de constater de ses yeux l'absence de l'être aimé. Baudelaire, de la même façon, évoque ses « amours décomposées » et Zola nous laisse, avec la vérole de Nana, une image puissante de la relation entre femme, beauté et maladie :

> « Nana restait seule, la face en l'air, dans la clarté de la bougie. C'était un charnier, un tas d'humeur et de sang, une pelletée de chair corrompue, jetée là, sur un coussin. Les pustules avaient envahi la figure entière, un bouton touchant l'autre ; et, flétries, affaissées, d'un aspect grisâtre de boue, elles semblaient déjà une moisissure de la terre, sur cette bouillie informe, où l'on ne retrouvait plus les traits. Un œil, celui de gauche, avait complètement sombré dans le bouillonnement de la purulence ; l'autre, à demi ouvert, s'enfonçait, comme un trou noir et gâté. Le nez suppurait encore. Toute une croûte rougeâtre partait d'une joue, envahissait la bouche, qu'elle tirait dans un rire abominable. Et, sur ce masque horrible et grotesque du néant, les cheveux, les beaux cheveux gardant leur flambée de soleil, coulaient en un ruissellement d'or. Vénus se décomposait. Il semblait que le virus pris par elle dans les ruisseaux, sur les charognes tolérées, ce ferment dont elle avait empoisonné un peuple, venait de lui remonter au visage et l'avait pourrie[37]. »

« Ce ferment dont elle avait empoisonné un peuple » : Nana, comme Pandore, est le « don de tous », et porte le malheur avec sa beauté en propageant la maladie très loin au-devant d'elle. Baudelaire, Zola, Dumas fils, on ne s'étonnera pas que toutes ces images proviennent d'un XIXe siècle qui fut tant fasciné précisément par l'image de cette féminité putride. Mais une image qui, là encore, vient de loin. Chaque époque, à sa manière, mêle et a mêlé dans un même souffle la femme érotisée et son double décomposé. Que l'on se souvienne des Vanités qui parcourent l'ensemble de l'âge classique, des poèmes de Ronsard, de *La jeune fille et la mort* de Schubert ou, plus près de nous, de certaines photos d'Irving Penn, de la fascination pour la décomposition et la mutilation dans les films de Peter Greenaway ou encore de *Crash*, film controversé de David Cronenberg (1996) qui mêle obsession érotique, corps de femmes et mutilation. Certes, comme souvent, ces expressions sont « à la marge » des courants dominants et sont le fait de la singularité créative, mais elles n'en sont pas moins les témoins d'un thème fort et constant de la culture.

La malade fascinante reste ainsi encore présente dans la culture, mais les domaines qu'elle occupe se sont déplacés : le statut de refoulement dans lequel la maladie a été reléguée par la société fait qu'elle est moins esthétisée qu'elle a pu l'être par le passé, et les grandes maladies modernes (le cancer, le sida) n'occasionnent que peu d'esthétisation particulière du malade. Hormis quelques exemples, telle la jeune femme de *Merci la vie*, les personnages cinématographiques ou télévisés supposément atteints du cancer ou du VIH sont plutôt montrés dans des situations quotidiennes (par opposition à des situations de sublimation), pour probablement davantage induire une image de maladie qui rassemble que de maladie qui distingue. La personne séropositive, aujourd'hui, doit être représentée *proche* de nous. Elle ne saurait de ce fait être ni trop belle, ni fatale. Le sida, pas plus que le cancer, n'a véritablement opéré cette sublimation du malade qu'avait pu faire la tuberculose (distinction esthétique) ou la syphilis (distinction « morale », notamment autour de l'assimilation entre maladie et génie).

Pour autant, la notion même de beauté malade n'a pas disparu mais s'est le plus souvent déplacée avec le siècle de la maladie du corps vers celle de l'âme, de la tuberculose vers la folie : l'esthétisation du malade – et particulièrement de *la* malade – semble avoir trouvé, surtout depuis l'après-guerre, une place de choix dans la représentation de certains types de déséquilibres mentaux. Il n'est que de voir les personnages féminins qui déploient cette esthétique de la folie, particulièrement dans le cinéma des cinquante dernières années : la femme fatale des débuts du cinéma a laissé la place à la belle déséquilibrée, à la belle nerveuse : l'image valorisée du « beau mal » est aujourd'hui souvent véhiculée au travers de l'image du déséquilibre mental. Que celui-ci soit une folie « froide » – la kleptomanie de Gene Tierney dans *The Razor's Edge* (Goulding, 1946), la mythomanie frigide de Tippi Heddren dans *Marnie* (Hitchcock, 1964) – ou une folie destructrice – Isabelle Adjani (encore elle) dans *L'été meurtrier* (Becker, 1985) ou dans *Antonietta* (Saura, 1982) – les expressions de la représentation sublimée de la folie féminine abondent dans la littérature et dans le cinéma contemporains. La belle folle, si elle est moins contagieuse que la belle malsaine, n'en est pas moins désirable. Un bon exemple de ce lien entre déséquilibre nerveux et état physique esthétisé se trouve à l'évidence dans l'anorexie, maladie féminine typiquement contemporaine dont de nombreuses expressions sublimées se retrouvent à intervalle régulier dans l'esthétique de la photographie de mode, rejoignant celles de la beauté souffreteuse évoquée plus haut. L'anorexie est également exemplaire de la manière dont notre époque relie une expression trouble de la beauté à un déséquilibre, physiologique comme nerveux, par ailleurs relié, comme la mélancolie, à l'intelligence. Un prolongement de la femme nerveuse du XIXe siècle, pathologie culturellement féminine qui mène directement à l'hystérie sur laquelle je reviendrai dans la troisième partie.

La femme est une malade

Mais, contagieuse ou pas, cette femme est elle-même malade, et notre Suédoise, tout comme la jeune femme de *Merci la vie* ou encore « *Lady Aids* », en mourront sans doute. A ce point de l'analyse apparaît ainsi encore une autre dimension essentielle de la relation culturelle entre femme et maladie : si la femme est porteuse du mal, c'est évidemment parce qu'elle est malsaine. Un des héritages corporels majeurs de la femme est sa relation physiologique à la maladie. En deçà de la relation fantasmée entre féminin et malsain, de cette représentation de Pandore à la fois agent et incarnation du mal, se place une relation plus immédiate entre la femme et la maladie : le quotidien malsain de la femme. Arrive à ce stade cette autre image de la féminité culturelle, celle du *sexe faible* : la femme, dans la culture, est presque toujours représentée du côté de la faiblesse, de la fragilité et de la maladie, une représentation qui s'appuie vraisemblablement sur la nécessité pour la culture de mettre en discours les manifestations biologiques de la féminité. Les menstrues tout particulièrement, probablement de ce qu'elles ont souvent été représentées dans les cultures traditionnelles comme la manifestation d'une blessure, soutiennent cette image d'une femme malsaine parce que malade, malade parce que souffrant de cette plaie imaginaire qu'a longtemps incarné, aux yeux de l'homme, le processus menstruel. Dans son ouvrage sur l'amour, Michelet intitule son deuxième chapitre : « La femme est une malade ». Il y fait une description des vicissitudes gynécologiques qu'endure la femme dans son quotidien, cachant mal, sous l'apparente compassion, l'inquiétude avec laquelle le XIXe siècle envisage la physiologie de la femme :

> « [La femme] est généralement souffrante au moins une semaine sur quatre. La semaine qui précède celle de la crise est troublée. Et dans les huit ou dix jours qui suivent cette semaine douloureuse, se prolonge une langueur, une faiblesse qu'on ne savait pas définir. Mais on le sait maintenant. C'est la cicatrisation d'une blessure intérieure, qui, au fond, fait tout ce drame. De sorte qu'en réalité, quinze ou vingt jours sur vingt-huit (on peut dire presque toujours) la femme n'est pas seulement une malade, mais une blessée. Elle subit incessamment l'éternelle blessure d'amour[38]. »

Une « blessure d'amour » qui la range du côté des malades. L'association que fait Michelet entre les règles et l'idée de blessure (employant même le mot de cicatrisation) est exemplaire de cette association entre physiologie de la femme et maladie, ici encore complétée du lien entre psychologie de la femme et amour. La littérature médicale est intarissable sur la faiblesse physiologique supposée de la femme : la femme est une éternelle malade, et son accompagnement par la médecine (des hommes) n'en est que plus nécessaire. Depuis Hippocrate et son célèbre aphorisme : « Qu'est-ce que la femme ? La maladie », l'image « d'insalubrité » corporelle que véhicule la femme est profondément inscrite dans la culture, et ce de manière double puisque « non seulement elles partagent toutes [les maladies] de l'autre sexe, mais elles ont les leurs propres[39] ». Défloration, règles ou ménopause, chaque étape biologique est considérée comme une nouvelle source de maux et chaque état donne lieu à l'interprétation d'un ensemble de pathologies. La maternité elle-même a pu en arriver à être considérée comme un état maladif : « Aussitôt que la femme a conçu, elle est, rigoureusement parlant, en état de gestation ; alors commence pour elle une longue série de maux, et s'ouvre une source intarissable de douleurs et de maladies. C'est alors qu'on observe ce qu'on appelle les incommodités de la grossesse, qui sont quelquefois des maladies caractérisées : amaigrissement (!), pâleur, teint plombé, yeux cernés, perte de l'appétit, nausées, vomissements, dégoût insurmontable pour certains aliments, goût extraordinaire pour des substances non alimentaires ou pour certains condiments, penchants singuliers, désirs bizarres et même envies de voler, de détruire, irascibilité excessive, léger degré de folie dans quelques cas, toux, raucité de la voix, apparition de taches d'un jaune sale ou brunâtres sur le visage ou sur toute autre partie du corps, éraillement de la peau des mamelles et de celle du bas-ventre[40]. » La femme enceinte ne se contente pas d'être malsaine et agitée, il faut en plus qu'elle soit laide. Une représentation certes presque totalement disparue aujourd'hui où la femme enceinte fait au contraire l'objet d'une sublimation esthétique exacerbée, mais une sublimation qui, au passage, éloigne à nouveau la femme de la sphère du quotidien pour en faire un être physiologiquement étrange, que cette étrangeté soit d'une laideur repoussante ou d'une beauté fascinante.

Cette caractéristique physiologique de la femme, si elle est décrite avec compassion par certains, peut aussi être évoquée avec dégoût par d'autres. A force d'association entre féminin et malsain, tout un courant de pensée décrit la femme comme un être biologiquement repoussant, même (et surtout) si elle est esthétiquement attirante. Ainsi « les maladies des femmes sont de telle nature, que très souvent elles inspirent au compagnon de leur vie, à l'ami de leur cœur, au confident de leur âme, la froideur, le dédain ou le dégoût [...]. Si quelquefois, le compagnon de sa vie parvient à surmonter sa répugnance, on peut voir alors le calme et le bonheur rentrer dans ce cœur désolé. Mais hélas ! Ce bonheur est de courte durée. L'homme bientôt trompé dans ses espérances, voyant disparaître les charmes et la beauté de celle qu'il avait choisie pour compagne [...] s'éloigne peu à peu de cette épouse attristée. Cet homme avait étouffé pour un temps les ardeurs de ses sens ; il avait comprimé les agitations de son cœur ; mais aujourd'hui, impuissant à résister aux aiguillons de l'amour sensuel, il va porter près d'un objet nouveau ses caresses et ses adorations [et si] il veut encore retourner près de l'amie de son cœur, la maladie est là, pour lui fermer la porte du plaisir et pour lui amener le désenchantement[41] ». Une image malsaine et répulsive du corps de la femme qui s'inscrit dans la tradition chrétienne de la féminité putride, de la femme dégoûtante : « Ces riches tailles ne sont qu'une liaison et un affreux assemblage d'os pourris, de nerfs et de tendons pleins d'infections [...]. Le teint délicat n'est autre chose qu'un morceau de peau blanche collée sur le sang, qui parfois devient noir, livide et si désagréable qu'on ne l'ose regarder [...]. Le nez, la bouche, ne sont-ce pas deux cloaques de pourriture dont l'infection sort à tout moment[42]. »

Ce texte du XVIIe siècle est un bel exemple de la survivance de cet archétype du féminin, à rebours de l'idée couramment admise que les représentations « putrides » de la féminité, largement diffusées pendant tout le Moyen Age, cesseraient au seuil de l'âge classique. Bien au contraire, du

« sac de fiente[43] » de l'abbé de Cluny à la « nature des femmes » de Chomet, le modèle de cette représentation répulsive de la physiologie féminine, loin de disparaître, s'est simplement déplacé : au lieu de rester liée au discours religieux, elle s'est seulement fondue au sein du nouveau dogme que représentait le discours scientifique pour trouver, avec le XIXe siècle, une audience à nouveau élargie. Une image de la femme qui trouve certes moins d'expressions officielles à notre époque mais dont il me paraît difficile d'affirmer par ailleurs que toute trace en a disparu. Une image du malsain qui s'inscrit bien sûr dans la lignée de Pandore portant le mal aux hommes avec son ventre : *la femme est un cloaque*, et même « la plus pure, la plus vertueuse, n'en a pas moins un germe dans le sang qui tôt ou tard se trahira. Cette douce fleur, la blonde éblouissante, peut voir bientôt se rouvrir les scrofules qu'elle eut enfant. Cette autre, aux yeux profonds, au teint sombre, qui brûle le cœur, hélas ! Le dard d'amour qu'elle vous lance dans son navrant sourire, c'est l'élancement du cancer féroce qui lui mange le sein[44] ».

Se déploie ainsi dans l'histoire de la culture le mythe de la femme malsaine parce que faible et maladive. Les thèses dissertant de l'infériorité physique du sexe féminin se retrouvent à toutes les époques, prenant tour à tour deux points de vue, l'un, extrême, d'une femme « erreur de la nature » (on trouve au XVIIe siècle, à Paris, une thèse de médecine dont le titre est : *Les femmes sont-elles des ouvrages imparfaits de nature ?*), et un autre, plus modéré, de la seule fragilité naturelle. Le corps des femmes est représenté comme un corps maladif, plus faible que celui des hommes, un corps qui est « mol et lâche, et de rare texture, outre les superfluités et excréments dont elles sont pleines, outre la vie oisive, sédentaire qu'elles sont contraintes de mener pour l'imbécillité de leur corps[45] », une pensée qui place d'emblée les deux « maladies » de la femme : la biologie de la reproduction (maladie physiologique) et le mode de vie (maladie « culturelle »), deux thèmes sur lesquels je reviendrai plus loin. Femmes faibles, dotées d'un corps aux fonctions vitales réduites : « Elles transpirent à peine, leurs urines sont claires et limpides, toutes les excrétions sont presque nulles, le dégagement de chaleur est sans énergie ; en un mot, la vie de nutrition, presque suspendue, se trouve réduite à son minimum d'action[46]. » Femme faible, au corps indigent, éternellement condamnée à l'économie et au repos, puisque « toute femme qui n'est pas contrainte au travail par le manque de fortune, doit se reposer beaucoup (!).[...] Le repos physique lui est un devoir[47] ». D'Aristote à la pensée médicale moderne, c'est toujours la même femme qui est figurée, celle au corps faible et malade, celle qui réclame soin et accompagnement, celle également qui s'attache à ce phénomène de « l'écoute inquiète ».

Aujourd'hui différemment marquée, cette inquiétude physiologique perdure au travers d'un discours qui est passé de l'archétype de la femme malsaine à celui de la femme *fragile*. Les presses féminines et de santé abondent ainsi en discours qui continuent d'alimenter le cliché de la fragilité de la femme. Cette évocation s'incarne particulièrement dans deux thèmes, celui de la « fatigue féminine », un thème évoqué de manière particulièrement récurrente et qui contribue largement au prolongement du lien entre féminité et faiblesse, et surtout celui de l'intimité féminine, la préoccupation gynécologique faisant toujours l'objet d'un discours régulièrement inquiet : « L'intimité féminine est une terre riche, fertile et particulièrement sensible aux agressions... et qui faute d'être correctement ménagée peut se révéler volcanique et éruptive[48]. » La femme malsaine, bien que différemment représentée, reste présente dans la culture contemporaine au croisement de ces deux grands thèmes que sont la faiblesse naturelle et l'intimité gynécologique. Il faut noter au passage que cette image de la féminité fragile qui accompagne l'ensemble de la culture peut aussi en être le produit : dans des sociétés qui tendent à privilégier le rôle du mâle, le petit garçon est l'objet de davantage de soin que la petite fille. On sait que, dans les sociétés anciennes, les familles à filles étaient considérées comme une fatalité supplémentaire du fait de bouches à nourrir moins utiles, car en principe moins destinées au travail que les garçons. Cette attitude reste encore aujourd'hui marquée dans les sociétés traditionnelles et dans celles qui sont insuffisamment développées économiquement. Ainsi, dans certains pays, l'apport calorique est en moyenne de 16 % plus élevé chez les garçons que chez les filles de moins de cinq ans (d'où le fait que 14 % des filles souffrent de malnutrition, contre 5 % seulement des garçons) et, entre 1 et 12 mois, la mortalité chez les filles est supérieure de 21 %[49].

La première des causes de la mauvaise santé supposée de la femme a longtemps été trouvée dans son mode de vie même. Condamnée à des activités centrées autour des enfants et de la maison – et bien que la notion de maison ait inclus dans la majorité des cas le travail de la terre ou l'aide au commerce – la femme s'est toujours vue qualifiée de sédentaire et s'est de ce fait vu reprocher par la médecine un mode de vie oisif, donc malsain. D'une sédentarité pourtant relative (on sait que la prétendue oisiveté féminine n'a jamais été le partage de toutes mais n'a concerné, à toutes les époques, qu'un nombre restreint de femmes), la femme sur laquelle se penche la médecine est forcément oisive et, de ce fait, malsaine, car « c'est surtout la manière d'être, l'éducation, les vêtements, la vie sédentaire et inactive de la femme dans notre état de civilisation, qui l'assujettissent à un certain ordre de maladies »[50]. Un discours qui est loin d'être hors de propos aujourd'hui : si la femme a, en principe, accès à davantage d'activités (que celles-ci soient professionnelles, sociales ou purement corporelles), l'anathème jeté sur l'association femme-oisiveté n'en a peut-être pris que plus d'acuité et la condamnation d'une inactivité perçue comme un mode de vie malsain n'a fait que s'amplifier. On trouve ainsi volontiers des propos énergiques destinés à amener plus de femmes vers le modèle du corps accompli, parfois sous-tendu de propos alarmistes déclarant par exemple que « deux femmes sur trois, en 1991 ne font pas d'exercice, soit plus qu'en 1985[51] ». L'idée qu'aujourd'hui le mode de vie féminin est un mode de vie malsain reste entière, ne serait-ce qu'à des fins de rhétorique, le déni de santé avec lequel est représenté un mode de vie sédentaire servant de repoussoir afin de convaincre son auditoire de la nécessité d'évoluer. Particulièrement sensible aux Etats-Unis, ce discours de condamnation implicite de l'oisiveté malsaine est très largement véhiculé par des presses féminine et de santé mettant régulièrement en garde les femmes contre les méfaits d'une trop forte sédentarité. Il n'est ainsi pas rare de trouver des articles aux contenus énergiques qui disent à la lectrice : « Sortez de chez vous et améliorez votre pratique quotidienne [...] Rester en face de votre téléviseur ne vous fera aucun bien [...]. Vous devez dynamiser votre quotidien... », pour un article par ailleurs intitulé « Cessez d'être une parfaite ménagère[52] ».

Mais la seconde des causes de cette faiblesse supposée est davantage trouvée dans le corps même de la femme, autour des spécificités physiologiques qu'ont toujours représenté aux yeux des hommes les règles et la grossesse, leur avant et leur après. La vie de la femme est, de la sorte, généralement découpée en différents âges selon qu'elle ne peut pas encore être mère, qu'elle peut être mère, qu'elle va être mère, qu'elle est mère ou qu'elle ne peut plus être mère. Puberté, maternité et ménopause restent les étapes majeures du discours médical sur la femme qui sont généralement décrites comme seuils difficiles ou caps à franchir, souvent dans la maladie, rarement dans la joie. Probablement renforcé du « tu enfanteras dans la douleur », le discours sur la vie de la femme souligne des étapes auxquelles se rattache généralement un discours sur la douleur, la difficulté, la fragilité qu'implique leur franchissement. L'accession à la fécondité, son accomplissement comme son arrêt ont été longtemps représentés comme autant de stations de ce qui est décrit comme un véritable calvaire physiologique : « Jeune fille la femme souffre pour devenir femme ; femme elle souffre pour devenir épouse ; épouse elle souffre pour devenir mère ; aussi le père de la médecine disait : *La vie des femmes est une souffrance continuelle*[53]. » La féminité est une longue suite d'épreuves physiques : « Les douleurs [...] assiègent son enfance, et sa constitution naturellement plus délicate les lui fait éprouver plus vivement. Le temps des plaisirs de l'amour ne s'annonce pour elle que par des incommodités ; et le titre de mère, la plus pure des jouissances qu'elle éprouve, elle ne l'obtient qu'aux dépens de ses forces, de sa santé, et quelquefois de sa vie. [...] Enfin, le moment qui la rend inhabile à la génération s'annonce encore par de nouveaux dangers[54]. » De quatre grandes étapes – virginité, puberté, maternité et ménopause –, on est aujourd'hui passé à trois, la virginité n'étant plus considérée comme un état physiologique alors qu'elle l'a longtemps été, un « état » sur lequel je reviendrai dans le troisième partie. Cette réduction du cours de la vie féminine aux étapes physiologiques de la maternité reste encore d'actualité : récemment encore un magazine de santé intitulait un article « Les trois âges de la femme », article dans lequel étaient bien sûr évoqués les risques liés à chacune des trois étapes principales : « Des premières règles à la contraception, de l'accouchement à la ménopause, notre corps évolue au gré d'événements majeurs [et] les problèmes de chaque âge connaissent de multiples solutions[55]. » Dans ce même article, l'apparition des règles est évoquée avec « les peines du passage à l'âge adulte » et la ménopause comme « l'âge de toutes les attentions » pendant lequel il convient de gérer « tous les problèmes de santé qui peuvent l'accompagner ». Une représentation de la féminité qui actualise l'image de l'épreuve en l'ancrant dans celle du « souci de soi », mais qui n'en prolonge pas moins l'idée que la féminité implique à sa suite une « série de problèmes ». Mais une représentation qui prolonge surtout l'idée que la féminité, c'est la fonction de reproduction, et que la femme, physiologiquement, est avant tout un ventre, un utérus, une matrice. *Tota mulier in utero.*

Etre belle, être saine, être mère

Où conduisent ces « parcours obligés » entre beauté et santé auxquels la femme est soumise par la culture ? J'ai déjà évoqué le lien qui reliait la triade jeunesse-beauté-santé à cet « accomplissement culturel » de la féminité que représente la fécondité pour la société des hommes sous le regard de laquelle elle est placée. Devoir de beauté et devoir de santé, ainsi, sont placés comme autant de conditions indispensables à la survie de l'espèce : c'est son corps qui justifie la femme, puisqu'elle ne saurait mieux s'accomplir qu'en jouant le rôle que lui attribue la nature. Vu par la culture, le devoir corporel féminin est aussi et surtout un devoir social, destiné à assurer la santé de la descendance. Particulièrement au long du XIXe siècle et pendant la première moitié du XXe, le corps de la femme devient un enjeu social et politique autour duquel nombre de théories et d'écrits s'échafaudent. Prise en otage par la science, la femme se voit, sous l'impulsion de l'hygiénisme et d'un « imaginaire de l'hérédité » poussé à son paroxysme, retirer encore un peu plus le contrôle de son corps.

Car de contrôle il est évidemment question. La prise en charge de la femme du siècle dernier est la tentative la plus extrême pour circonscrire le corps féminin dans un périmètre *utile*. Parfaire la femme est un enjeu social et politique, en vertu d'un « les femmes nous font ce qu'elles sont », relié aussi bien à l'hygiène qu'à l'éducation. Tout comme la santé, la beauté est également prise en otage, le terme de « beauté de la race » étant de manière significative employé comme strict synonyme de sa santé. C'est, encore et toujours, l'idée qui veut que la beauté soit le signe par excellence de l'évolution de l'espèce et que la femme en est sa meilleure garante, se retrouvant doublement reliée à son propre corps, pour la beauté de l'espèce et pour sa santé : en 1648, une thèse de la faculté de médecine de Paris prend ainsi pour sujet « Les jolies femmes sont-elles plus fécondes que les autres ? » et y répond, bien sûr, par l'affirmative. Etre belle sert à être mère, et être féconde c'est d'abord être saine. La femme malsaine est aussi (et surtout) une femme qui ne dispose pas de sa pleine faculté procréatrice : il peut exister dans la pensée médicale des mères malades, il ne saurait y avoir de mères malsaines. L'équation beauté-santé s'incarne alors plus profondément encore dans le corps de la femme et devient, à partir de la fin du XVIIIe siècle, le modèle ontologique dominant, celui qui a remplacé peu à peu l'ancien modèle âme-corps de la religion catholique.

Cette prise en otage du corps féminin conduit dans le même mouvement à l'établissement d'un nouveau dogme prétendant fonder une aristocratie corporelle, celle de l'humanité du futur. C'est ainsi que Charles-Auguste Vandermonde, le docteur-régent de la faculté de médecine de Paris, rédige en 1756 un *Essai sur la manière de perfectionner l'espèce humaine* dans lequel il écrit : « Pourquoi ne travaillerait-on pas aussi pour l'espèce humaine ? Il serait aussi sûr, en combinant toutes les circonstances dont nous avons parlé, en réunissant toutes nos règles, d'embellir les hommes, qu'il est constant qu'un habile sculpteur peut faire sortir d'un bloc de marbre un modèle de la belle nature. » Cette assimilation que fait la médecine de la femme à son ventre obéit à des objectifs avoués de perfectionnement de la race. Vandermonde (le premier à ma connaissance à proposer des croisements humains) fera de nombreux émules en proposant : « Pourquoi ne ferait-on aucune tentative sur l'espèce humaine ? Pourquoi s'amuser aux plaisirs de la nature, et oublier ses merveilles ? Etendons plus loin nos recherches. Si la Darienne, dont la blancheur du visage, la délicatesse des traits, l'emporte sur le reste des habitants de la terre, s'alliait avec un Européen, sans doute il en résulterait une espèce d'homme supérieure pour la couleur et pour la forme à toutes celles que nous connaissons. On pourrait même par ce moyen perfectionner des talents agréables à la société. Il est probable que si l'on assortissait un de nos meilleurs danseurs français avec une danseuse italienne ou anglaise, ils pourraient aisément élever leur enfant au plus haut degré de cet art[56]. »

Un bon exemple de ces considérations sur le ventre des femmes est justement le débat que suscite l'établissement de la « race américaine ». Au XIXe siècle, le Nouveau Monde se pose de manière très concrète la question du mélange des sangs et du futur de son hérédité. Certains y voient (et y verront, surtout avec le début du XXe siècle) la race du futur. La côte Ouest des Etats-Unis, particulièrement, fait dans ces années-là figure « d'Eldorado racial », berceau du développement d'une race décrite comme le « fleuron de l'humanité, issu de tous les peuples dominants et nourri par la côte Pacifique. Déjà, les spécialistes voient dans les natifs de la Californie une approche presque parfaite de ce nouveau type universel[57] ». Pour ces observateurs passionnés, c'est la sélection naturelle et le mélange des sangs qui ont permis l'obtention « du type le plus élevé, physiquement et mentalement, de l'espèce humaine ». Mais la beauté de la race n'est pas pour tous et l'Amérique, très tôt, se pose également la question de la pureté de son sang d'une manière plus aiguë que ne se la pose au même moment la Vieille Europe. Brassage des sangs ne veut évidemment pas dire mélange des races, et la pensée anthropologique américaine du tournant du siècle ne place la supériorité de la race blanche que pour mieux résister aux débuts de l'affirmation d'une identité noire qui, depuis l'abolition de l'esclavage, pose de nombreux problèmes de statut à la communauté blanche.

Ainsi, cette mythologie de la belle race en devenir, cela va sans dire, met au premier rang la blancheur de la femme, signe de supériorité, « indication frappante d'un haut degré spirituel et, d'une certaine façon, d'une éducation raffinée et d'une ascendance aristocratique[58] ». D'ailleurs la race noire est malsaine. La littérature anthropologique du XIXe siècle américain est intarissable sur les imperfections physiologiques et mentales des Noirs, l'ensemble de ces observations pouvant se résumer à la mise en évidence de leur incapacité à « assumer les combats de l'existence ». Dans un ouvrage de 1897 qui marque largement la pensée raciste du début du siècle, *Race Traits and Tendencies of the American Negro*, l'auteur, F.L. Hoffman, statisticien d'une compagnie d'assurances, observant l'état de santé des femmes de la communauté noire, en arrive même à douter que l'on puisse les maintenir en vie. Elément physiologique central d'une race tenue pour inférieure, donc déclinante, la femme noire était dans la pensée américaine du XIXe siècle l'ultime témoin d'une humanité déchue croisant sur sa route la nouvelle aristocratie humaine.

Cette volonté de suprématie de la race passe bien évidemment par un regard sur ses propres dégénérescences. Les réformistes américains de la santé déclareront ainsi vouloir « sauver la race humaine de l'extinction » et créer « une aristocratie de la santé, en respectant les merveilleux progrès des temps modernes dans l'hygiène personnelle, l'hygiène des races et l'eugénisme »[59]. L'eugénisme, ce rêve de l'amélioration de la race par la prise de contrôle, là directe, du ventre de la femme par l'homme. Le mot, aujourd'hui rangé dans l'attirail des logiques totalitaires, est couramment employé dans la littérature médicale de la première moitié du siècle, en Amérique comme en Europe, et est hélas loin de se cantonner, comme on pourrait le croire, à la seule littérature du Troisième Reich[60]. Partout dans le monde, l'heure est à un imaginaire de la régénérescence de la race par le contrôle de l'hérédité et du ventre des femmes. Dans ce concert, certains vont jusqu'à critiquer la notion même de civilisation, regrettant que l'humanitarisme, en sauvant des individus dégradés, n'ait pas favorisé l'amélioration de la race : « La civilisation a freiné la propagation des meilleurs et facilité la multiplication des faibles[61]. » Quelques pages plus loin, le même auteur exprime mieux encore son droit de regard sur le ventre féminin, se félicitant de l'existence d'une prostitution qui empêche un trop grand développement des types inférieurs, allant jusqu'à la comparer à « un égout dans lequel certaines lignes de descendance humaines s'évanouissent constamment » ou bien en déplorant, à l'opposé, que l'industrie de l'*entertainment* ne retienne, à Broadway, les plus jolies filles loin de la reproduction. Pour la culture américaine du début du siècle, la triade jeunesse-beauté-santé de la femme est ressentie comme le signe même de l'achèvement d'un type humain syncrétique auquel cet Eldorado rêve encore. Apparaît ainsi l'image de la *Healthy American Girl*, mythologie à la peau dure que l'offensive économique de l'après-guerre contribuera à exporter autour du monde : « Ces jeunes femmes ont été élevées comme des petits chiots, allongées au soleil tout au long de l'été presque entièrement dévêtues. Et ça se voit. La beauté américaine a l'arrogance de la bonne santé – pas la santé vermeille d'une fille de vicaire sautant par-dessus les marais dans les romans anglais, mais une sorte de rayonnement intérieur qui fait que, même si vous la rencontrez dans un night-club, vous sentez qu'il y a peu de temps encore, elle sentait le vent contre sa joue et montait à cheval avec de la brume dans ses cheveux[62]. »

Ce corps traditionnellement consacré à l'homme fait pourtant, dans la deuxième moitié de notre siècle, l'objet d'une reconquête radicale : en disposant du droit à la contraception, la femme reprend le contrôle de la maternité, c'est-à-dire le contrôle de son propre corps. L'héritage féministe majeur, dans le cadre qui m'occupe ici, c'est la prise de pouvoir de la femme sur la « mise en route » de la fonction de reproduction. Cette prise de pouvoir, du même coup, renvoyait la triade beauté-santé-fécondité dans le passé, tout en plaçant sa relation avec l'homme, pour celle qui le désirait, dans le cadre d'une « négociation obligatoire » – l'accès à la paternité passant par un accord préalable. L'expression « lui faire un enfant » devenait ainsi une expression en théorie impossible à l'homme (même si, dans la pratique, son actualisation s'est faite d'une manière bien plus nuancée, tant il est vrai que la pratique se vit généralement de manière individuelle, là où la représentation s'impose quasiment de la même manière pour tous). A partir des années 70, dans les discours dominants de la culture occidentale, c'est la femme qui *fait* les enfants à l'homme (quand elle ne décide pas purement et simplement de les faire pour elle-même). La révolution, c'était en fin de compte moins que la femme dispose de son plaisir (hormis une certaine morale chrétienne, nombre d'expressions de la culture lui avait déjà reconnu ce droit) que, pour la première fois, de la gestion de son ventre, c'est-à-dire du pouvoir, à son tour, de choisir de faire ou de ne pas faire un enfant. Mais une fois la relation culturelle femme-fécondité « définitivement » refoulée dans le passé[63], ce changement majeur dans la relation que l'homme entretient avec le corps de la femme a-t-il pour autant provoqué un changement dans la relation que la femme entretient avec son propre corps ? Comme je l'ai déjà évoqué, et reprenant à ce point ma thèse d'une « histoire immobile » du corps, d'un lent parcours de ses permanences et récurrences, je constate au contraire que, si l'aboutissement de cette relation historique de la femme à sa corporéité qu'était la fécondité est, sinon finie, du moins singulièrement ralentie dans les pays occidentalisés, les images et comportements qui en découlaient n'en sont pas pour autant modifiés, et que si jeunesse, beauté et santé ne riment plus avec fécondité, ils n'en riment pas moins avec féminité.

DEUXIÈME PARTIE

Les techniques du corps féminin

La partie qui précède traitait des principales mises en image du corps féminin au travers des deux dimensions majeures de la féminité culturelle – beauté et santé – que véhiculent les notions de *beau sexe* et de *sexe faible*. La partie qui suit explore la manière dont ces principes donnent lieu à des pratiques quotidiennes ou, pour le dire autrement, aux principales « techniques du corps » dont la femme dispose pour accomplir ces deux devoirs de beauté et de santé. J'entends ici techniques du corps non au sens où l'emploie traditionnellement l'anthropologie dans la définition qu'en a donnée Marcel Mauss[1] – ensemble d'attitudes corporelles communes à une culture – mais dans un sens plus strict de techniques, c'est-à-dire de pratiques mettant en œuvre un *apprentissage* du corps, que celles-ci soient destinées à améliorer sa beauté, sa résistance ou encore son bien-être. Là où Mauss entendait par « techniques du corps » des données collectives acquises (la manière de s'asseoir, de nager, de marcher), c'est-à-dire davantage des *pratiques* corporelles, j'entendrai par « techniques » des données à acquérir, qu'elles soient collectives ou individuelles, et qui impliquent des produits et procédés spécifiques. Je développerai dans le premier chapitre les techniques du corps liées à la beauté et, dans le deuxième, les techniques liées à la santé. Le troisième chapitre sera lié à une représentation non plus corporelle mais mentale, représentation qui enjoint précisément à relier le mental au physique afin d'accomplir les devoirs corporels précédemment évoqués.

1 – Les techniques de la beauté

Puisque la femme doit être belle, la culture va lui forger les moyens de l'être. Toute son histoire porte à chaque pas les traces d'une incessante course à la beauté qui témoigne de la quantité d'imagination déployée autant que de l'incroyable sentiment d'urgence qu'elle provoque. Les techniques de la beauté, et leur cortège de soins et d'illusions, restent au centre du dispositif culturel de la féminité. Je développerai plus particulièrement dans cette partie le système lié au soin de beauté cosmétique, essentiellement autour du soin du visage, et ce pour trois raisons étroitement liées. Tout d'abord, historiquement, la beauté de la femme se concentre avant tout sur le visage (même si cet état de fait a évolué sur ces trois dernières décennies) et la beauté de ce dernier est plus étroitement ancrée dans la définition du féminin. Ensuite, conséquence directe de cette valorisation du visage, c'est son embellissement qui donne lieu à la littérature la plus vaste et la plus riche, les autres parties du corps étant proportionnellement moins abordées : vouloir être belle, à toutes les époques, c'est d'abord prendre soin de sa peau et de son visage à l'aide d'une technique cosmétique. Enfin, il est probablement à l'origine du champ de représentations qui, pour l'époque contemporaine, possède les plus larges répercussions sur l'environnement quotidien – un champ principalement exprimé au travers des produits et discours des nombreuses marques de cosmétiques présentes sur ce marché. Cet imaginaire de la toilette, on le verra, plonge loin ses racines dans le passé, que ce soit celui de la cosmétologie « scientifique » ou de la cosmétologie « profane », et présente des récurrences assez exemplaires de la thèse de relative immuabilité de l'imaginaire physiologique féminin qui est développée ici.

Etre belle, à toutes les époques, c'est soigner la beauté de sa peau et de son visage, geste quotidien commun à l'ensemble des cultures, quels que soient par ailleurs les représentations de la beauté et les moyens d'y parvenir. De ce fait, la cosmétologie – l'ensemble des techniques relatives au soin de beauté – existe également depuis toujours dans la culture occidentale, partagée en deux principes majeurs qui s'opposent et se répondent : le soin de beauté d'une part, le fard d'autre part. Opposés dès l'origine par la médecine elle-même, soin de beauté et fard sont les deux figures majeures des techniques de beauté qu'il convient d'analyser de manière distincte et complémentaire, comme le faisait déjà Galien lorsqu'il opposait la *kosmetike techne*, l'art de la toilette, à la *kommotike techne*, l'art de la parure : « L'art de la toilette, qui est partie de la médecine, diffère de l'art du maquillage. Le but du maquillage est de réaliser une beauté étrangère, et celui de la toilette, partie de la médecine, est de conserver au corps tout son naturel[2]. »

A cette opposition entre soin et maquillage (pour reprendre la terminologie en vigueur dans le milieu des cosmétiques) répond également une opposition entre littérature scientifique et littérature profane. La littérature médicale ancienne, ainsi, aborde la cosmétologie de manière quasi constante, quand elle ne lui consacre pas des ouvrages spéciaux comme celui de Criton, médecin de l'empereur Trajan, à qui on attribue un traité de beauté en quatre livres, aujourd'hui disparu, mais que citent Galien et Ætius. Galien lui-même, tout comme Pline, fait fréquemment état d'une « science cosmétologique ». D'autres médecins les suivront, au Moyen Age comme à la Renaissance ou à l'âge classique. Ambroise Paré, Arnaud de Villeneuve, Nicolas de la Framboisière ou Nicolas Lémery, beaucoup écrivent sur le sujet, jusqu'à un XIXe siècle qui verra l'apogée de cette littérature de médecins spécifiquement consacrée à la beauté.

Mais s'ils écrivent, c'est également pour contrebalancer la littérature qui fleurit à toutes les époques sur le même sujet, littérature le plus souvent qualifiée par eux de charlatanisme, se faisant de cette façon les champions d'un soin de beauté débarrassé d'empirisme, au plus près de l'état de la science et destiné à combattre l'ignorance. Que cet « état de la science » évolue de siècle en siècle ne change pas le principe majeur : il s'agit à chaque fois de *garantir* l'efficacité d'une technique corporelle, que celle-ci relève de l'hygiène ou de la cosmétologie. Il va de soi que la médecine, au nom du soin, va s'intéresser à la toilette et à l'hygiène et ne mentionnera les fards que pour mieux en critiquer les dangers et l'usage massif. Ces traités parlent ainsi plutôt d'hygiène de la peau et prescrivent des recettes qui s'adressent aussi bien à l'esthétique qu'à la santé. Il s'agit toujours de guérir à l'aide de remèdes (un mauvais teint, une affection cutanée) et non pas d'embellir à n'importe quel prix, particulièrement en cachant le mal de manière artificielle. Il est fait généralement dans cette littérature peu mention des fards, sauf de temps à autre où apparaît une recette plus spécifique, mais encore est-ce rapidement et le plus souvent en s'excusant auprès du lecteur de la frivolité du propos. Cette vision « médicale » de la beauté accompagne toute l'histoire de la médecine, jusqu'au XIXe siècle où une partie d'entre elle se fondra dans l'hygiénisme pendant que l'autre, plus spécifiquement cosmétologique, disparaîtra avec les débuts de la spécialisation médicale pour être prise en charge, avec le XXe siècle, par les fabricants de cosmétiques. Une vision « médicalisée » de la beauté qui n'en a pas pour autant disparu, témoin la manière avec laquelle l'industrie du cosmétique s'en réclame, que ce soit de manière implicite (vocabulaire savant, environnement clinique et blouses blanches) ou explicite (caution de médecins ou de chercheurs, mise en avant de la notion de laboratoire, etc.).

La littérature profane sur le même sujet se trouve, elle aussi, à toutes les époques, et ce dès l'Antiquité où plusieurs traités de beauté apparaissent, souvent d'origines incertaines mais rapidement mythifiés par la réputation de séduction qui leur est attachée. En principe composés – « de l'intérieur » pourrait-on dire – par des femmes, ils sont attribués à Aspasie de Phocée, Eléphantis ou Cléopâtre, toutes des « professionnelles » de la beauté : une célèbre figure de la beauté antique, une poétesse réputée pour sa poésie érotique, une reine séductrice, personnages féminins qui renvoient tous les trois à un imaginaire de la séduction ténébreuse. Que ces traités aient effectivement existé et qu'ils aient réellement été écrits par leurs auteurs supposés n'a au fond que peu d'importance. Ce qui importe est l'accent mis sur un art de la beauté corporelle lié à la séduction et au mystère, à l'opposé de la rigueur scientifique de l'art médical. D'autres femmes célèbres pour leur beauté seront au cours des siècles mises à contribution. Que ce soit Catherine Sforza ou Lola Montes (qui ont réellement écrit), ou bien Diane de Poitiers ou Ninon de Lenclos (à qui l'on attribuera l'origine de maintes recettes), toutes ces beautés cautionnent par leur réputation la qualité même des soins proposés. A nouveau, elles associent beauté et désir, comme le traité de Catherine Sforza qui mêle recettes de beauté, recettes d'aphrodisiaques et propos érotiques.

A toutes les époques, l'art de la beauté s'est ainsi constamment trouvé entre ces deux sources : une beauté scientifique et une beauté empirique, une beauté *raisonnée* et une beauté *vécue*. Cette opposition reste riche de sens puisque, encore aujourd'hui, ces deux sources majeures se concurrencent : le soin de beauté s'abrite de plus en plus derrière un discours scientifique fort alors que les traités de beauté (davantage liés, du reste, à la définition d'un « style de vie ») sont souvent écrits par des femmes reconnues pour leur beauté, du *Total Beauty Program* de Raquel Welsh au *Basic Beauty Book* de Cindy Crawford. A mi-chemin entre ces deux dispositifs littéraires, il faut signaler une troisième source, moins importante, celle des écrits « d'amateurs », ouvrages de conseils de beauté écrits le plus souvent par des hommes, sur un mode oscillant entre le lyrique et le familier. Cette littérature, qui trouve sa première source (et non des moindres) dans le *De medicamine faciei feminae*, le petit traité de beauté écrit par Ovide dans la lignée de l'*Art d'aimer*, sera particulièrement florissante à la fin du XVIIIe siècle et surtout pendant tout le XIXe siècle, souvent avec un aspect légèrement voyeuriste, le cosmétologue cachant parfois difficilement dans le lyrisme de ses considérations sur la beauté féminine son goût pour la chair fraîche.

Le point qui m'intéresse ici, c'est que cette concurrence entre ces deux formes majeures de littérature sur la beauté est en fait une concurrence entre soin de beauté vu par des hommes et soin de beauté vu par des femmes. L'opposition entre discours des hommes et discours des femmes répond ainsi à une opposition entre beauté scientifique et beauté empirique, entre beauté *raisonnée* et beauté *séduction*, compétition qui, même si elle semble parfois obsolète tant la beauté paraît s'être aujourd'hui totalement rangée du côté de la cosmétologie « scientifique », n'en reste pas moins d'actualité, un des enjeux du discours actuel étant d'arriver à concilier, autant que faire se peut, deux positions historiquement antagonistes. Une position par exemple largement occupée par la firme L'Oréal lorsqu'elle superpose un discours rationnel fort (avec une notion de laboratoires de recherche fortement mise en avant) à un discours séduction par l'utilisation massive dans sa publicité de célébrités qui, toutes, présentent un produit « vécu de l'intérieur », un peu à la façon d'une recette de beauté personnelle, comme étant la garantie première de leur potentiel de séduction.

Le cosmétique sain : le produit de soin

Dans la discussion qui va suivre entre cosmétique sain et cosmétique malsain, le mot cosmétique est à prendre dans sa stricte définition, celle qui l'associe au soin de beauté, par opposition aux termes maquillage ou fard, c'est-à-dire renvoyant à l'embellissement du visage. Cette acception du terme cosmétique est aujourd'hui restrictive, l'usage parlé lui ayant en effet donné le sens, plus large, « d'industrie du cosmétique », terminologie qui superpose précisément les deux types de techniques de beauté que je distingue dans mon analyse.

La première chose qui frappe quand on étudie l'histoire des cosmétiques, c'est le peu d'évolution des recettes liées au soin de beauté ou plus exactement le peu de renouvellement des substances utilisées. Dès la fin du Moyen Age s'établissent les grandes lignes d'une pharmacopée qui perdurera, pour l'essentiel, jusqu'à l'apparition de la chimie. A l'intérieur de cet ensemble d'ingrédients dont l'usage s'étend sur plusieurs siècles, beaucoup remontent à l'Antiquité comme la racine d'iris, l'oignon de lys ou l'huile d'amandes douces, exemples parmi d'autres de principes actifs utilisés par la cosmétologie antique et qui ont franchi les siècles pour arriver jusqu'à nous. D'autres produits, en revanche, n'apparaissent qu'avec les XVe et XVIe siècles grâce à l'accroissement des échanges économiques et commerciaux, notamment le citron, le riz, le sucre, le beurre de cacao ou encore la « nature de baleine » (également nommé sperme de baleine ou blanc de baleine, puis spermaceti), un composant encore utilisé par la cosmétologie moderne. Cette pharmacopée « classique » s'est constituée à partir de la pharmacopée antique originelle, celle de Galien et de Dioscoride, les deux références absolues en la matière jusqu'à la fin du XVIIIe siècle[3]. Commune à l'ensemble des soins, qu'ils soient médicaux ou cosmétiques, elle sera peu à peu remplacée par la chimie avec le XIXe siècle, du moins en ce qui concerne la pharmacopée médicale.

Il faudra attendre plus longtemps, c'est-à-dire l'après-guerre, pour que la pharmacopée cosmétologique connaisse la même mutation. Le soin de beauté des années 30 fait en effet encore appel à une cosmétologie traditionnelle dans laquelle on retrouve, par exemple, la recette à peine modifiée du produit de base du XIXe siècle, le *cold-cream* : cire, blanc de baleine, lanoline, vaseline, eau de rose, toutes substances largement utilisées par la cosmétologie traditionnelle et simplement « épurées » par la chimie. La cosmétologie pour l'essentiel évolue peu, certaines recettes anciennes se retrouvant à toutes les époques, et ce jusqu'à des dates toutes récentes. La crème à base de cire, de miel, d'amandes douces, d'eau de rose ; le lait à base de concombre et d'amandes douces ; le « lait virginal » à base d'eau de rose, de glycérine et de benjoin sont des recettes déjà vieilles, régulièrement rediffusées par des magazines de vulgarisation médicale, souvent dans le but avoué de battre en brèche le relatif ésotérisme scientifique des fabricants de cosmétiques. Quelques recettes principales donc, reprises et légèrement remaniées de livre en livre (comme il se doit par ailleurs dans un tel domaine, les traités de beauté se citent allègrement les uns les autres, quand ils ne se pillent pas purement et simplement), complétées d'un nombre plus important de recettes annexes, variantes infinies réalisées à partir des mêmes ingrédients. C'est avec le XVIIIe siècle que quelques-unes d'entre elles se fixent relativement et reçoivent des noms génériques (eau de Venise, eau de Fraîcheur, eau Bouquet du Printemps), appellations qui perdureront pendant tout le XIXe siècle, période pendant laquelle les recettes sont devenues moins nombreuses, très fixées dans des usages précis et relativement stables dans leurs modes de préparation.

A quoi ressemblaient ces cosmétiques ? Je voudrais contester un des lieux communs des histoires de la beauté, celui de l'aspect « dégoûtant » ou grossier des produits anciens. Certes, leurs composants étaient directement empruntés à la nature et on peut par exemple supposer que le suint de mouton était un peu plus odorant que l'inodore lanoline qu'il est devenu, mais il était épuré, exposé au soleil, mêlé de parfum, bref « raffiné », d'une façon évidemment moins radicale qu'avec la chimie moderne, mais néanmoins raffiné. Il faut rompre avec l'image du cosmétique grossier, puant et excrémenteux qu'évoque assez régulièrement nombre de travaux historiques sur le soin de beauté. On cite beaucoup, par exemple, l'usage dans l'Antiquité de la crocodilée, pâte d'unification du teint élaborée à base de « fiente de crocodile », ridiculisant de cette façon l'image d'une femme n'hésitant pas, par vanité, à s'enduire d'un excrément que l'on imagine volontiers repoussant. Il en était en fait tout autrement dans la réalité et la crocodilée, si elle est bien composée de fiente, n'est en fait que la fiente du stellion (un petit lézard effectivement rattaché à la famille des crocodiles) qui dépose entre les pierres des murs où il vit un excrément qui, falsifié avec de l'amidon ou de la craie, était utilisé comme soin du visage et rentrait également dans la composition de certains fards[4]. Il est probable que sa préparation le rendait parfaitement inodore, loin de l'image somme toute proche de la bouse que l'on évoque habituellement. Certes, il est des recettes qui font appel à des gestes incompatibles avec la sensibilité contemporaine, comme l'usage sur le visage de viande crue et chaude ou d'urine. Mais ces comportements ne sont pas différents de ce que toléraient les mœurs en usage, n'étant ni plus ou ni moins grossiers que les pratiques médicales ou que les usages de table de la même époque. Le cosmétique ainsi n'appartient pas historiquement à une sphère « autre », qui serait barbare et grossière, mais se fond à chaque époque avec l'ensemble des pratiques corporelles et des comportements. Ce cliché, régulièrement véhiculé, prend probablement une partie de sa source dans une littérature morale qui s'est toujours représentée les pratiques cosmétologiques de manière condamnable, mais il est surtout mis en honneur afin de marquer une rupture entre les pratiques modernes et celles qui les ont précédées. Il fonctionne comme un signal marquant l'évolution, produisant un effet de réassurance quant à l'aspect hautement civilisé de pratiques actuelles qui seraient soi-disant enfin débarrassées de leur vieille gangue d'empirisme.

Loin de cette image brutale du cosmétique ancien, il semble au contraire que ce processus d'épuration et de raffinement des produits ait été permanent et qu'il se soit adapté au fil du temps à l'évolution des technologies. Que ce soit par la cuisson, par l'exposition au soleil ou par la macération, tous les modes de transformation des matières premières des recettes cosmétiques vont dans le sens d'une épuration, d'un allégement, d'une « dématérialisation » du composant d'origine. Il semble précisément que les substances de la cosmétologie renvoient en grande majorité à un imaginaire de *l'essence*, dans son acception de concentration du matériau d'origine, et surtout comme substance « la plus pure possible » que l'on peut tirer d'un produit quelconque.

Un des bons exemples de cette recherche de la pureté des substances appliquée au soin de beauté se trouve sans conteste dans un des procédés majeurs que la cosmétologie a pu utiliser : la distillation. Introduite au Moyen Age, mais surtout développée par le XVIe siècle, la distillation est exemplaire de cet imaginaire de la pureté et – précisément – de la quête de l'essence (ou comme le dit l'alchimie elle-même, de la quintessence). La cosmétologie de la Renaissance en fait un usage intensif, et il n'est pas un livre de recettes cosmétiques qui ne mentionne l'usage de l'alambic, quand lesdites recettes ne sont purement et simplement pas rédigées par des champions de la distillation comme Nostradamus, Conrad Gesner ou encore Jean Liébault dont le traité, célèbre en son temps, comporte des recettes dont plus de la moitié fait appel à la distillation[5].

C'est la grande époque des eaux distillées, dans lesquelles rentrent les ingrédients les plus divers : fruits, fleurs, viandes blanches ou œufs passés et repassés à l'alambic. Plus la matière était raffinée, plus elle possédait de vertu, et les eaux les plus prisées étaient celles qui étaient redistillées à plusieurs reprises : « Pour cela, je conseillerais qu'une dame use continuellement d'eaux précieuses et excellentes, mais sans corps, ou très peu[6] » (c'est-à-dire la plus pure possible). Les eaux distillées sont particulièrement valorisées de ce qu'elles participent d'un imaginaire double, tout à la fois de l'essence et du concentré. Elles sont des principes à la fois purs et dynamiques, d'autant plus riches que le principe de la distillation permet tous les mélanges, toutes les fantaisies. Mais quels que soient les procédés utilisés : mélanger pour les pommades, exprimer pour les huiles, distiller pour les eaux ; quel que soit le degré de complexité mécanique, tous renvoient au même geste : extraire le principe de la matière. Que ce soit par distillation ou par évaporation, lavage ou cuisson, l'imaginaire sous-jacent reste le même : purifier pour embellir. L'imaginaire physiologique de la beauté exige des matières « pures », « limpides », « essentielles », un vocabulaire de la beauté qui est majoritaire quelle que soit l'époque considérée, et qui reste largement d'actualité pour les fabricants de beauté modernes chez qui les termes de pureté et d'essence reviennent de manière constante. Un imaginaire de la clarté de la substance qui s'appuie peut-être sur la sempiternelle équation platonicienne de la beauté-pureté. Une « conscience physiologique » de la beauté qui, en tout cas, est clairement tournée vers un degré de raffinage élevé des composants qui la servent, quelle que soit par ailleurs la fiabilité des procédés qui permettent de l'obtenir.

L'image que nous avons du cosmétique historique est à l'opposé de sa réalité quotidienne. Diabolisé par la morale et l'histoire, en permanence confondu avec le fard, le cosmétique du passé évoque un univers trouble, lié au secret, à la limite de l'avouable. Cette thèse, largement répandue, est bien sûr exagérée, et quel que soit le moment de l'histoire où il se place, le produit cosmétique est au contraire un produit qui tend vers le *vertueux*. Il l'est par son degré de raffinement – certes relatif mais pas moins relatif que celui d'aujourd'hui ne l'est en comparaison de ce qui peut suivre – et il l'est également par sa réputation d'innocuité et d'efficacité. Garanti par la médecine, généralement présenté comme éprouvé (aujourd'hui on dit « testé scientifiquement »), ce cosmétique « médicalisé » a vertu de santé, et ses auteurs mettent sans fin en garde leurs lectrices contre les dangers liés à telle ou telle autre substance reconnue comme nocive, sans doute pour mieux les persuader de l'innocuité de la leur. Le cosmétique sain a pour but de soigner : vertueux sinon efficace, il rencontrera tout au long de son histoire un ancrage dans cette réputation d'innocuité clinique et de fiabilité scientifique, discours visant à donner confiance à l'utilisatrice, souvent en vertu d'un « il faut y croire pour que ça marche ». La confiance est par ailleurs le discours majoritairement prêché aujourd'hui, confiance dans « une esthétique médicalisée, rigoureuse, scientifique et honnête, mais aussi celle d'une approche du corps avant tout naturelle, respectueuse et douce », confiance qui, pour le même ouvrage, peut même permettre à l'esthétique de « prendre le relais des soins maternels, constituant une relation privilégiée au corps, véritable maternage, toute d'attention et de tendresse »[7], jusqu'à l'abandon, jusqu'à l'absurde parfois puisque, comme le déclarait le magazine américain *Harper's Bazaar*, « si le produit dit qu'il peut le faire, il faut le croire : il le fait[8] ».

Le cosmétique malsain : le fard

Face à ce cosmétique sain, celui de la médecine, se situe un autre produit « cosmétique » – en fait un produit d'embellissement plus proche de la définition de la *commotique* – le fard. Si le premier bénéficie d'une image vertueuse, l'autre, en revanche, se place dans la perspective d'un produit doublement condamnable, à la fois par la morale et par l'hygiène. Le jugement moral tout d'abord. Si le fard est condamnable, c'est depuis des temps très anciens et en vertu d'une apologie de la vérité face à la « fraude de beauté » que constitue le fait de se maquiller. Le terme maquiller renvoie déjà par lui-même à la notion de mensonge, notion ancienne et souvent commune à la philosophie comme à la religion et que développent de nombreux auteurs tel, au XVIe siècle, Gabriel de Minut qui, dans son traité de beauté, établit une relation directe entre beauté, fard et chasteté, en décrivant les femmes qui se fardent comme des « portes ouvertes à la dépravation, puisque si elles s'écorchent le visage pour pâlir, ne peuvent-elles aussi s'écorcher l'âme ». Elles connaissent l'art de se vendre aux jeunes gens en sachant se maquiller « plus rouge pour l'un, plus pâle pour l'autre » pour mieux en abuser, le lien s'établissant ici directement avec la prostitution[9]. Il serait fastidieux d'énumérer les écrits, de Clément d'Alexandrie à Thomas More ou à Kant, qui frappent du même anathème le maquillage. C'est généralement en terme de duperie que l'on évalue ces femmes qui font usage de fards, femmes qui ont la réputation de faire commerce de leur beauté, qu'elles soient courtisanes ou actrices. Ce discours moraliste se retrouve à toutes les époques, quelle que soit par ailleurs la place réelle qu'occupe le fard dans les comportements féminins (et masculins) liés à la beauté, et prend évidemment son origine dans la peur de la tromperie (on trouve ainsi au XVIe siècle des conseils préconisant de parler tout près d'une femme avec une haleine chargée de safran. Si elle est fardée, le fard vire au jaune, manière comme une autre de déjouer la supercherie). Il serait à ce propos inexact, comme certains ont pu le faire, de voir dans la recrudescence de ces discours à certains moments de l'histoire la trace d'une époque qui dévalorise – et de ce fait abandonnerait – l'usage du fard, comme le XIXe siècle par exemple. Les choses sont en fait plus complexes que cela et si l'usage du fard connaît bien sûr des amplitudes suivant les époques, il reste toutefois une pratique assez régulière. Et aux époques où il semble régresser, son existence est moins remise en question que la façon dont il est employé :

> « Toutes femmes en général ont un grand désir d'être, et quand elles ne peuvent l'être, à tout le moins de paraître belles. Et pour cette raison elles s'efforcent de suppléer par l'artifice, là où la nature leur a manqué en quelque endroit ; de là vient qu'elles s'apprêtent le visage avec tant de soin et parfois de peine [...] Ne voyez-vous pas combien a plus de grâce une femme qui, si elle s'apprête, le fait si rarement et si peu que celui qui la regarde doute si elle est fardée ou non, qu'une autre tellement emplâtrée qu'elle semble porter un masque sur le visage, et qui n'ose pas rire, de peur de le faire se craqueler, se laissant seulement voir à la clarté des torches, comme les marchands prudents qui montrent leurs étoffes dans un lieu obscur[10]. »

Ce texte, typique de la critique que subit la femme maquillée, est révélateur du véritable jugement que laisse transparaître ce discours. Depuis Juvénal et sa célèbre Satire VI où il moque ces femmes dont le visage est « gonflé d'un épaisse couche de mie de pain », la femme maquillée est l'objet d'une moquerie permanente, mais moins parce qu'elle se maquille que parce qu'elle se maquille mal. Pour Castiglione, c'est moins l'apprêt qui est immoral que le manque de talent, le manque de pratique, le manque de *grâce* dans sa pose et son emploi.

Ainsi, nombre de traités de beauté feront avec un bel ensemble une critique régulière des fards, préférant les réserver aux actrices et aux courtisanes. Sans sourciller, une Lola Montes peut écrire que les fards et les poudres « gâtent le teint, et que le bon goût devrait apprendre aux femmes qu'ils sont d'épouvantables déformateurs de la beauté naturelle » tout en indiquant, à la fin de son traité, des recettes de blancs, de noirs et de rouges, de même que des conseils d'application pour une discrétion maximum[11]. Particulièrement forte au XIXe siècle, cette valorisation d'un maquillage de qualité, et par là même de l'art avec lequel la femme l'applique, est un discours largement récurrent, particulièrement aujourd'hui où la femme mal maquillée (généralement en vertu du *trop*) est, ou peut être, l'objet de la risée générale. Quelle que soit la définition qu'elle recouvre, la femme trop maquillée – le « pot de peinture » ou encore la « voiture volée » de nos moqueries – n'aura jamais été en honneur. Mais, là encore, la vision du *trop* maquillée dépend de chaque moment de la culture et de chaque sensibilité, et celle que nous en avons, si elle est probablement au-delà de ce que pouvait supporter le début du XIXe siècle, est sûrement en deçà de celle d'un XVIIIe siècle qui a adoré se farder. La dévalorisation de l'outrance, commune à toutes les époques comme à l'ensemble des techniques de l'apparence, est un des traits récurrents du jugement que porte la morale sur le maquillage, la coiffure ou encore la toilette, quelle que soit par ailleurs la frontière qu'établit la culture selon chaque époque, entre le *trop* et le *juste*.

Le XVIIIe siècle ainsi, époque où le maquillage est couvrant et généreux, et où les femmes se parent d'un « demi-rouge » pour se mettre au lit, voit la critique de cet art du maquillage atteindre un de ses points culminants, particulièrement à partir de la deuxième moitié du siècle sous l'impulsion du mouvement de naturalisation de l'apparence qui accompagne les premières réflexions sur l'hygiène du corps et la santé. De Montesquieu à La Bruyère et à Ange Goudar, beaucoup se moquent du maquillage et de la toilette, y fustigeant, plus encore que le ridicule, un art de l'apparence dont la Cour avait fait son enjeu quotidien :

> « La toilette est donc le magasin des agréments, le réservoir des grâces, l'école du savoir-vivre et de la galanterie. Supprimez les toilettes et nos femmes attentives à leur ménage, sans fards et sans apprêts comme nos grosses hollandaises, ne sauront ni médire, ni parler avec insolence, ni faire des infidélités à leurs maris, ni se présenter ni caqueter. On n'aime souvent un pâté qu'à cause de sa croûte, on veut des visages plâtrés parce qu'on veut de la duplicité. La candeur n'est plus bonne, ni dans les mœurs ni dans les physionomies. C'est une vertu de village qui ne convient réellement qu'à des paysannes et qu'on a bien fait de bannir de nos villes[12]. »

Ce qui se cache derrière cet ensemble d'appréciations est bien évidemment un axe nature/artifice, axe qui parcourt l'ensemble du discours esthétique, celui de l'objet comme celui du corps, le maquillage valorisé se trouvant le plus souvent du côté du naturel, le maquillage outrancier étant dénoncé pour son artifice. Il est ainsi devenu courant d'affirmer que l'histoire du maquillage n'est qu'un effet de balancier entre nature et artifice, ce qui est faux. Et il est également courant d'affirmer que certaines époques (comme celle que nous vivons aujourd'hui, entre autres) sont plus tournées que d'autres vers le naturel, ce qui est tout aussi faux. Je crois au contraire que cette dialectique nature/artifice ne renvoie qu'au jugement moral implicite que j'évoquais plus haut et que le maquillage, du moins dans sa dimension quotidienne, est au contraire en règle générale tourné du côté du naturel : quels que soient les moyens dont il se dote, il a en effet pour vocation essentielle d'*exprimer* le naturel (rehausser, sublimer, etc., là encore une terminologie familière à l'industrie du maquillage), quelle que soit par ailleurs la définition que l'époque donne à ce dernier. L'effet de balancier, par conséquent, est moins entre nature et artifice que dans la définition même que l'époque se donne de l'idée de nature. Ainsi, le maquillage marqué du XVIIIe siècle correspond probablement à une des formes – bien sûr très éloignée de notre sensibilité actuelle – d'expression du « naturel », un naturel baroque qui s'appuie sur la représentation des passions, « alphabet du visage » mettant en scène la pâleur de l'émotion avec le rouge du désir. Un naturel entièrement tourné vers l'*expression du sentiment* que Laclos a parfaitement analysé : « Tel est le droit de la nature ; l'art a cherché à l'imiter, et y est parvenu [...] et nous voyons autour de nous les femmes européennes faire briller leurs yeux de l'ardeur du désir, par le reflet du rouge placé sur leurs joues[13]. »

Si ce naturel du début du XVIIIe siècle est loin de nos conceptions contemporaines, il n'est peut-être pas si différent – dans « l'artifice » – de ceux, plus proches de nous, que mettront en scène le naturel rousseauiste de l'extrême fin de ce même siècle ou le mouvement *hippy* des années 70. Il y aurait probablement à écrire une histoire du naturel, un parcours complexe qui relierait Virgile aux camps de naturisme en passant par la « belle nature » de la Renaissance et la laiterie de Trianon. Mon propos n'est pas, bien sûr, de commenter ici les différentes versions qu'en donne chaque époque. Ce qui m'intéresse c'est que, quelle que soit l'époque et quel que soit le canon, c'est la nature qui est au centre même du dispositif : l'art, en maquillage comme ailleurs, est dans l'imitation de la nature, et le discours dominant sur le maquillage – et c'est ce fait qu'il m'importe de souligner ici – valorise toujours la notion de nature. La rhétorique contemporaine de la beauté continue encore largement d'exploiter la même figure de la « naturalité ». On parle ainsi facilement d'un maquillage naturel mais jamais d'un maquillage artificiel, sauf à vouloir le dévaloriser. La beauté, toujours, est naturelle. Tout au plus évoquera-t-on aujourd'hui un maquillage « appuyé », terme autorisé à désigner un maquillage fortement marqué, mais terme qui porte également son propre paradoxe puisque l'on peut également trouver des « naturels appuyés », venant boucler la boucle de ce déni d'artificialité dans le discours lors même que la pratique s'en rapproche. Il fallait être fou et génial comme Baudelaire pour démonter (en plein XIXe siècle, c'est-à-dire en pleine illusion naturaliste) les mécanismes pervers de cette conception morale d'une nature prise comme « base, source et type de tout bien et de tout beau possible », conception justement puisée au XVIIIe siècle finissant, pour faire l'apologie d'un maquillage élevé au rang de système esthétique prônant la supériorité de l'artifice à servir la beauté :

> « La femme est bien dans son droit, et même elle accomplit une sorte de devoir en s'appliquant à paraître magique et surnaturelle ; il faut qu'elle étonne, qu'elle charme ; idole, elle doit se dorer si elle veut être adorée. Elle doit donc emprunter à tous les arts les moyens de s'élever au-dessus de la nature pour mieux subjuguer les cœurs et frapper les esprits. Il importe fort peu que la ruse et l'artifice soient connus de tous, si le succès en est certain et l'effet toujours irrésistible.[...] Ainsi, si je suis bien compris, la peinture du visage ne doit pas être employée dans le but vulgaire, inavouable, d'imiter la belle nature et de rivaliser avec la jeunesse. On a d'ailleurs observé que l'artifice n'embellissait pas la laideur et ne pouvait servir que la beauté. Qui oserait assigner à l'art la fonction stérile d'imiter la nature ? Le maquillage n'a pas à se cacher, à éviter de se laisser deviner ; il peut, au contraire, s'étaler, sinon avec affectation, au moins avec une espèce de candeur[14]. »

Mais cette belle idée, chère à l'esthétique qui devait suivre, reste évidemment, en ce qui concerne le maquillage, seulement une belle idée, et il serait évidemment faux de déduire du texte de Baudelaire que le maquillage du second Empire avait droit d'artifice. Ce que montre ce texte, en revanche, c'est que le maquillage reste une pratique toute tournée vers l'expression du naturel et que cette candeur dont rêve Baudelaire est loin, précisément, d'avoir droit de cité. Et si les pratiques de maquillage reviennent de manière officielle avec l'entre-deux-guerres (sous l'influence probable du modèle cinématographique, esthétique d'un visage lourdement maquillé sublimé par le gros plan) et qu'elles bénéficient rapidement des progrès de la cosmétologie, elles n'en subissent pas moins le même cortège de préjugés qui pesaient sur leur usage. Cet imaginaire positif du maquillage, celui qui faisait dire à Ovide dans son traité de beauté que « tout ce qui est orné plaît », s'il a aujourd'hui, en apparence complètement acquis droit de cité, ne doit pas faire oublier que la « mal maquillée » est encore et toujours l'objet de la moquerie, quelle que soit par ailleurs la frontière qui définit ce terme. Si le maquillage est devenu un acte quotidien de la définition contemporaine de la féminité, et s'il est aujourd'hui reconnu comme « une pratique pleine de sens, qui peut parfois devenir un combat, une lutte pour " rester soi-même ", et non pas uniquement une tactique de séduction orientée vers le regard masculin[15] », les anciens schémas discursifs liés à son usage – c'est-à-dire simultanément la notion de « fraude de beauté » et la dévalorisation du trop maquillé – parcourent encore le discours sur la beauté maquillée.

Diverses dimensions rhétoriques sont à ce stade dessinées qui toutes président à l'établissement d'un « imaginaire du cosmétique » : substances qui tendent vers la *pureté* (ou le vertueux), valorisation du *naturel* et de la *grâce* (dans l'art du maquillage comme dans son application), trois termes qui représentent parfaitement trois dimensions « morales » du féminin. Le cosmétique valorisé, à l'intérieur de ses évolutions, reste indissolublement relié au vieil univers rhétorique des vertus féminines.

L'autre condamnation dont est victime ce « cosmétique malsain », plus courante peut-être encore, réside dans l'aspect nocif de certains des produits employés. La condamnation est là moins morale que physique, et l'anathème frappe directement la femme qui s'est gâtée le teint à force d'artifices. La dénonciation hygiénique du fard est ainsi l'autre discours chronique, quelle que soit l'époque : « J'ose assurer au contraire qu'ils gâtent la peau, qu'ils la rident, qu'ils altèrent et ruinent la couleur naturelle du visage : j'ajoute qu'il y a peu de fards dans le genre du blanc qui ne soit dangereux[16]. » Pendant longtemps, ces mises en garde s'appuient sur des fondements réels. De nombreux fards, particulièrement ceux d'origine minérale (antimoine, blanc de fard, céruse, litharge, sublimé), sont extrêmement nocifs, dessèchent la peau et la jaunissent, provoquant également problèmes de gencives et de déchaussement des dents, salivation abondante et haleine fétide. La femme qui a abusé de ces fards blancs est souvent condamnée à en user toujours plus pour masquer les signes rapides de sa décrépitude. Mais si ces produits offrent un réel danger, la régularité avec laquelle se retrouvent ces attaques laisse à penser qu'elles viennent également à point pour servir les discours de la morale et de la médecine. Les femmes ainsi sont des « dupes », ou des « folles », et le maquillage, décidément, est à ranger avec les autres accessoires de la séduction dans l'attirail au mieux du charlatan, au pire du sorcier.

Aujourd'hui, si les cosmétiques ont progressé sur le terrain de l'innocuité, le développement de nouveaux produits et la substitution, depuis la guerre, des substances naturelles par des produits de synthèse rendent toujours possibles des conséquences fâcheuses par l'utilisation de produits de beauté. Les fabricants sont évidemment particulièrement sensibles à ce problème et les produits sont très surveillés. Mais malgré les améliorations technologiques réelles dans le sens de l'innocuité des produits, cet imaginaire du « cosmétique malsain » reste toutefois d'actualité, non pas sur la teneur des produits eux-mêmes mais en rapport à leur usage. Renvoyant à nouveau au jugement sur la femme trop maquillée, les fards sont souvent représentés comme « étouffant la peau », « l'empêchant de respirer », la « desséchant », toutes considérations cent fois entendues dès que l'on évoque les aspects malsains du maquillage. Tous les produits subissent le poids de cette déduction logique récurrente chez les utilisatrices : le maquillage, pour « tenir », doit adhérer, et ce qui adhère au visage l'étouffe. Cet imaginaire du maquillage malsain est encore fort aujourd'hui, suffisamment en tout cas pour que le lancement d'une ligne de maquillage par Nivea, marque connue pour son savoir-faire dans le produit de soin, et précisément décrite comme « les couleurs du soin », soit un projet qui ait un sens. Que ce maquillage puisse soigner, au fond, est probablement moins important dans l'imaginaire de l'utilisatrice que l'effet annexe de réassurance qu'induit ce discours : si ce produit ne soigne pas ma peau, au moins il sera sans danger. Une preuve par la négative, en quelque sorte.

Ce qu'il est important de souligner ici c'est que, malgré les efforts faits par la cosmétologie moderne pour ramener le fard vers le cosmétique, ces deux composantes de l'univers de la beauté relèvent toujours de deux entités distinctes, d'autant plus opposées qu'elles se complètent l'une et l'autre en miroir. Si le cosmétique est ainsi largement du côté du sain (puisque, rappelons-le, il y a toujours été associé, quels qu'aient pu être les fondements scientifiques de cette association), l'idée que maquillage et santé sont compatibles mettra encore du temps à se frayer un chemin, et ce pour une raison majeure : leurs techniques respectives font appel à des systèmes de représentations totalement différents et qui s'opposent deux à deux autour de trois bipolarités conceptuelles liées à la nature même des objectifs que l'on cherche à atteindre.

1. Le maquillage relève d'une technique mécanique, voire artistique (proche au fond de la peinture), alors que le soin de beauté relève d'une technique chimique. Se maquiller consiste à couvrir la peau d'un produit que l'on étale, soigner sa beauté consiste à l'imprégner d'un produit qui pénètre. Le premier habille, le second transforme.

2. Le maquillage est un procédé d'amélioration d'un élément externe (la peau sur sa surface) à l'aide d'un élément rapporté et visible (la poudre, le fard, le rimmel). Le soin est un procédé de mutation d'un élément interne (la peau dans sa profondeur) à l'aide d'une substance invisible (le principe actif).

3. Le maquillage fait appel à une substance « pigmentaire », rattachée à la couleur, et dont la composition peut être tout à fait étrangère à celle du corps, comme en témoigne par exemple les produits maquillant mettant en avant l'image de la terre sèche (Terracotta, terre de soleil, etc.). Le soin fait appel à une substance « biologique », rattachée à la matière, et qui entretient des relations étroites avec la peau elle-même autour d'un imaginaire de la *consubstantialité* (l'eau, le lait, etc.) et sur lequel je reviendrai en détail dans la partie qui suit.

Technique mécanique de recouvrement, procédé d'amélioration externe et substance étrangère s'opposent ainsi, terme à terme, à technique chimique de pénétration, mutation d'élément interne et consubstantialité biologique. Le principe qui régit deux à deux ces positions exclusives l'une de l'autre est exemplaire d'un *système invariant*, cadre conceptuel à l'intérieur duquel s'organisent différentes représentations et, dans le champ qui m'intéresse ici, celles qui régissent le soin de beauté. Un cadre qui montre bien par ailleurs de quelle façon le produit de soin est plus étroitement lié que le cosmétique à cet imaginaire physiologique féminin dont je m'efforce de mettre au jour quelques-uns des mécanismes, et en tout cas plus exemplaire à étudier.

Le cosmétique ordinaire : la recette de beauté

Toutes les femmes savent que quelques tranches de concombre appliquées en masque sur le visage favorisent l'éclat du teint. Les propriétés toniques du suc de concombre sont en vogue dans les traités de conseils de beauté à partir du XVIIIe siècle et surtout au XIXe siècle, période où la pommade de concombre devient d'un usage quotidien. Cette pommade et ce masque font partie de ces cosmétiques à faire soi-même, élaborés dans la cuisine et dont l'histoire de la beauté est remplie. Ce lien entre cuisine et beauté est ancien et ne remonte pas uniquement à l'idée d'un univers féminin où l'office et le cabinet de toilette sont deux pièces contiguës. Même si l'on trouve déjà chez Hippocrate l'idée que « l'ancienne médecine » prend sa source dans la cuisine, la distinction entre cuisine et médecine, entre remèdes de bonnes femmes et médecine des hommes est permanente. Le cosmétique, monde dévolu à la femme, est, on l'a vu, manipulé avec précaution par la médecine des hommes :

> « C'est ainsi que la cuisine contrefait la médecine et feint de connaître les aliments qui conviennent le mieux au corps. Le

maquillage contrefait la gymnastique et c'est une chose malfaisante, trompeuse, basse, indigne d'un homme libre, qui produit l'illusion par des apparences, par des couleurs, par un vernis superficiel et par des étoffes. Si bien que la recherche d'une beauté empruntée fait négliger la beauté naturelle que donne la gymnastique[17]. »

Maquillage et cuisine sont ainsi placés en symétrique de médecine et gymnastique, expression parfaite de cette distinction entre beauté de la femme et beauté de l'homme, ou plus exactement entre beauté et force, dont je parlais dans le premier chapitre. Mais expression également parfaite de l'assimilation de l'univers de la beauté à la cuisine, c'est-à-dire à la recette, au *truc*, dans toute l'acception que ce terme peut avoir, c'est-à-dire simultanément de moyen d'action et d'astuce, de ruse, de stratagème. Ce terme au passage, et ce n'est certainement pas par hasard, fait partie des termes récurrents dans l'univers journalistique de la beauté, des « trucs de beauté » aux « trucs de pro ». Mais l'analogie ne s'arrête pas là, et les références culinaires sont nombreuses dans l'univers de la beauté.

Dans le corps même des livres déjà, ceux qui mêlent – généralement autour de l'imaginaire de la conservation – recettes de beauté et recettes de confiserie, prolongement également de la relation entre nourriture et santé, entre extérieur et intérieur du corps : nourrir sa peau comme l'on nourrit son corps, représentation de la « peau-estomac » qui traverse l'ensemble de l'imaginaire du cosmétique et sur lequel je reviendrai. Des recettes qui peuvent faire appel à des ingrédients typiquement culinaires comme ces crèmes contenant oranges, citrons, sucre, lait de vache et de chèvre, bouillon de poulet, vinaigre et blanc d'œuf. Des recettes qui font également, tout autant que les recettes de cuisine, appel au « tour de main » de la cuisinière, à son savoir-faire, tel que l'illustrait récemment une émission de télévision dans laquelle des jeunes filles faisaient, l'une une crème à base de banane, l'autre une crème à base de concombre, crèmes dont elles s'enduisaient le visage non sans y avoir goûté au préalable avec des mines gourmandes (c'est bon pour moi, donc c'est bon pour ma peau).

Dans le nombre d'ingrédients, également. Les recettes cosmétiques laissées en marge de leurs travaux par les médecins comme Galien ou Ambroise Paré contiennent un nombre restreint de composants, jamais plus de cinq ou six, là où les recettes préconisées par les recueils de beauté, nécessairement plus compilatoires, présentent des recettes possédant au moins huit composants, souvent jusqu'à dix et plus. Y est ainsi présentée une pharmacopée moins canonique que la stricte pharmacopée médicale, faisant une plus large place au mélange de nombreux éléments, aux modes de préparation plus longs, plus complexes, et de ce fait plus proche de la cuisine. Cette dimension quotidienne liée au soin de beauté a évidemment aujourd'hui perdu de son importance, et l'idée d'une beauté qui se bricole dans sa cuisine paraît, du moins dans notre sensibilité occidentale, relativement hors de propos aujourd'hui, même si certaines recettes continuent de circuler. Mais si ce « cosmétique ordinaire » est plus faible qu'il ne l'a jamais été, au-delà de la relation au temps, le « prêt-à-l'emploi » en cosmétique – tout comme en alimentaire – étant un argument déterminant, c'est évidemment sous l'influence d'un surdéveloppement du discours de l'industrie du cosmétique, celui qui précisément fait l'apologie d'un « cosmétique extraordinaire » proposant chaque jour des produits qui, pour être simples d'emploi, n'en relèvent pas moins d'argumentaires largement liés au secret, et aux promesses quasi miraculeuses.

Le cosmétique extraordinaire : le secret de beauté

De la « recette de beauté » au « secret de beauté » le pas est facile à franchir, et il est bien connu que la littérature cosmétique entretient à toutes les époques des liens étroits avec l'occulte et le mystère. Du Moyen Age au XIXe siècle, du

Miroir de l'alchimie de Roger Bacon au *Livre du trésor d'Evonime*, des ouvrages de Nostradamus à la *Magie naturelle* de Gian Battista Della Porta, des *Secrets concernant la beauté et la santé* de Blégny aux *Secrets de la vie dévoilés* de Shafer, tous parlent de la beauté et des moyens de la conserver, sinon de l'obtenir, et font usage des même références, des mêmes procédés : recettes complexes, parfois illisibles, certaines non traduites du latin ou truffées d'abréviations particulièrement ésotériques, qualificatif « secret » qui revient à chaque intitulé, à chaque recette, ton emphatique et obscur, préparations présentant des finalités miraculeuses (comme la « quintessence de sang humain, d'œufs, de miel et de chair »). Toute cette littérature tourne autour de la notion de magie naturelle, représentation d'un ordre des choses régissant les propriétés occultes des différents éléments qui nous entourent dans la nature. Dans le cas de la beauté, cette dimension supra-naturelle du scientifique est bien sûr particulièrement renforcée, et l'idée d'une « alchimie cosmétologique contemporaine » est récurrente. Certes, la recherche développée par la cosmétologie moderne ne se dirige pas dans cette direction. La recherche, mais pas le discours. A nouveau, à la croisée des imaginaires sur lesquels opère la cosmétologie d'aujourd'hui se retrouvent des schémas bien plus anciens qui, s'ils ne se réclament pas directement de la magie, font tout de même état d'une forme d'action tenue pour secrète et dont le relatif ésotérisme devient la meilleure preuve d'efficacité. Je voudrais pour développer cela m'attarder un peu sur « Crème de la Mer », un produit relancé il y a peu de temps par la compagnie américaine de cosmétiques Estée Lauder et dont l'argumentaire publicitaire me paraît exemplaire de cette trace intemporelle de magie et de secret que comporte de manière indélébile l'univers de la beauté.

« Voici le secret de beauté le mieux gardé. Faisant l'objet de peu de publicité et difficile à obtenir, Crème de la Mer bénéficie d'une clientèle régulière et d'une longue liste d'attente. Maintenant disponible dans des boutiques sélectionnées, vous pouvez expérimenter les extraordinaires bénéfices de Crème de la Mer pour vous-même. Ce complexe marin riche et nourrissant a été développé par Max Huber, astrophysicien à la Nasa, après qu'il a été défiguré par de graves brûlures dues à l'explosion d'une cartouche de fuel. Sur le coup, il s'engagea dans la quête de la crème de soin parfaite pour la peau. Douze ans et 6 000 essais plus tard, Crème de la Mer était prêt. Crème de la mer emploie des vitamines et des extraits marins récoltés à partir d'algues marines vivantes. La fermentation et le procédé de fabrication sont si longs et minutieux que chaque pot demande trois mois pour être produit. Ce processus aide à préserver l'intégrité et la puissance de l'ensemble des éléments nutritifs organiques. La sélection d'algues marines et de vitamines de Crème de la Mer redonne l'énergie à la peau. Cette liqueur riche se lie à la peau pour aider à son renouvellement naturel, la rendant douce, ferme et plus jeune. Maintenant, vous pouvez faire de Crème de la Mer votre secret. »

Plusieurs choses m'intéressent dans ce texte : le secret d'abord. Ouvrant et fermant cet argumentaire comme deux parenthèses, il en est bien sûr l'argument central, dimension encore renforcée par l'aspect sélectif du produit, sa liste d'attente, son nombre réduit de clientes, bref tout l'attirail traditionnel d'un discours élitiste. Mais au-delà de cette dimension, ce qui est remarquable dans l'argumentaire de ce produit (complété d'un article paru dans *Town and Country* qui était distribué dans les points de vente en même temps que le dépliant) c'est l'enchaînement narratif de ce qui peut être totalement comparé à un mythe. Un héros, victime de la malédiction de la civilisation (les brûlures chimiques dues à l'engin technologique), se voit condamné à trouver lui-même un remède qui puisse le guérir. Sa « quête » (c'est le mot employé) le mène en Californie, au bord de la mer (en communion avec la nature à laquelle il s'efforce d'arracher son secret). Il y travaille douze années (un cycle, quelle que soit la symbolique que l'on rattache au chiffre douze) et finit par découvrir enfin, après une longue traversée du désert (les « 6 000 essais », autre cycle), le produit parfait. Il guérit enfin et confie alors à ceux qui l'entourent le secret qu'il a découvert. Cela, c'est le mythe fondateur, à mi-chemin entre l'éternelle jeunesse par la science, comme Faust, et le secret arraché à la nature et aux dieux, comme Prométhée (mais dans un cas comme dans l'autre sans la punition-malédiction, les mythes américains n'aimant que les *happy ends*). Renvoyant tout autant au merveilleux que le récit de la découverte est la description d'un procédé de fabrication qui s'étend sur trois mois, véritable transmutation d'éléments « vivants » en « éléments nutritifs organiques ». Derrière cette description, une autre mythologie primordiale : la mer. L'élément naturel féminin par excellence, qui associe dans le cas qui nous intéresse la mythologie de l'eau (sur laquelle je reviendrai), celle de l'algue, plante mystérieuse parée de toutes les vertus, et surtout la mer elle-même, matière vivante et nourricière par excellence.

Mais plus intéressant encore que le mythe fondateur lui-même est le récit de sa redécouverte. Dans l'article qui accompagnait le dépliant était dit que, depuis sa création il y a plus de trente ans, ce produit était diffusé sur une petite échelle pour un groupe restreint de connaisseurs. Pendant longtemps, le produit reste dans ce cercle d'initiés. Après le décès de son inventeur, Leonard Lauder rachète Crème de la Mer car, dit l'article, « il était très attiré par un produit qui avait été élaboré comme celui avec lequel sa mère, Estée, avait démarré son entreprise, fait à la main, sur son réchaud, dans sa cuisine », établissant par ce lien affectif une entrée dans le cercle des initiés (Leonard Lauder comprend ces choses) et déniant ainsi tout aspect mercantile à la démarche (au passage, on retrouve l'origine domestique du produit de beauté, assortie de l'association femme/beauté/cuisine). Après une explication des aspects novateurs du produit (une technologie inédite pour l'époque et que la cosmétologie commence à peine à expérimenter), se trouvait une profession de foi de Leonard Lauder : « Cela a toujours été un produit discret, exclusif, et nous voulons le garder comme tel. » Ce second schéma narratif est exemplaire de la construction de ce que Mircea Eliade a décrit sous le nom de « mythe de l'alchimie ». S'y retrouvent parfaitement les trois étapes caractéristiques : l'alchimie relève d'une révélation première située dans le passé (le mythe fondateur, la technologie inédite), elle fait l'objet d'une redécouverte récente par un initié (le lien affectif, le cercle), et va maintenant être diffusée mais sur une échelle réduite, afin qu'elle reste toujours secrète et réservée à de nouveaux initiés (le produit discret, la distribution sélective). Distribué dans peu de points de vente aux Etats-Unis, Crème de la Mer est doublement élitiste puisque son prix élevé garantit encore son appartenance à un cercle très restreint (170 dollars, environ 950 francs le pot de deux onces, soit un peu moins de 40 grammes). Il est par ailleurs significatif qu'il n'y ait pas de démonstratrice ou de vendeuse pour ce produit dans les points de vente. Dissocié des stands Estée Lauder (le nom n'apparaît même pas sur l'emballage), Crème de la Mer est présenté seul, avec pour tout support de vente son dépliant publicitaire et sa réputation miraculeuse, à l'image d'une alchimie qui ne se contente pas « de parfaire ou de régénérer la nature ; [mais] confère la perfection à l'existence humaine en lui donnant santé, jeunesse éternelle et même immortalité[18] », objectif qui vient parfaitement servir l'imaginaire du soin de beauté.

A côté de ce produit exemplaire, plusieurs autres dimensions mythiques sont tour à tour prêtées aux cosmétiques. Par exemple, un autre mythe fréquemment évoqué par l'argumentaire de la cosmétique est celui du sommeil miraculeux. De la même façon qu'une des héroïnes des *Contes* de la comtesse de Ségur s'endort dès son plus jeune âge pour se réveiller quelques années plus tard devenue une jeune fille accomplie, les bénéfices de certains produits cosmétiques doivent s'opérer pendant la nuit : « Avec Forté-Vital de nuit, vous vous réveillez matin après matin avec une peau plus lisse, plus tendue, plus ferme. » Ayant pour accroche « le lifting de nuit », ce produit de la marque Lancôme jouait avec l'imaginaire du sommeil bénéfique, celui dans lequel le retour à un état organique permet un soin réparateur. Une formule reprise récemment pour un produit de la même marque, Primordiale Nuit, qui réexploite pratiquement dans les mêmes termes ce mythe du sommeil miraculeux. Une opération de magie qui est celle de la « transition invisible », la transformation (ici une régénération de la matière) s'effectuant sans que celle qui en bénéficie en ait conscience.

Elle s'applique également à la recherche de la minceur, comme le « brûlez vos graisses et musclez-vous en dormant » de Calorad, une boisson diététique de substitution.

La substance miraculeuse

Ce procédé « magique » concerne le mode d'action du produit, mais il s'applique plus encore aux composants mêmes du produit. Deux procédés discursifs sont fréquents, qui correspondent à deux types distincts de substances : *la substance technologique*, qui s'applique le plus souvent à une substance du futur dont la découverte promet des résultats merveilleux, argument qui répond à celui de *la substance mystérieuse*, évocation (plus que description) des propriétés « redécouvertes » d'un produit lointain ou difficile d'accès, bref ésotérique. Un argument du mystère qui est assez récurrent dans l'univers de la cosmétique. Ainsi chez Lancôme où le principe actif d'une crème de soin est à décrire dans son argumentaire de vente comme « une plante rare d'Asie[19] ». C'est une plante rare : elle est donc difficile à trouver (imaginaire de l'edelweiss ou, mieux encore, de la mandragore) et sa récolte exige un certain savoir-faire (on n'imagine pas qu'elle puisse être cultivée). Elle vient d'Asie : pays lointain (il faut connaître son existence ; il faut aller l'y chercher) et pays lié, lui aussi, au mystère (pêle-mêle : l'ésotérisme oriental, le mystère des femmes asiatiques, une culture raffinée et autres lieux communs de la représentation de « l'Asie »). Si ce produit avait été un produit parfumant, il est probable que la plante (imaginaire de la substance) serait devenue une fleur (imaginaire de l'odeur). Cet imaginaire est évidemment là, on s'en doute, pour renforcer l'attrait du produit en le parant de vertus non décrites propres à faire fonctionner l'imaginaire. Rien n'a changé depuis les eaux miraculeuses, les électuaires à base d'or, de perles broyées ou de pierres précieuses, les fruits merveilleux comme le myrobalan, l'or liquide, l'encens, la myrrhe, toutes ces substances mythiques rejoignent un système éternel, celui qui associe toujours des vertus exceptionnelles aux éléments exceptionnels.

Le culte du mystère reste entier aujourd'hui pour une industrie où la composition des produits ne figure sur les emballages que dans les pays où la législation l'y oblige. Et même quand elle y figure, se retrouve souvent le principe que j'évoquais plus haut à propos des recettes de beauté alchimiques. Elles sont incompréhensibles : les noms scientifiques des substances utilisées sont inaccessibles au commun des mortels et, quand ils auraient pu l'être ils sont traduits en latin, langue par excellence de l'ésotérisme scientifique (l'eau est ainsi couramment dénommée *aqua*). Elles sont surtout très longues : plus de dix composants, souvent quinze rentrent dans la composition d'un même produit. Il est révélateur (et de manière non paradoxale) que l'on retrouve ici la même distinction que celle déjà vue entre médecine et cuisine sur le nombre de composants utilisés. Les produits de beauté présentent des listes impressionnantes, là où les médicaments sont la plupart du temps en dessous de cinq : un principe actif, un excipient, un conservateur. Il est par ailleurs significatif, en lien avec cet « ésotérisme de la formule », que les noms donnés aux produits cosmétiques soient souvent remarquables par leur longueur, par exemple le « St. Ives' Swiss Formula Alpha-Hydroxy Facial Renewal Cleanser », dénomination assez typique de cet « ésotérisme de l'intitulé ». Les formules changent décidément plus vite que les principes rhétoriques et le secret est loin d'être aujourd'hui hors de propos dans l'imaginaire du produit de beauté, comme le déclarait Lancôme au sujet d'une crème de soin : « Son secret ? C'est un secret. »

Tout aussi fort que cet imaginaire de la substance mystérieuse est celui de la substance technologique, produit miraculeux que l'on vient de découvrir et qui annonce un futur radieux. La cosmétologie fait régulièrement usage de ce recours à la science comme source de la jeunesse éternelle. Un exemple illustre bien ce mécanisme : l'existence dans l'entre-deux-guerres de produits radioactifs pour la peau. La radioactivité est à l'époque perçue de manière bénéfique, imaginaire de l'énergie associé à une valorisation de la notion de rayonnement (on oublie trop souvent que notre actuelle vogue du bronzage, si elle a à voir avec ce que l'on sait sur « la classe de loisirs » et la distinction sociale, prend principalement sa source dans l'héliothérapie, technique médicale du début du siècle qui prônait la santé d'un corps baigné de soleil, irradié de ses rayons, régénéré par son énergie). La marque de cosmétiques Tho-Radia lance ainsi au début des années 30 différents produits « radioactifs » : laits, savons, et surtout une crème composée « de thorium chlorure, de radium bromure et d'un excipient », avec pour illustration le fac-similé du certificat de radioactivité démontrant la présence réelle du radium. L'ouvrage qui en fait la publicité établit au passage un parallèle entre ce produit et la légende, citée par Pausanias, de la source de jouvence (ou fontaine de jouvence) située aux environs de Nauplie, qui avait le pouvoir de faire s'arrêter le temps en s'en lavant, « au point que l'on ne distinguait plus les filles de leur mère ». Pour son auteur, c'est la présence d'une radioactivité naturelle dans la source qui serait à l'origine de cet effet miraculeux. Bref, cette fontaine de jouvence, c'était le radium[20]. Le mythe antique rejoint ici le mythe futuriste, un imaginaire qui n'est pas sans faire penser, au passage, à celui de Crème de la Mer.

Aujourd'hui, après la bombe atomique et à l'heure des déchets nucléaires, cet imaginaire radioactif nous fait sourire tout comme, à la même époque, celui de l'électrolyse perçue comme « la source de vie, le gobelet d'or rempli de l'élixir qui cicatrise les misères du vieux monde [...], clef de cette découverte moderne pour la restauration et la préservation de la beauté physique », ou de l'oxygène liquide, « élixir merveilleux [qui] nous enveloppe d'une atmosphère protectrice au point que rien ne peut nous atteindre. Sa puissance bienfaitrice est si grande que c'est avec une déférence respectueusement craintive qu'on aborde ce sujet[21] ». Pour autant, cette substance miraculeuse, composé de nature primordiale et d'hypertechnologie est loin d'avoir disparu du discours, et les énergies qu'elle évoque se sont simplement adaptées à l'univers contemporain. Ainsi, si l'électricité et le nucléaire ne font plus rêver comme ils ont pu le faire, d'autres substances les ont remplacés, tout autant liées à la nature et à la technologie. Par exemple, Skin Therapy de la marque Lancaster, crème de soin récemment apparue sur le marché, qui a réputation de « capturer l'oxygène et de le libérer directement auprès des cellules de la peau », permettant ainsi « d'oublier le temps ». Un imaginaire de l'oxygène par ailleurs présent dans un nombre croissant de produits et qui répond parfaitement aux nouvelles images d'agression par la pollution, substance à la fois essentielle et quotidienne (c'est l'oxygène que nous respirons), en même temps que fragile et insaisissable. Un discours qui, au passage, associe également le mythe du sommeil miraculeux déjà évoqué, puisque avec ce produit « pendant le sommeil, des molécules revitalisantes d'oxygène pur stimulent le processus naturel de réparation de la peau ».

C'est principalement la recherche scientifique qui fournit aujourd'hui au discours cosmétique les plus utilisés de ses arguments. Cet imaginaire de la « substance du futur » se construit toujours autour d'un enthousiasme scientifique destiné à rendre tout l'aspect exceptionnel d'une substance nouvelle : « découverte capitale », « produit révolutionnaire », « véritable phénomène cosmétique », « premier d'une nouvelle génération », « best-seller des années à venir », « des résultats absolument stupéfiants », « une approche totalement nouvelle du soin cosmétique de beauté ». Ces qualificatifs ne sortent pas de plusieurs prospectus publicitaires mais d'un seul à l'occasion du lancement de Niosome par Lancôme et étaient présentés sous forme de liste juste avant l'argumentaire proprement dit du produit. A leur suite se trouvait la « preuve par la science » apportée par un scientifique américain spécialisé dans le vieillissement qui déclarait que le produit avait selon lui vraiment des « qualités exceptionnelles ». Cet imaginaire du produit du futur se renouvelle sans cesse, mettant tour à tour en avant le principe actif de l'avenir, celui qui va remplacer tous les autres.

Les années 60 ont ainsi vu se développer un discours sur les allantoïnes, cholestérol, enzymes, hormones œstrogènes, lécithine, placenta, gelée royale, vitamines. Les années 70 et 80 sur les aminoacides, ADN et ARN, lécithine, pollen, embryon, cellules fraîches, hormones, oligo-éléments, sans oublier les liposomes et niosomes. Les années 90 sur les antiradicaux libres, AHA, vitamine A, accélérateurs de collagène, antiélastase, extrait de nacre, plancton thermal[22]..., entre autres. Il est à noter que les principes actifs précédents ne sortent pas forcément du marché même si, dans le même temps, ils disparaissent du discours. Leur renouvellement est bien sûr dicté par des impératifs d'image qui peuvent être très éloignés de leur réelle efficacité, comme les enzymes (longtemps dévolus aux discours sur les lessives mais qui reviennent depuis peu) ou le cholestérol (difficile à promouvoir depuis quelque temps, particulièrement aux Etats-Unis).

Ces deux types de substances miraculeuses, la mystérieuse et la technologique, peuvent évidemment s'associer au travers de discours qui jouent simultanément des deux registres, la substance mystérieuse étant dans ce cas *reproposée* par la technologie moderne, en ayant vu au préalable ses qualités originelles optimisées. Témoin la marque de cosmétiques Wu, marque diffusée depuis peu dans un réseau de distribution sélectif qui appuie son identité sur une tradition chinoise mêlant l'ésotérisme des substances à la performance technologique. Cette gamme de produits présente la caractéristique d'une image ultramoderne dans son conditionnement et sa présentation, assortie d'un argumentaire totalement mythologique qui décrit des principes actifs allant « du ginseng sauvage extrait des plus hautes chaînes de montagnes aux perles d'eau douce tirées des lacs de Chine », une mythologie, notamment celle de la perle, là encore reliée aux plus anciennes images de la beauté féminine. Substances mythiques et procédés ultramodernes, le discours reste le même qui mêle racines historiques et haute technologie, trouvant dans une « tradition millénaire » les bases d'un futur cosmétologique radieux. Parfaite synthèse des différentes dimensions qui précèdent, une ligne de cosmétiques à base de soie récemment lancée par Kanebo associe ainsi simultanément dans son argumentaire publicitaire la notion de secret (« un tissu empreint de mystère, les secrets de la soie »), la relation à la féminité (« votre peau peut avoir la beauté de la soie »), la préciosité (« plus éblouissante que les pierres précieuses »), le naturel (« les bienfaits de la nature »), le tout relié à une « technologie de pointe », bon exemple de syncrétisme entre nature (« belle nature » et nature féminine), mythologie et technologie, les trois axes majeurs de cette rhétorique de la substance miraculeuse.

Dans cet imaginaire de la substance miraculeuse, un lien s'établit souvent de manière plus ou moins directe avec une notion de « matière vivante », de l'usage cosmétique de la viande crue à celui de l'orange fraîchement pressée, comme la crème Force C (à la vitamine C *fraîche*) récemment lancée par Helena Rubinstein, évocation directe de la matière vivante au travers de l'image du fruit fraîchement pressé. Souvent, il s'est ainsi agi d'évoquer un imaginaire de la substance vivante par l'intermédiaire des composantes utilisées pour les soins de beauté, par exemple celui qui entourait la crème Nutrix, produit « historique » de la marque Lancôme et réputée inaltérable : « Récemment, il a été prélevé dans les pots-témoins des laboratoires de recherche, quelques échantillons de Nutrix datant de l'époque de sa création, voici vingt-deux ans. La conservation de la crème était parfaite, aucune de ses qualités actives n'était diminuée. Gardienne de votre jeunesse, Nutrix conserve elle-même sa jeunesse. » Un imaginaire qui reste proche de celui qu'évoque, non la substance elle-même mais son cycle, toujours en lien avec le vivant : « Les produits aux plantes relèvent du cycle naturel de la vie à l'instar du germe de blé, du levain du pain, de l'olive dont on extraira l'huile, mère de la civilisation méditerranéenne, des légumes et des fruits que l'on consommera. Ils font partie du courant des échanges, au même titre que l'air et l'eau sans lesquels il n'y aurait pas de vie[23]. » Un imaginaire également sans âge : l'usage du *lomenthum*, farine de fève très largement utilisée en cosmétique par les

Romaines, relève ainsi probablement d'un imaginaire de la vie et de la génération qui était associé par les pythagoriciens à cette substance. Les fèves en effet étaient pour les disciples de Pythagore semblables aux organes sexuels et étaient considérées comme un double de l'homme. Son usage en cosmétique, ininterrompu pendant l'Antiquité, est sans doute issu de cette analogie entre la chair de ce fruit et celle de l'homme. Tout un discours sur le vivant que déplie sans cesse un univers du cosmétique obsédé par le mythe de la régénération, de la substance animale à l'air, de l'imaginaire de la plante à celui de la mer primordiale et nourricière. Apparemment, le marketing des produits cosmétiques semble également se diriger vers une mise en avant de la *semence* (la graine, le germe, le pépin...), troisième avatar, après la fleur et le fruit déjà largement utilisés, de ces imaginaires liés aux substances naturelles et dont on voit mieux encore que les deux précédents ce qui le relie à une symbolique du féminin comme à une représentation du vivant.

Une remarque pour conclure sur ces deux registres principaux du discours cosmétique – la recette de beauté et le secret de beauté –, celle du trait commun qui unit ces deux univers. A nouveau, au croisement de ces deux constantes rhétoriques de l'univers du cosmétique apparaissent des constantes de la définition culturelle du féminin. Ce lien entre deux systèmes qui en principe s'opposent est probablement à chercher une fois encore du côté des représentations du féminin. En inscrivant les deux procédés discursifs majeurs du cosmétique, l'un dans le registre de la recette, l'autre dans celui du secret, le discours sur le soin de beauté reste en cela proche des deux grands univers du féminin : l'un, centré sur l'*infra*, qui assimile la femme au quotidien domestique, et l'autre, tourné vers le *supra*, qui renvoie la femme vers le registre du mythique, voire de l'étrangeté. Registre inférieur ou supérieur, registre quotidien ou mythique, à chaque fois il s'agit à nouveau de placer la femme dans une sphère autre, au plus loin du « juste milieu » culturel du domaine masculin.

Dureté, douceur : souffrir pour être belle

Troisième caractéristique de l'imaginaire du cosmétique, la relation entre beauté et agressivité autour de représentations du soin de beauté qui oscillent constamment entre soin énergique et soin doux, entre geste tonique et geste douceur. Cette double dimension reste évidemment particulièrement vivace, preuve en est dans la surutilisation que fait précisément l'argumentaire cosmétique de ces deux termes. Cette balance entre douceur et puissance est permanente et son équilibre varie suivant les différentes époques mais aussi suivant les cultures. Les produits de beauté anglais du XVIIe siècle, par exemple, sont beaucoup plus mordicants que les produits français ou italiens de la même époque, ces derniers étant plus largement composés d'éléments mucilagineux ou gras. Une Anglaise de ce temps pouvait ainsi se servir d'une lotion composée de citron et de sel, utiliser contre les boutons un mélange de camphre, de soufre, de myrrhe, d'encens et d'eau de rose, ou bien ouvrir les boutons du bout des doigts avant de les laver avec du mercure, de l'alun, de l'eau et du sel. Mais ce qu'il faut souligner, à l'intérieur même de ces pratiques « extrêmes », c'est la permanence du discours sur la douceur, et cette littérature met simultanément en garde sa lectrice contre l'agressivité des recettes qu'elle décrit par ailleurs. La nécessité de cette balance ne disparaît jamais quelle que soit l'époque et, de la même façon, les ouvrages plus récents dans lesquels les recettes sont également agressives (avec des poudres à base d'oxyde de nitrate et de potasse, ou des lotions à base d'alcool et d'ammoniaque) font dans le même temps un usage intensif des termes « gentiment », « délicatement », « doucement », etc.

Cette dualité force/douceur reste évidemment importante aujourd'hui et, pour l'ensemble de l'industrie des cosmétiques, convaincre (mon produit marche), sans effrayer (il respecte la peau), peut relever de la quadrature du cercle. Les expressions ambiguës comme « ce produit est à la fois doux et efficace » sont légion dans l'univers du cosmétique. Par exemple, principe actif récemment mis à la mode, les alpha hydroxydes acides (plus couramment désignés sous le sigle AHA), encore appelés acides de fruits, sont un composant dont on a beaucoup critiqué l'aspect agressif au point que certaines marques qui se sont fait de la douceur un principe, comme Lancôme, ne les ont pas utilisés. Tout l'enjeu du discours autour des AHA est ainsi de promouvoir leur potentiel d'efficacité sans risque de critiques, abondantes dans la presse. On en arrive ainsi à en utiliser sans les utiliser, comme Estée Lauder qui, dans sa publicité américaine pour Fruition, déclare avoir des AHA dont les molécules, plus grosses que celles des autres marques, ne pénètrent pas, de ce fait, trop profondément dans la peau (sic) ou, dans sa publicité française pour le même produit, déclare avoir sélectionné « le meilleur de trois acides de fruits » pour baisser la concentration en acides, puisque « ce n'est pas la concentration qui fait l'efficacité des acides de fruits mais l'art de les associer ». D'autres encore tentent de concilier les contraires, comme Sécurissime AHA de la marque Phas qui dispose d'un « thermostat d'acidité intégré » (!) qui « neutralise l'effet irritant des AHA ». Discours qui vise au même résultat : jouer de l'efficacité sans risquer l'agressivité, convaincre de la performance du produit en l'assortissant de la douceur de son emploi. Du coup, nombre de produits se réfugient totalement dans le registre de la douceur, développant des concepts relativement sophistiqués comme l'ETS (*Extreme tolerance system*), sigle venant labelliser une marque du groupe Pierre Fabre au nom par ailleurs évocateur, Tolérance Extrême, qui offre des produits élaborés dans des conditions sophistiquées comme le conditionnement en milieu stérile, procédé jusque-là réservé aux médicaments à injecter, dans des minitubes prévus pour une utilisation de trois jours consécutifs.

Au fond, cette relation entre la beauté et ce couple douceur/puissance n'est jamais que celle qu'elle entretient avec la notion de souffrance. Depuis Eve et sa condamnation à faire de l'intégrité de son corps le résultat d'un effort, l'image du résultat passe souvent par la représentation d'une souffrance, une représentation qui est tout particulièrement forte aux Etats-Unis. C'est encore le *no pain, no gain*, logique de l'effort (et de la douleur) obligatoire, nécessaire à l'obtention d'un résultat pour sa beauté : même si le discours dominant d'aujourd'hui enjoint à la douceur, il reste à l'état de discours, et l'image du corps reste toujours double, coincée entre la sensation de douceur et la sensation d'efficacité, deux registres sensoriels qui ne sont pas forcément compatibles lorsqu'on évoque l'amélioration de la beauté. Mais cette image de dureté associée à certaines substances est-elle véritablement un handicap, même si l'époque n'est pas à la publicité pour ce genre de produits ? Aux Etats-Unis particulièrement, pays où l'image d'efficacité du corps passe davantage par la notion de vitalité que par celle d'équilibre, l'imaginaire des produits de beauté passe souvent par une vision plus « énergique », « efficace », « puissante », que d'autres produits provenant d'autres marchés. Même si les fabricants n'utilisent pas, pour des raisons que l'on imagine aisément, ce type d'arguments, il me semble probable que l'aspect « dangereux » ou mieux « à utiliser avec précaution » de certains produits pourrait être justement ressenti comme la preuve même de leur efficacité et leur meilleur argument de vente. Quelque chose comme une façon de dire : attention, notre produit est si efficace qu'il peut vous irriter. Par ailleurs, de nombreuses femmes gardent par rapport au cosmétique une attitude pour laquelle le risque est moins important que l'enjeu, et que les discours de réassurance sont en fin de compte moins importants que les discours d'efficacité. Certes, l'époque n'est pas à la revendication de ce type d'effets, particulièrement dans la presse et plus encore aux Etats-Unis. Mais malgré la prétendue évidence que représente cette « obligation de douceur » pour les spécialistes de cet univers, je reste persuadé que le « il faut souffrir pour être belle », même s'il n'a plus droit de cité médiatique aujourd'hui, reste toujours indissolublement lié à l'univers de la beauté.

2 – *Les techniques de la santé*

Tout comme la beauté, la santé a donné lieu à un ensemble de « techniques du corps » dont je voudrais tracer ici quelques-uns des contours pour voir comment ils s'articulent avec la définition culturelle du corps féminin. Certes ce système, plus que celui des techniques de la beauté que je viens d'évoquer, est commun aux deux sexes, et l'entretien du corps et de la santé est une question qui s'adresse évidemment à l'homme comme à la femme. Pour autant, certains modèles de santé sont plus étroitement associés au féminin, et ce non pour des raisons biologiques (la maternité par exemple), mais pour des raisons rhétoriques : la mise en culture du corps féminin passe là encore par l'attribution d'un « espace corporel » spécifique. Bien sûr, cet espace spécifiquement féminin est davantage dédié à la prévention qu'au soin. Les comportements face à la maladie et à la guérison, eux, sont davantage communs aux deux sexes et, s'ils peuvent être également sexués, ils le sont sous l'influence d'une représentation individuelle du corps qui relève davantage d'une analyse psychosociologique que de l'influence d'une représentation culturelle. Pour le dire autrement, s'il n'existe pas de représentations spécifiquement féminines de la prise en charge de sa maladie ou de sa guérison, il existe en revanche un système de représentations spécifiquement féminin de la manière d'équiper son corps face à la maladie, d'améliorer sa capacité à se défendre, bref, une fois encore, de l'accomplir.

L'amélioration des capacités du corps à se défendre par lui-même est une recherche ancienne dont les premiers exemples se trouvent dans la littérature médicale des tout débuts de la médecine. Hippocrate le premier, en sus de la guérison des maladies, se préoccupe d'améliorer la santé de manière défensive par les conditions de vie et l'exercice quotidien. De la médecine grecque à l'hygiénisme moderne en passant par les *Regimen sanitatis* médiévaux, les techniques visant à l'amélioration de la défense du corps sont la trace intemporelle – bien qu'inégalement partagée par tous suivant les époques – d'un regard assidu sur soi-même afin de contrôler ses imperfections comme de valoriser ses qualités. Technique qui est aussi une éthique puisqu'il ne s'agit, encore et toujours, que de se connaître : « Il y a en cela une sagesse, au-delà des règles de la médecine : l'observation de l'homme par lui-même, ce qu'il croit bon et ce qu'il croit néfaste, est la meilleure des médecines de santé[24]. »

Grâce à ce « connais-toi toi-même », l'individu peut se dépasser pour améliorer ses capacités. Il s'agit, encore et toujours, de répondre à une mise en demeure de travail sur soi-même, mise en demeure déjà ancienne sur le plan médical et dont les racines plongent plus profondément encore dans des principes qui enjoignent depuis toujours l'homme à être son propre guide. Devoir moral autant que pratique quotidienne (et pouvant relever en ce sens aussi bien du rituel que de la discipline), la trace de cette assiduité défensive s'inscrit bien sûr à toutes les époques dans le prolongement du « souci de soi », s'actualisant chaque fois autour de pratiques qui évoluent à mesure que se déploie le discours médical. Elle trouve évidemment son accomplissement avec la redéfinition dont la médecine fait l'objet à l'époque moderne, de l'*Avis au peuple sur sa santé* de Tissot, premier ouvrage de vulgarisation médicale français paru en 1761 et spécifiquement destiné aux non-médecins jusqu'à la presse de santé contemporaine, mais toujours avec un objectif largement défensif, celui d'une connaissance accrue du corps destinée majoritairement à le défendre.

Énergie, équilibre

Cette rhétorique prend généralement deux formes : une forme « offensive » centrée sur la vision d'un corps puissant, tonique, énergisé, et une forme « défensive » centrée sur la vision d'un corps réglé, étalonné, équilibré. Deux modèles donc, un modèle de *l'énergie* et un modèle de *l'équilibre*, modèles différemment attribués au féminin mais qui entretiennent tous deux des relations caractéristiques avec la mise en image de son corps. Ces deux pôles se partagent depuis toujours l'ensemble des définitions de la santé, dominant tour à tour suivant les sensibilités et les époques, et restent tous deux, même quand l'autre domine, toujours plus ou moins présents. Historiquement, le modèle de l'équilibre s'appuie largement sur le modèle humoral qui règle toute la médecine classique, là où le modèle énergétique devient dominant à partir des XVIIIe et XIXe siècles, trouvant probablement sa pleine expression avec le début de notre siècle. Toujours présents de manière conjointe, équilibre et énergie se partagent aujourd'hui le terrain de la santé entre plusieurs pratiques, plusieurs objectifs et plusieurs types d'utilisateurs.

L'énergie tout d'abord. Traditionnellement relevant davantage du masculin, le modèle de l'énergie est devenu, avec le XXe siècle, un modèle qui s'adresse également aux hommes et aux femmes, encore qu'avec quelques variantes qu'on verra plus loin. Très lié à une attitude de santé offensive, ce modèle met en avant la capacité du corps à se dépasser, à se parfaire, à s'enrichir. A ce titre, il est certainement des deux modèles celui qui « incarne » le plus profondément ce modèle de l'accomplissement du corps. C'est évidemment dans ce discours que la triade jeunesse-beauté-santé est la plus forte, ce corps étant à la fois jeune (ou en présentant du moins l'apparence), sain et beau (puisque correspondant au canon dominant), imaginaire du corps qui trouve son expression historique dans l'image du héros et son actualisation contemporaine dans le corps du sportif. Le corps du héros, celui d'Achille et d'Enée, s'incarne aujourd'hui dans celui du sportif. Il est au passage probable, à propos des scandales récents relatifs au dopage des sportifs, que cette pratique, au-delà de sa dimension frauduleuse, ne soit d'autant plus choquante pour son public du fait qu'il est par essence inconcevable que le corps du héros soit un corps malsain. Forcément sain, le héros est de la même façon forcément beau dans cette équation inévitable qui veut que force et santé impliquent la beauté.

Un bon exemple récent de cette « héroïsation » du corps renvoyant à une esthétique ancienne pourrait être trouvé dans l'image de la championne française d'athlétisme Marie-Jo Pérec. A chaque fois qu'elle est montrée, elle l'est dans un contexte de sublimation, qu'il s'agisse de vanter la performance ou d'exhiber la plastique, le plus souvent dans l'effort. Un magazine l'a ainsi récemment fait figurer dans une série de photographies de mode. Elle y est montrée dans un contexte totalement héroïsé : pieds nus, légèrement hiératique (elle est le plus souvent debout), elle pose dans un environnement minéral (apparemment un désert) et est vêtue de robes unies, souples et fluides, souvent drapées, dont l'étoffe est agitée par le vent, une esthétique à mi-chemin entre la reine de Saba, la statue antique sortie des sables et la Victoire de Samothrace. La « belle athlète » cristallise de cette façon tout le désir d'identification (ou de séduction) que l'image de ce corps suscite chez ses spectateurs. Il faut noter au passage que cette image du corps héroïque, qu'il soit féminin ou masculin, traverse une part importante de notre paysage visuel quotidien, servant à vendre les produits les plus variés, des produits de consommation aux régimes politiques, et glorifiant inlassablement le dépassement de soi-même et l'objectif de perfection corporelle dévolu à la beauté et à la santé. Un corps montré au-dessus de l'humaine condition et qui participe de l'imaginaire du *corps glorieux*. Une représentation sans âge qui vient à point à toutes les époques pour flatter le narcissisme collectif et dont le sportif, à nouveau, est la parfaite représentation contemporaine, dans ce parcours qui relie la statuaire de Thorvaldsen ou d'Arno Brekker aux images publicitaires des chaussures Nike.

Le modèle de l'énergie est aujourd'hui particulièrement présent dans les représentations du corps et règne sur un territoire large : tout, ou presque, est devenu aujourd'hui « source d'énergie », et l'image du corps énergisé ne fait que s'inscrire dans la problématique plus générale du « mouvement perpétuel » et de la vitesse. On pourrait même probablement élargir cette réflexion à l'idée d'un XXe siècle obnubilé par le problème de l'énergie, de l'énergie des idées à l'énergie des substances, de l'énergie des machines à l'énergie des individus, jusqu'à la conquête des « grandes énergies », celles dont la domestication et le développement sont devenus vitaux pour les sociétés. Le développement du modèle énergétique de notre époque semble relier l'être individuel à une problématique plus vaste, celle de la conquête des énergies par le monde scientifique et industriel, poursuivant ainsi les anciennes correspondances entre monde-macrocosme et corps-microcosme. L'imaginaire contemporain du corps participe de la problématique énergétique en transformant la quête de la santé parfaite en une optimisation de l'énergie corporelle.

Mais là encore, cette recherche est inscrite dans l'histoire de la culture et, depuis toujours, l'homme a cherché à accroître son potentiel par des pratiques diverses. Le fait d'ingérer une substance, quelle qu'elle soit, participe souvent de la recherche d'une assimilation de qualités énergétiques : manger des cuisses de gazelle pour courir plus vite ou de la corne de rhinocéros pour favoriser l'érection participe de cette recherche d'une énergie assimilable, en l'occurrence selon un procédé métonymique. Ce qui évolue avec la période moderne, moins que le modèle énergétique lui-même, c'est la nouveauté des substances utilisées, souvent en lien – précisément – avec la conquête des grandes énergies. Certains de ces liens entre recherche énergétique « fondamentale » et applications aux techniques du corps sont immédiats. J'ai déjà évoqué dans ce qui précède, à propos des cosmétiques radioactifs ou de l'emploi de l'électrolyse dans les années 20, toute l'importance qu'avait pu prendre dans la première moitié du XXe siècle l'image d'un corps « irradié » (de rayons, de courant, d'énergie), image qui accompagne de nombreuses expériences, du bain de soleil à l'électrification du corps. Derrière ces expériences, c'est bien évidemment le modèle de l'énergie qui domine puisque, par exemple, « la lumière est une source de force bien plus naturelle et facile à transformer en énergie vitale qu'un beefsteak[25] », modèle qui s'inscrit dans la perspective plus vaste d'un corps à charger en énergie grâce à des fluides vitaux.

L'image de ce corps énergisé s'appuie elle-même sur un imaginaire plus général, celui d'un corps représenté sous la forme d'une machine, imaginaire du mouvement et de la transformation qui trouve sa pleine expression dans la vision mécaniste du corps qu'impose le XVIIIe siècle. S'élaborant à partir de la chaîne traditionnelle : aliment + combustion = énergie, cette image du corps se complète des récentes découvertes de la chimie. Ainsi, se développe l'imaginaire du corps-machine, promis à un bel avenir tout au long du XIXe siècle, un imaginaire encore largement dominant aujourd'hui, même si la vision strictement mécaniste du XVIIIe siècle s'est depuis enrichie et élargie[26]. Elle prend par ailleurs sa source dans la médecine classique autour d'un imaginaire médical qui fait relever la santé de la « chaleur naturelle », produit d'une coction opérée par la transformation des aliments. Cet imaginaire de la chaleur nécessaire à la vie – tout particulièrement lorsqu'il s'agit de cibler les personnes âgées – est largement présent aujourd'hui, même si son développement se fait sur des voies plutôt à l'écart de la médecine institutionnelle.

Cet imaginaire de la chaleur trouve une expression contemporaine dans l'importance accordée depuis la première moitié du XXe siècle aux calories. Aujourd'hui souvent perçues de manière ambivalente, quand elle n'est pas purement et simplement négative (elles sont l'ennemi à abattre dans les régimes amaigrissants), elles bénéficient à leurs débuts dans le discours de vulgarisation médicale d'une image plutôt valorisée, quelque chose comme « le combustible destiné à la machine ». Elles deviennent peu à peu suspectes au fur et à mesure que se développe le discours sur les régimes, surtout à partir des années 60. Mais même perçues de manière ambiguë, entre le trop-plein qu'il convient de « brûler » et le premier « combustible de l'effort » que vantent les boissons hypercaloriques destinées aux sportifs, elles n'en prolongent pas moins cet imaginaire de la chaleur naturelle. Un imaginaire qui reste aujourd'hui entier dans nombre de substances, comme les calories, mais aussi dans le discours et dans l'image. Une publicité pour Soja Doux, complément diététique protéiné de la marque Gerblé, présentait ainsi récemment un visage de femme et une accroche libellée comme suit : « Ma sœur se moque de moi quand je bois du soja, vous la verriez quand elle monte l'escalier ! » Un discours qui évoque sans conteste l'énergie, encore prolongé d'un argumentaire décrivant le soja comme un aliment qui apporte à « l'organisme l'énergie végétale dont il a besoin ». Venant redoubler cet argumentaire classique, un visage de femme est présenté en très gros plan : elle a un teint doré, des taches de rousseur, des sourcils nettement roux (on l'imagine volontiers rousse) et des lèvres très rouges. Un visuel qui réassocie de manière remarquable les images traditionnelles de l'énergie corporelle : en effet, dans la pensée médicale classique, la chaleur naturelle s'exprime sur l'individu au travers de son teint, de la couleur de ses cheveux, etc. Le corps chaud, celui du tempérament sanguin, est un corps *rouge*, c'est-à-dire un corps dont l'excès de chaleur, de coction interne, transparaît à la surface. Le roux, ainsi, est du point de vue médical un individu dont la constitution est particulièrement chaude et qui dispose de ce fait d'un fort capital d'énergie[27].

La mythologie de la rousse « incendiaire » chère au cinéma américain de l'après-guerre trouve ici bien sûr son origine, prolongeant cette relation entre rousseur, chaleur et énergie (en l'occurrence sexuelle). Il est par ailleurs probable que la croyance leur attribuant une forte odeur corporelle ne soit également liée à cette représentation d'un corps à la combustion forte et aux exhalaisons plus abondantes – imaginaire de l'odeur lié à la sexualité – et donc à l'énergie encore. Les rousses, ainsi, sont chaudes. La jeune femme de la publicité pour Soja Doux prolonge sans s'en douter de très anciennes représentations de la chaleur naturelle sur le corps et de l'énergie qui s'en dégage. Les taches de rousseur, les sourcils roux, les lèvres très rouges (même si c'est du rouge à lèvres), sont les traces extérieures d'un corps dont le processus de coction s'opère de manière puissante et dont l'énergie est égale à la rougeur. En outre, bel exemple de cohérence, il faut noter que la marque Gerblé renvoie elle-même à un imaginaire de la chaleur par son nom – le blé mûr – et par son logotype qui se détache sur un cercle orange évoquant sans ambiguïté le soleil.

L'équilibre ensuite. Si le modèle de l'énergie est relativement facile à identifier, le modèle de l'équilibre, en revanche, est plus difficile à cerner car renvoyant simultanément à différentes dimensions. Elaboré à partir d'une tradition ancienne et probablement historiquement plus prégnant que le modèle de l'énergie, le modèle de l'équilibre est aussi plus polymorphe, répondant tout au long de son histoire à une vision notablement « globale » du corps. Il est au centre des anciennes définitions de la santé, depuis une médecine hippocratique qui prône l'équilibre des humeurs et des parties organiques, en nombre et en grandeur, en forme et en position. Cette représentation de la santé est le pilier fondateur de toute la pensée antique sur la santé ainsi que le canon, la règle en matière de représentation du corps. La *crasis* des substances, l'équilibre des humeurs est un des pivots centraux du regard que l'Antiquité porte sur le corps humain, regard que prolonge la médecine classique et que ne désavoue pas la pensée médicale contemporaine.

Ce discours sur l'équilibre prend depuis deux décennies un poids particulièrement important, aux dimensions encore plus vastes mais de moins en moins précises. L'équilibre renvoie en effet chaque fois à différentes dimensions : équilibre intérieur (les fluides) ou équilibre extérieur (les proportions du corps), équilibre de surface (le corps en lui-même) ou équilibre « profond » (le corps relié à son environnement), équilibre du corps (la physiologie) ou de l'esprit (le « mental »). Se déployant dans l'ensemble des domaines du corps, l'équilibre est devenu l'argument majeur de techniques et de produits variés, de l'eau minérale à la phytothérapie, des cosmétiques aux techniques respiratoires. Là où le début du siècle avait sur-privilégié la notion d'énergie, notre culture contemporaine accorde une valeur nouvelle à une notion d'équilibre d'autant plus difficile à définir et à évaluer qu'elle est remarquablement multiforme.

Cette hétérogénéité des représentations de l'équilibre se renforce probablement de ce que l'époque actuelle privilégie l'idée qu'il existe non pas une santé mais des santés. Ce qui est frappant en effet dans le discours sur l'équilibre et ce qui selon moi trace un trait entre toutes ses dimensions, c'est l'emphase qu'il met sur la notion d'individu. L'équilibre a pour caractéristique majeure d'être une échelle individuelle, une mesure du corps propre à chacun, et privilégie la relation individuelle et l'ajustement à soi-même des techniques corporelles. De la même façon qu'il n'y a pas de pratiques qui soient spécialement liées à l'équilibre, il n'y a pas non plus de substances qui lui soient véritablement associées, le principe étant davantage de savoir les adapter à soi-même.

Ces deux modèles de l'énergie et de l'équilibre se complètent et se répondent. Ils correspondent l'un et l'autre à deux principes distincts qui se renvoient dos à dos :

1. Le modèle de l'équilibre, comme je l'évoquais à l'instant est un modèle individuel là où le modèle de l'énergie est un standard faisant davantage appel à des éléments collectifs en terme de mode de vie (entraînement, pratiques sportives, habitudes alimentaires, etc.). Le premier de ces deux modèles privilégie la notion d'individu et la référence à soi là où le second privilégie l'échelle collective et la référence au standard en vigueur dans la population concernée.

2. Le modèle de l'équilibre est un modèle statique là où le modèle de l'énergie est un modèle en mouvement. L'image rend particulièrement évidente cette distinction, abusant des compositions statiques, symétriques, centrées, horizontales,

« en masse », dès lors qu'il s'agit d'évoquer l'équilibre ; et des compositions verticales, décalées, en obliques, éclatées, dès qu'il s'agit d'évoquer l'énergie.

3. Le modèle de l'équilibre est un modèle plutôt plus proche de la « nature » là où le modèle de l'énergie est plutôt plus proche de la technologie. Un aliment décrit comme équilibré est de préférence un aliment naturel (eau, céréale, produits laitiers) là où un aliment énergétique penche plutôt du côté du technologique (compléments alimentaires, *smart drinks*, « alicaments », etc.).

La meilleure preuve en est dans la manière avec laquelle le discours marketing fait usage de ces deux modèles pour vanter des produits variés, s'appuyant chaque fois sur des imaginaires différents et dont les discours parallèles des différentes marques présentes sur le marché français des eaux minérales sont un bon exemple. Les eaux minérales répartissent ainsi leurs discours entre équilibre et énergie. Si l'eau de source vend de la convivialité ou du terroir, l'eau minérale, parce que c'est sa spécificité même, se doit de vendre de la santé ou mieux, du « service au corps ». D'un modèle à l'autre, c'est plutôt les eaux gazeuses qui discourent sur l'énergie (Badoit, St-Yorre, mais aussi Vittel, seul contre-exemple français d'eau plate positionnée sur le terrain de l'énergie), et les eaux plates qui discourent sur l'équilibre. Dans ces dernières se trouvent deux modèles : l'équilibre *quotidien*, celui du corps avec lui-même, notamment pour la recherche de la minceur (Contrex), et l'équilibre *profond*, celui de la communion du corps avec des éléments fondamentaux (Evian). Tous leurs discours sont toujours exemplaires des différentes formes attachées au couple énergie-équilibre : l'énergie se réclame de substances *additionnelles* pour dynamiser un mouvement vers l'*extérieur* du corps, pendant que l'équilibre se réclame de substances *intrinsèques* pour régler un état *intérieur* au corps (que celui-ci soit représenté tel qu'en lui-même ou bien de manière holistique – corps microcosme inclus dans le macrocosme). Des schémas, on le voit, parfaitement immuables : chercher la santé dans l'apport de substances régénératrices extérieures ou bien dans le réglage des composantes habituelles du corps – soit en lui-même, soit en liaison avec une vision plus générique de la nature – sont les deux grandes attitudes immuables de l'homme face aux pratiques de santé.

Deux modèles corporels identiquement féminins

Des deux modèles qui précèdent, la « pensée de la différence » entre les sexes a bien sûr opéré une sexualisation. Particulièrement sous l'influence du modèle physiologique « mécaniste », le développement du modèle de l'énergie permettra au XIXe siècle – grand pourvoyeur de différences – d'opérer une partition plus nette encore entre l'homme et la femme, destinant l'énergie à l'homme et l'équilibre à la femme. Toute la pensée médicale et hygiéniste renforce encore cette idée en opérant une division souvent radicale entre pratiques féminines et pratiques masculines, replaçant au passage les deux oppositions majeures que j'évoquais ci-dessus : l'opposition statique/en mouvement (le mouvement est impropre à la femme, l'homme est fait pour agir) et l'opposition nature/technologie (la femme est un « composé de nature », l'homme va dans le sens de la technique). Mais avec le XXe siècle, ces deux modèles se voient identiquement répondre aux définitions du féminin, la femme ayant accédé à son tour au modèle de l'énergie, modèle qui lui avait été, jusqu'alors, le plus souvent refusé : « Vous devez être vibrante. Vous devez être vivante, active, créative, capable de faire face à toutes les urgences avec énergie. Vous devez être toutes ces choses pour être qualifiée de jeune et belle dans nos temps modernes[28]. »

Là encore, un modèle identitaire qui se conjugue au féminin à l'intérieur d'un discours sur la beauté, à l'instar du modèle esthétique du muscle et de sa conquête au travers d'activités « physiques », tel le fitness, que j'évoquais à propos du devoir de beauté. Il est frappant, lorsqu'on observe les discours liés au modèle de l'énergie – particulièrement aux Etats-Unis – de voir qu'une fois encore il est offert à l'homme pour « se dépasser », « augmenter ses capacités » ou « améliorer son potentiel » alors que, pour la femme, il est le plus souvent relié à une prescription d'amélioration de son potentiel de séduction. On pourrait presque dire, en caricaturant quelque peu, que cette accession de la femme au modèle de l'énergie n'est que la conséquence de l'évolution du canon esthétique dominant, canon ayant simplement intégré le modèle du muscle et de la tonicité. Cette rhétorique d'une vitalité féminine rendue obligatoire par ce nouveau canon du corps ferme et musclé se vérifie largement dans l'ordre du discours, se vérifie largement, même si son actualisation par les femmes qui s'adonnent à des pratiques corporelles offensives donne lieu à des relations évidemment moins uniquement centrées sur le paraître.

Ces modèles corporels de santé, s'ils semblent concerner également l'homme et la femme, ne tiennent en revanche pas du tout le même discours à l'un et à l'autre, et la sexualisation des modèles corporels reste largement présente dans la manière dont ils s'actualisent au quotidien. Là encore, et quel que soit le modèle revendiqué, la femme est plus que jamais au centre du dispositif qui règle l'accession aux différentes techniques du corps. Un des meilleurs exemples de ces pratiques dont le poids est plus marqué au féminin qu'au masculin est sans doute la pratique des régimes, à l'origine indifféremment sexuée (si elle n'était plutôt masculine) et qui s'est aujourd'hui largement rangée du côté du féminin.

Le régime est la pratique de santé par excellence dont l'origine remonte aux sources même de la médecine. Toute la littérature de santé de l'Antiquité et de l'âge classique est traversée par les « six choses non naturelles » (les *sex res non naturales*, les choses naturelles, au nombre de sept, étant les fonctions physiologiques habituelles du corps), ensemble des facteurs ayant une incidence sur le maintien de la santé : air et milieu, exercice et repos, aliments et boissons, sommeil et veille, évacuation et réplétion, passions. Un terme qui désigne ainsi à l'origine une technique corporelle qui dépasse le seul cadre alimentaire pour s'intéresser aux différents aspects du mode de vie. Des régimes qui ont également fait l'objet d'une sexualisation : on trouve régulièrement dans la littérature médicale classique des régimes au féminin, tel le « Comment les dames se doivent gouverner en leur vivre, pour conserver leur beauté » de Nicolas de La Framboisière, un régime qui, on s'en doute, renvoie à nouveau la physiologie de la femme dans la sphère du devoir de beauté. Aujourd'hui, la notion de régime renvoie davantage à celle de régime alimentaire et trois types principaux de régimes coexistent qui, bien que différemment reliés au féminin, lui sont tous trois plus proches qu'à l'homme :

1. Le régime « défensif » (régime hyposodé, anticholestérol, etc.), qui a pour but de retrancher du corps un élément nutritif nocif, un régime qui s'adresse bien sûr autant aux hommes qu'aux femmes mais dont la gestion revient le plus souvent à cette dernière puisque c'est elle qui prend le plus souvent en charge le quotidien alimentaire de la famille, faisant selon les besoins une cuisine sans sel ou allégée même quand ce n'est pas pour elle-même. En tant que dispensatrice du soin de santé quotidien, la femme est au cœur de la problématique du régime-mode de vie, et même si elle n'en est pas la première consommatrice, elle est au moins la première à être concernée dans la mesure où elle l'organise.

2. Le régime « offensif », qui a pour but d'améliorer l'équilibre du corps et dont elle semble être une des premières consommatrices si l'on en juge par le ciblage majoritairement féminin des compléments alimentaires, tels ceux de la gamme Biotechnie (mémoire, revitalisant, stimulant, énergisant, minceur, transit intestinal, digestion, circulation, sommeil) dont la publicité ne montre que des femmes, « la santé au rayon frais », yaourts avec des compléments nutritionnels de la marque Juvamine, ou bien les produits à mi-chemin entre l'aliment et le complément alimentaire tels LC1 de Nestlé ou encore Actimel de Danone. Certains produits sont même spécifiquement reliés à la biologie fémi-

nine, telle la marque *Rainbow Light Food-Based System* qui propose différents compléments alimentaires spécialement étudiés pour les femmes : le *Women's Nutritional System*, le *Complete Menopause System*, le *Women's Stress System*. Un marché par ailleurs en croissance rapide et qui est en train de se diversifier entre différents produits aux noms pour l'instant barbares : alicaments (aliment-médicament) et nutraceutique (nutrition-pharmaceutique), et qui inclut des produits spécifiquement positionnés sur le marché de la beauté (puisque, n'est-ce pas, « la beauté, ça se mange »), aux noms tout aussi évocateurs : cosmeto-food ou cosmeceutical, compléments alimentaires dont la femme est évidemment la première destinataire.

3. Le régime amaigrissant, directement centré celui-ci sur l'esthétique du corps et qui est à l'évidence également ciblé au féminin si l'on en juge par l'amoncellement des magazines féminins qui y consacrent des dossiers entiers au printemps (comme le terrifiant « mincir : dernière chance avant l'été » que j'ai lu récemment, titre qu'on pouvait tout aussi bien lire comme « mincir : ultime essai avant disqualification », exemple entre mille d'une normativité qui, sur ce sujet, confine au totalitaire). Un système qui a été largement critiqué par les féministes comme par les nutritionnistes mais qui semble pourtant, malgré les attaques régulières dont il fait l'objet, être plus florissant que jamais : la rhétorique des régimes amaigrissants est certainement à elle seule exemplaire de cette hypothèse de maturité venant déguiser un système normatif particulièrement répressif. Et que l'on ne dise pas que le fait que des hommes pratiquent des régimes amaigrissants diminue la sexualisation de cette pratique : même si de nombreux hommes s'y adonnent, ils le font à l'intérieur d'un système rhétorique distinct passant le plus souvent par « le muscle », système par ailleurs largement moins médiatisé. C'est décidément la femme qui est au premier rang du *never too slim* que lui répète inlassablement son miroir.

Mais cette relation du régime au féminin est déjà bien

connue, et je voudrais plutôt illustrer ce propos par l'analyse d'une technique corporelle qui, bien qu'elle lui soit moins directement attribuée, illustre pourtant mieux encore l'idée d'un « espace corporel » féminin : l'exercice physique. Pratique traditionnellement considérée comme relevant plutôt du masculin, l'exercice et son corollaire de mouvement, d'effort et de transpiration semblent ainsi ne s'être appliqués que tardivement au féminin sous l'influence du modèle esthétique du corps énergique que j'évoquais ci-dessus. Pourtant, si l'accession de la femme au modèle de l'énergie est récente, la prescription lui enjoignant un exercice semble avoir toujours existé à l'intérieur – précisément – d'un espace corporel défini, en lien direct avec l'espace féminin. L'exercice est effectivement une prescription récurrente dans la littérature consacrée à la femme et n'est pas seulement une « découverte » du XXe siècle comme on le croit trop souvent. Généralement conçue dans le but de battre en brèche sa sédentarité « culturelle » – quelle que puisse être par ailleurs son activité réelle –, cette idée d'un exercice féminin est remarquablement constante dans l'histoire de la pensée médicale sur la femme même si, bien sûr, elle s'intensifie depuis le XVIIIe siècle et que les méthodes qu'elle préconise ont largement évolué. Ainsi l'exercice est requis pour la femme dans tous les traités d'éducation et de santé depuis le Moyen Age et la Renaissance et, même si les techniques préconisées sont relativement « douces » à nos yeux (c'est généralement la danse qui est conseillée), elles n'en restent pas moins très énergiquement recommandées.

L'ensemble de la littérature médicale est unanime, à toutes les époques, sur l'intérêt d'un exercice pour les femmes. Mais, fait également constant, cet exercice n'est jamais emprunté aux hommes et relève toujours du « féminin », qu'il soit de loisir (danse, promenade) ou de devoir (les occupations quotidiennes). On recommande souvent dans les traités d'hygiène du XIXe siècle « l'exercice passif », vision particulière de l'effort consistant par exemple à se faire ballotter dans une voiture lors d'un trajet, les secousses imprimées par les cahots de la voiture étant supposées tonifier le corps et faire travailler les muscles, exercice *subi* plus que pratiqué et qui renvoie parfaitement à la représentation de passivité du corps féminin. Une représentation de l'exercice sans effort qui continue aujourd'hui grâce aux appareils de musculation fonctionnant à l'aide d'électrodes placées à même l'endroit du corps que l'on veut affiner ou muscler et dont l'argumentaire publicitaire est le plus souvent ciblé « au féminin ».

Autre lien correspondant à une autre des dimensions de l'espace coporel féminin : l'espace domestique. A toutes les époques, on se plaît en effet à constater que les femmes qui ont une activité imposée par leur mode de vie sont en meilleure santé et vivent mieux que leurs consœurs. Ainsi, « quand il faut agir des bras, que ne s'occupe-t-on de son ménage [...]. Les mains couvertes de gants, on époussette, on brosse, on balaie au besoin. C'est là une gymnastique suffisante et utile, naturelle et salutaire, non entachée de ridicule comme l'autre[29] ». « L'autre », c'est bien entendu la gymnastique des hommes copiée par les femmes, action spécifique et non quotidienne, trop radicalement éloignée de la féminité. On en arrive de cette façon à un discours sur l'exercice qui fait voir dans toutes les occasions de la vie quotidienne, particulièrement dans la maison, des occasions de parfaire sa santé (un ouvrage américain du début du siècle comporte un chapitre intitulé *The Home a Gymnasium*). L'idée d'un exercice « naturel » consistant à trouver dans la vie quotidienne mille occasions d'agir sur telle ou telle partie de son corps est toujours extrêmement répandue. Le nombre d'articles sur ces exercices du quotidien reste important dans la presse féminine, montrant bien le lien qui relie, pour la femme, son corps à son quotidien (« affiner les chevilles en faisant la queue », « muscler ses fesses en montant l'escalier », « raffermir le buste en passant l'aspirateur », etc.). Un magazine américain défendait récemment les bienfaits de l'exercice quotidien par le biais d'une étude sur un échantillon de factrices, dont la profession permettait de « déboucher les artères, d'abaisser le risque diabétique, de retarder l'ostéoporose et d'allonger la vie », et déplorait le fait qu'en 1991 deux femmes sur trois ne faisaient pas d'exercice. Un espace corporel lié au quotidien et dont la représentation perdure dans de nombreux discours.

Pour autant, on ne peut nier que, si de nombreuses pratiques comme le stretching ou l'aérobic répondent au besoin d'un exercice actif et plus ou moins spécifiquement féminin, elles sont évidemment complétées (ou concurrencées) par des pratiques traditionnellement moins attribuées au féminin, comme les sports d'équipe ou de combat. On pourra m'objecter que de plus en plus de pratiques « physiques » autrefois masculines sont aujourd'hui largement adoptées par des femmes, ce qui est vrai. Ce qui est moins vrai, en revanche, c'est la manière dont ce phénomène a été interprété. La forte médiatisation du développement de ces sports au féminin a fait l'objet d'une analyse abondante insistant le plus souvent, là encore, sur l'aspect libératoire d'une femme tendant à pénétrer tous les domaines de la masculinité. Une analyse qui aboutit le plus souvent à deux conclusions : en faisant la conquête de nouveaux territoires sportifs, la femme s'affirme de plus en plus dans son statut face à l'homme, ce qui est vrai ; l'annexion de bastions sportifs réputés masculins montre qu'aujourd'hui femmes et hommes se *fondent* au sein de territoires corporels communs, ce qui est faux. Je crois au contraire que, si l'homme et la femme se mesurent plus qu'avant sur une arène corporelle sportive, ils le font plutôt dans le sens d'une recomposition des territoires spécifiques à chacun et non d'une fusion de leurs territoires respectifs. On a ainsi beaucoup commenté, à l'occasion du Mondial de football de 1998, le fait que les Françaises aient vécu aussi intensément que les hommes les résultats et qu'elles étaient aussi nombreuses qu'eux dans la rue pour fêter une victoire qui devenait aussi la leur. Tout cela est vrai, mais à l'intérieur d'un territoire qui relève plus du festif et du sentiment nationaliste (territoire davantage commun aux deux sexes) que de l'arène sportive. Et si de nombreuses femmes ont effectivement suivi les derniers matchs de la coupe du monde, la fréquentation des stades et des clubs de football s'en est-elle trouvée radicalement changée ?

Affirmer ainsi que la femme « envahit les territoires traditionnellement masculins » serait compter sans le déplacement parallèle de pratiques masculines qui, à mesure que les pratiques féminines s'étendent, ont tendance à devenir différentes, témoin l'ample développement que connaissent à l'heure actuelle – au sein d'une population majoritairement masculine – les sports « modes de vie », particulièrement l'ensemble de pratiques que recouvre le vocable générique de « sports de glisse ». En conquérant nombre de pratiques sportives masculines, les femmes n'ont pas, comme on a pu l'interpréter, gommé la frontière entre pratiques sportives féminines et pratiques sportives masculines, elles l'ont seulement déplacée. En même temps que l'espace corporel féminin s'élargit, l'espace corporel masculin se recompose dans d'autres dimensions (sans compter les bastions véritables où la femme ne s'aventure que sous bonne escorte, comme le rugby par exemple), et il me paraît un peu hâtif de conclure de l'élargissement des pratiques corporelles féminines l'idée qu'il n'y ait plus de « ghetto corporel féminin ». Au contraire, je crois que cette recomposition de l'espace corporel s'accomplit pour l'essentiel au sein d'une représentation traditionnelle du féminin : en simplifiant à peine, on pourrait presque dire que se maintient pour l'essentiel la représentation majoritaire d'un exercice féminin inscrit dans le « dedans » (l'exercice quotidien, la salle de gym, le club de danse) pendant que l'homme conserve ses prérogatives d'un exercice inscrit dans le « dehors », déployant ses pratiques sportives dans un espace hors du quotidien devenu plus spécifique encore maintenant que le gymnase s'est répandu.

Une publicité récente pour Go Sport, chaîne de distribution d'articles de sport, illustre clairement ce processus : différents visuels montrent chacun un sportif en action, chaque image dégageant un fort discours de dynamisme et d'énergie. Pour autant, femmes et hommes y bénéficient d'un statut sensiblement différent. Une femme est montrée en train de pratiquer un exercice que l'on devine rythmique (d'autres corps présents à l'arrière-plan semblent exécuter le même mouvement), une autre en train de patiner ; un homme est en train de courir, un autre en train de surfer sur de la neige. Les prises de vues des deux femmes sont dans des lieux quotidiens (la salle de gym, la ville), celles des deux hommes évoquent un « ailleurs olympique » (de la neige sur fond de ciel, un stade). Les femmes exécutent un mouvement circulaire et circonscrit dans l'espace, les hommes exécutent un mouvement linéaire, associé à la vitesse, et qui les déplace dans l'espace. Enfin, pour clarifier encore la différence, l'accroche publicitaire associée à la première femme emploie le terme « ça danse » (la danse, encore, propre à l'exercice féminin), celles associées aux deux hommes emploient le terme « ça glisse » et « ça court ». Une distinction qui accompagne l'idée que la féminité est plus naturellement exprimée par certaines activités physiques que par d'autres. Que la frontière de cette spécificité se déplace est chose certaine, mais il n'en reste pas moins que son principe demeure et que les mises en discours des pratiques sportives tendent à spécifier les pratiques par l'image, attribuant certaines aux femmes et d'autres aux hommes. Un même modèle corporel pour deux manières distinctes de le mettre en pratique : dans les grandes lignes, et même si la concurrence s'intensifie, la spécificité d'un « espace corporel féminin » demeure.

Dans les cultures anciennes où les rôles assignés étaient davantage figés, comme pendant l'Antiquité ou encore l'âge classique, cet espace corporel féminin était relativement étroit. Dans la culture contemporaine occidentale, la femme s'est, par l'élargissement qu'elle a elle-même imprimé à son territoire, déplacée vers une position plus ambiguë peut-être, mais surtout plus contraignante. En contestant à l'homme la mainmise sur l'attitude offensive et en revendiquant pour elle-même le droit au modèle de l'énergie, elle s'est d'elle-même placée dans une position d'autant plus aliénante pour sa propre santé qu'elle n'a en rien (ou presque) pu céder de terrain sur les autres pratiques et modèles corporels qui lui étaient traditionnellement dévolus. Il suffit d'observer, à l'intérieur des discours commerciaux et marketing liés aux industries du corps, à quel point la femme est au centre du dispositif rhétorique sur la santé pour s'en persuader. Femme, santé et techniques de santé sont ainsi tout aussi indissolublement liées que femme, beauté et techniques de beauté, deux schémas qui, on l'a vu, se renforcent particulièrement l'un et l'autre autour de l'image du corps accompli au féminin.

A l'issue de l'observation de ces deux techniques corporelles, celle de la beauté comme celles de la santé, ce qu'il faut noter c'est que l'imaginaire physiologique féminin lié à la beauté, centré autour de concepts tels l'essence, la pureté, le naturel ou le vertueux, est en fin de compte destiné à *répondre* terme à terme à l'imaginaire physiologique de la santé, celui qui place la femme du côté de la faiblesse, du malsain et de la perfectibilité obligée. Une relation de symétrie qui veut placer, en vis-à-vis de l'image d'insalubrité que la culture attribue à la femme, une image de pureté et de *propreté* destinée à la laver de sa tache originelle. Le beau sexe, sous cet éclairage, devient ainsi l'image rassurante que la culture oppose à celle, bien plus inquiétante, que lui renvoie l'image du sexe faible. Mais ce qu'il faut également considérer, c'est que la relation entre femme et santé est, à l'instar de la relation entre femme et beauté, un lien dans lequel le « souci de soi » (l'écoute de son corps comme l'étude de son image), le travail sur soi (l'amélioration de sa santé comme l'entretien de sa beauté) et l'inquiétude qui les soustend (ne pas souffrir, ne pas vieillir), déjà inscrits dans la condition humaine, sont plus profondément encore imprimés dans la féminité même – attitudes, modèles et pratiques qui lui sont, plus encore qu'à l'homme, éternellement obligés.

3 – La troisième « technique » : la conscience corporelle

Ce regard sur les techniques corporelles liées à la beauté et à la santé ne serait pas complet sans l'analyse de la relation que la culture établit entre l'apparence et le « mental », sorte de *conscience corporelle* qui traverse de la même façon l'ensemble des représentations liées à la beauté ou à la santé. Accomplir son corps, avant même de savoir quelle technique lui appliquer, c'est d'abord et souvent savoir « rentrer dedans », le « vivre », que ce soit pour l'accepter tel qu'il est ou au contraire pour le parfaire. « *Connect mind and muscles for a better body* », déclarait récemment un magazine de fitness, affirmation typique de cette manière de relier le corps au mental pour améliorer son potentiel et qui n'est jamais que le symétrique des poncifs sur la « beauté qui vient de l'intérieur ». Difficile en tout cas de parler de la mise en discours des techniques du corps sans aborder le thème d'une conscience corporelle (conscience s'opposant ici non pas à inconscient mais plutôt à inconscience). En soi largement le sujet d'une étude à part entière, il n'est pas ici question de se lancer dans une analyse de ses différentes dimensions. Aussi, plus qu'à ses définitions, je m'intéresserai à quelques-unes de ses représentations ou, pour le dire autrement, à la manière dont le discours sur le corps peut mettre en scène le concept de conscience corporelle. Dans une tradition philosophique et médicale qui a toujours privilégié l'enchaînement du physiologique au mental, l'accomplissement extérieur n'est qu'un palier dans la description (généralement ascendante) des valeurs humaines.

Dans les deux dimensions corporelles de beauté et santé qui nous intéressent ici, le devoir de conscience s'incarne de manière variée, de la beauté intérieure à la conscience de soi. Mais que ce soit pour s'accepter tel que l'on est ou bien pour se parfaire, le principe reste le même : il s'agit à chaque fois d'accomplir son corps grâce à *l'intelligence* que l'on a de soi. Plus « mature » en apparence que les autres techniques corporelles (car précisément soupçonnée d'intelligence), je voudrais montrer ici que la conscience corporelle est en fait plus normative et aliénante encore dans son discours que les deux autres. J'aborderai d'abord la question de la beauté intérieure avant d'aborder, dans la deuxième partie de ce chapitre, la question de la conscience de soi.

Conscience corporelle et beauté : la grâce

La beauté intérieure est depuis toujours placée en haut d'une pyramide qui associe aux vertus physiques des vertus métaphysiques. Depuis Platon et sa relation obligée entre beauté physique et beauté morale, être belle intérieurement c'est être belle extérieurement, et c'est montrer par sa physionomie toute la beauté contenue en soi-même, que ce soit par le biais de l'âme ou de l'esprit. La beauté de l'âme abonde bien sûr dans la littérature morale, faisant de la dame belle parce que vertueuse un *topos* littéraire, de la philosophie à l'édification, du néoplatonisme florentin à la comtesse de Ségur. La vertu, chrétienne le plus souvent, est ainsi parée de toutes les vertus cosmétiques puisque non seulement elle transparaît sur le visage mais elle va même, pour certains, jusqu'à « affiner ce qu'[elle] touche, compléter ou refaire un visage[30] ». Essentielle historiquement, le couple beauté/âme n'existe plus guère aujourd'hui que dans une certaine littérature et s'est vu majoritairement remplacé, principalement depuis le XVIIIe siècle, par le couple beauté/esprit. « La beauté sans esprit est un hameçon sans appât », aurait dit Ninon de Lenclos, soulignant l'équation nécessaire entre un intérieur spirituel et un extérieur rayonnant, équation devenue avec les XIXe et XXe siècles un motif obligé du discours sur la beauté. Mais que ce soit l'âme ou l'esprit qui soit invoqué, à toutes les époques le principe est le même : faire transparaître sur le visage ce que l'on porte à l'intérieur de soi. Chaque époque l'ajuste ensuite selon son goût, valorisant tour à tour les expressions liées à la douceur, à la vertu, à la vivacité, au piquant, etc., les unes renvoyant davantage à l'âme, les autres plutôt à l'esprit, quelquefois aux deux, comme ces longues descriptions de qualités morales, symétriques des descriptions de la beauté des parties du corps, nomenclatures sans fin où bonheur, vertu, grâce, esprit, douceur, intelligence sont convoqués afin de composer le portrait de la belle femme.

La beauté, ainsi, c'est l'intérieur : « Si une femme n'est pas cultivée, si elle est sans goût, sans raffinement, sans la douceur d'un esprit heureux, aucun des mystères de l'art ne pourront lui donner un beau visage[31]. » Et il convient de s'éduquer pour être belle, de s'éduquer ou au moins d'acquérir « un caractère bienveillant, un certain calme d'esprit [qui] sont au nombre des conditions indispensables pour rester belles[32] ». Ce n'est d'ailleurs pas un des moindres paradoxes de voir que les ouvrages de beauté, lors même qu'ils devraient donner des conseils concrets, se perdent facilement dans des considérations néopsychologiques sur le comportement : « Ayez la religion du sourire.[...] Tenez vos traits comme vous avez appris à tenir votre corps.[...] Ne vous laissez jamais aller.[...] Les mauvais sentiments gâtent la peau[33]. » Cette aptitude intérieure qui se voit à l'extérieur est, elle aussi, l'objet de soins particuliers, et quelques techniques peuvent même intervenir pour infléchir sa physionomie, pour contrôler sa mimique. Contrôle des passions et des affects, on revient sur un discours éternel qui tend à rendre le visage imperméable à toutes les expressions, à toutes les passions[34]. On pense à la fameuse lettre dans laquelle la marquise de Merteuil décrit comment, au cours d'un dîner, elle s'essaie à l'apparence de détachement en s'enfonçant une fourchette dans la paume de la main tout en continuant de sourire. « On parvient par l'habitude à maîtriser les mouvements que les passions excitent, à empêcher qu'elles ne se peignent sur la face et qu'elles ne dévoilent l'état de l'âme. On peut même surmonter l'impulsion que la circulation en reçoit : on apprend à ne pas rougir[35]. »

On trouve ainsi dans la littérature consacrée au soin de beauté des « trucs » pour atténuer la mimique, comme la pose d'un sparadrap au milieu du front pendant les heures de repos afin d'arriver à contrôler son expression. On peut même aller jusqu'à la cure : « La patiente, fort intelligente, a rapidement compris les quelques leçons données dans notre clinique : regarder dans le lointain, adopter une attitude pensive, rester calme, sereine, détachée.[...] La parfaite synthèse de la forme et du mouvement est réalisée, l'accord idéal de l'esthétique et de l'expression est concrétisé. Le visage est devenu abordable, attirant, accueillant même. Nous regardons dans la profondeur d'une âme, qui ne nous paraît plus étrangère. Nous découvrons la paix. Elle existe[36] ! » La beauté intérieure, en fait, c'est ceci : un regard posé et lointain, un front lisse, des traits calmes, un sourire nuancé, tout un arsenal physionomique de Joconde qui reste, encore aujourd'hui, une des clés du vocabulaire physique des représentations de la beauté.

Sous cette apologie d'une expression sereine et détachée se cache bien sûr un jugement moral qui vient de loin et que consacrera le XVIIIe siècle : les passions trahissent, elles sont inquiétantes et, dans le cas des femmes, elles sont laides. « Une douceur affectueuse est tellement inhérente à sa nature, que la colère enlaidit sa figure sans parvenir à lui donner un air plus terrible ; au lieu d'animer ses yeux et d'y faire passer tous les feux d'une âme ardente, elle ne fait que détruire la régularité de ses traits trop mobiles ; on est tenté de rire lorsqu'on voit une femme en colère, tandis qu'un homme, dans la même disposition d'esprit, inspire toujours quelques craintes[37]. » La femme doit donc être sereine à deux titres. Elle ne peut se permettre de soutenir des passions fortes, passions qui de toute façon l'usent et la vieillissent prématurément, car « rien ne décatit et ne ride le visage comme l'habitude des grimaces et de la comédie.[...] Les sujets à expression calme gardent ordinairement, pendant très longtemps, les apparences de la jeunesse[38] ». La notion, toute cosmétique, de « rides d'expressions », exprime clairement que ce n'est pas le temps qui a provoqué ces rides, mais soi-même, et qu'une autre attitude, une « dimension intérieure », une « certaine qualité d'âme » pendant la vie auraient pu changer le visage. Ainsi sont condamnés irrémédiablement « les sourcils froncés, les sourcils levés, le sourire artificiel qui creuse deux sillons du nez au coin de la bouche, la lecture tardive des romans qui provoque des sillons entrecroisés autour des yeux[39] ». Derrière tout cela le jugement moral est encore évident : l'expression de la colère abîme, le sourire forcé creuse (ce qui sous-entend que le sourire naturel ne creuse pas) et la lecture des romans fatigue la peau, plus peut-être que la lecture d'autres ouvrages, pendant que les rides que provoquent la gaieté sont, bien sûr, qualifiées de « non déplaisantes ».

Ce jugement moral implicite peut être parfois rendu encore plus suggestif par l'évocation d'une vertu de classe : si éducation et esprit sont favorables à la beauté, il devient logique que naissance et classe sociale en soient également de solides garants. Autres lieux communs littéraires de la beauté féminine, la race, la classe ou, comme le disait Baudelaire, ce « presque rien [qui] est presque tout, la distinction », sont d'autres formes de vertus intérieures et relevant tout autant de l'inné que de l'acquis. Cette forme d'élection de la beauté garde toujours un fort pouvoir d'évocation, jouant de ce mécanisme habituel à la distinction qui consiste à prendre en otage des vertus qu'elle s'efforce de rendre inaccessibles. « On demandait un jour à une beauté célèbre le secret de la nuance feuilles de rose de ses joues, de la délicatesse de sa peau veinée : " Des ancêtres robustes et vertueux ", telle fut sa réponse laconique[40] », anecdote qui n'est au fond pas plus sinistre que « Stella Tennant, une aristo chez Chanel », titre d'un article de *Madame Figaro* dans lequel l'arbre généalogique de ce mannequin était longuement décrit, tout comme avait été décrit en son temps celui d'une des précédentes égéries de cette même maison de couture, comme beaucoup d'autres abonnée à « l'air aristocratique » (comme on dit « air de Paris »).

C'est bien évidemment au croisement de ces regards que vont apparaître les notions, fortes dans l'imaginaire de la beauté et souvent mêlées, de la grâce et du charme – dans les sens restreints où l'utilise le discours sur la beauté. Définis à cheval sur le physique (légèreté, souplesse des mouvements, mobilité des expressions) et sur le « mental » (douceur, luminosité, vivacité), ces deux concepts sont généralement centrés autour de la *mobilité*. Que ce soit celle du corps ou celle des expressions du visage, grâce et charme sont tout entier du côté de la souplesse et du mouvement, loin de la représentation relativement statique que l'on se fait de la beauté sculpturale. La grâce désigne davantage le corps, le charme désigne plutôt le visage, mais ils ont pour trait commun d'être deux actions ne ressortissant pas exclusivement du physique mais aussi de l'esprit. Grâce et charme sont, mieux que toute autre forme de beauté, les manifestations les plus évidentes de la beauté intérieure : « Jetées comme une gaze légère sur la forme humaine, les grâces font deviner une éducation soignée, une intelligence ouverte et une harmonieuse consonance du physique et du moral[41]. » La grâce, ainsi, est une image mobile et douce qui s'exprime « dans des mouvements légers, à peine perceptibles, et qui ne caractérisent que des passions tranquilles[42] ».

Mais quelles que soient les définitions qu'on leur donne, grâce et charme, tout comme chic ou élégance dans le vocabulaire de la toilette, sont des termes largement polysémiques, généralement suremployés, et de ce fait moins intéressants pour ce qu'ils signifient réellement que pour ce que le discours leur fait dire. C'est au croisement de ces définitions qu'apparaît un de ces modèles normatifs que je cherche ici à mettre au jour : ce qui est remarquable dans tous ces exemples, c'est la correspondance régulière entre la formulation de lois « scientifiques » de la beauté et les développements lyriques sur la grâce ou le charme comme si, une fois décrite et mise en mots, la beauté devait échapper à cette normalisation mathématique pour rejoindre, à nouveau, l'impossible à décrire, l'ordre ésotérique auquel elle appartient toujours. Pour le dire autrement, ce qui m'intéresse dans ces deux concepts c'est que, si la beauté « canonique » relève d'une règle accessible à tout un chacun (il suffirait de souffrir pour être belle), la grâce et le charme, eux, échappent par définition à notre entendement. Quels qu'en soient les fondements évoqués (vertu, esprit, éducation, naissance...), tout l'intérêt de leur emploi dans le discours sur la beauté réside précisément en ceci : grâce et charme servent de procédé rhétorique visant à renvoyer la beauté dans une sphère mystérieuse et inaccessible, rendue d'autant plus lointaine que l'on a cru précisément, par la description d'une norme, l'approcher. Et c'est justement cette sphère du mystère qui m'intéresse ici : grâce et charme deviennent dans les discours sur la beauté les opérateurs d'une véritable *transmutation*, transformation magique d'un objet équilibré et « physique » en un objet proche alors de la métaphysique. Comme les fées, ils possèdent la suprême habileté à transformer le laid en désirable et, comme les sorcières, ils peuvent ternir, quand ils font défaut, la plus authentique des beautés.

Conscience corporelle et santé : le mental

Cette relation entre beauté et « esprit » trouve évidemment son symétrique dans la santé par la mise en relation du corps avec le mental afin d'en accroître les capacités, un discours là encore récurrent mais qui trouve aujourd'hui une audience accrue. La relation entre technique de santé et prise en charge par cette « conscience corporelle » a, avec les trente dernières années, évolué sous l'effet d'une relation au corps radicalement modifiée du fait de la contraception et de l'avortement. La reprise de contrôle de son propre corps que la femme entreprend avec les années 70 ne touche pas en effet que la contraception, et il s'agit de manière plus globale pour la culture féministe de placer le corps au centre d'un dispositif plus vaste de reconnaissance et de valorisation. Dans ce discours de reconquête d'un espace corporel féminin, un ouvrage, *Our Bodies, Ourselves*, a particulièrement marqué la pensée de la femme américaine :

> « Découvrir notre corps et ses besoins, commencer à prendre le contrôle de cette partie de notre vie nous a conféré une énergie qui a irradié dans notre travail, dans nos relations avec les hommes et les femmes et, pour certaines d'entre nous, dans notre mariage ou avec nos parents.[...] En apprenant à comprendre, à accepter et à être responsable pour notre moi physique, nous nous sommes libérées de certaines de nos préoccupations, et pouvons à présent utiliser nos énergies inexploitées. Notre image de nous-mêmes est plus forte, nous pouvons être de meilleures amies et de meilleures amantes, de meilleures personnes, plus confiantes en nous-mêmes, plus autonomes, plus fortes et plus entières[43]. »

Premier ouvrage féministe important sur le corps, *Our Bodies, Ourselves* est un manifeste qui, en vertu d'un « connais-toi toi-même » corporel, veut mener la femme vers davantage d'autonomie et de maturité. « Comprendre » et « accepter » son « moi physique » pour mieux « utiliser ses énergies », un vocabulaire qui s'inscrit parfaitement dans un phénomène plus général de reconquête de l'espace du corps, imaginaire de plus en plus répandu aujourd'hui sous différentes formes et différents vecteurs, particulièrement aux Etats-Unis où ils sont couramment regroupés sous l'appellation générique, sans équivalent en français, de *self*. Sont réunies sous ce vocable l'ensemble des techniques physiques et mentales destinées au « pilotage du corps », quelles qu'en soient les finalités (santé, beauté, puissance, équilibre mental...) et les techniques (médecines traditionnelles ou alternatives, exercices, régimes, spiritualité...). De plus en plus présent dans l'ensemble des cultures occidentales contemporaines, ce mouvement s'inscrit dans cette pratique plus générale qui enjoint l'individu au pilotage de son corps, quelles que soient par ailleurs les représentations dont ce dernier fait l'objet et les techniques mises en œuvre pour y parvenir.

Le *self* est un phénomène assez ample qui dépasse largement les Etats-Unis, même s'il n'est connu que là-bas sous ce terme, un terme largement employé, notamment par les médias et qui permet d'englober les techniques corporelles d'amélioration et de réglage du corps comme celles qui s'occupent de la psychologie ou du « mental » de la personne. Il recouvre en fait l'ensemble des techniques de prises en charge de l'individu par lui-même, que celles-ci soient strictement corporelles ou qu'elles impliquent également une éthique, une discipline de vie. Le *self*, ainsi, n'exclut en principe jamais le corps et est toujours proche d'une vision médicale, prenant même dans la plupart des cas prétexte de médecine pour se développer dans le discours.

Aux Etats-Unis, le terme *self* recouvre plusieurs techniques de pilotage du corps qui, prises isolément, n'offrent rien de particulièrement nouveau mais qui, présentées toutes ensemble, sont révélatrices de l'imaginaire contemporain des techniques du corps et particulièrement de la relation qu'elles entretiennent avec le mental. La première des caractéristiques du *self* est dans l'éclectisme des techniques. Une publicité pour un salon américain consacré à la santé, le *Health Map Expo*, déclare en préambule à la présentation de ses activités : « Musclez-vous et brûlez vos graisses en dormant, entrez en contact avec votre oncle décédé, guérissez votre asthme, améliorez votre vie sexuelle, percevez votre aura, faites un enfant naturellement, devenez un guerrier spirituel, faites quelques bons repas. » Ce mélange entre pratiques esthétiques (musculation et perte de poids), hédonistes (sexualité, bons repas), médicales (asthme, grossesse) et spirituelles (aura, spiritisme) paraît caractéristique d'un phénomène qui mêle différentes relations au corps dans une volonté à la fois syncrétique et érudite, au fond assez caractéristique de notre postmodernité.

Le contenu d'un magazine américain, précisément dénommé *Self*, est un autre exemple d'un éclectisme qui réunit, dans un même numéro, des conseils pour l'entraînement sportif, un article sur les portions alimentaires, un article de fond sur le *Federal Office of Alternative Medicine*

(OAM), un sur les hormones, un sur les massages, un sur les remèdes naturels, un article néopolitique féministe, largement axé sur les politiques de santé, un article sur les nettoyants double action pour le visage, des recettes de cuisine et une page de conseils de maquillage. Un sommaire, on le voit, qui s'adresse sans ambiguïté à un lectorat féminin et qui, hormis les rubriques de type magazine, davantage développées dans la presse de santé américaine, est par ailleurs assez proche de ce que l'on peut trouver dans la presse de santé française. On y retrouve les techniques corporelles essentielles, articulées autour des positions esthétiques, hédonistes et médicales, le spirituel ici étant présent d'une manière détournée, souvent en filigrane, particulièrement dans les articles traitant de la psychologie et dans l'importance accordée au mental dès que l'on aborde, par exemple, les thèmes de l'entraînement ou de la guérison. Mais au-delà de ce premier aspect syncrétique, ce phénomène, que l'on se contente généralement de décrire comme hétéroclite, cache en fait, sous l'ensemble des thèmes qui le composent, des caractéristiques essentielles de la relation au corps qui sont exemplaires des phénomènes de permanence que connaît l'identité corporelle.

On sait bien aujourd'hui comment la complexification croissante des discours médicaux, ainsi que l'apparition ou la recrudescence d'un certain nombre de dangers, le sida en tête, ont provoqué une perte de confiance dans le modèle unique que représentait la science médicale, perte qui s'est traduite par des conduites de santé plus autonomes et une recherche assidue de solutions alternatives. Du fait de la baisse de l'exclusivité relationnelle que la santé entretenait avec la médecine, le développement d'autres médecines a accompagné celui d'une spiritualité « holistique » étroitement reliée à l'image du corps. Mais le plus intéressant dans ce passage d'un modèle à l'autre, c'est que le type de relation entre l'individu et le modèle, lui, a été conservé. La relation que l'individu contemporain entretient avec ces autres techniques de pilotage du corps relève du même sentiment *magique* qui le reliait autrefois à une médecine infaillible et toute-puissante. Ce que dénote parfaitement le phénomène du *self*, c'est que l'individu, loin de faire preuve, comme on le prétend souvent, d'une intelligence croissante de sa corporéité, obéit en fait, sous cette apparence d'éclectisme érudit, à des motivations bien plus profondes de sacralisation de la relation entre son corps et ce qui l'entoure. La médecine, en se spécialisant, en se banalisant (et en échouant dans son rêve utopique du « corps guéri »), s'est coupée d'une relation fondamentale au *supra*, dimension nécessaire à la relation entre l'individu et la représentation qu'il se fait de son corps, de la maladie et de la guérison. La littérature, abondante aux Etats-Unis, autour de la notion de *healing* (littéralement guérison, mais dans un sens moins strictement physiologique qu'en français, laissant une plus large place à l'influence du mental), est un bon exemple de cette recherche d'une relation autre entre le corps et ses techniques. Le *self*, avec son discours à la fois scientifique et spirituel, prend le relais de la médecine dans une dimension qui relève en fin de compte du sacré, état de fait que Baudrillard a décrit en développant l'idée que la baisse du statut magique de la médecine laissait la place non pas à une « représentation objective » du corps, mais à une « sacralisation *individuelle*[44] ».

Dans ce système, le concept de mental revêt ainsi une dimension cruciale. C'est tout un aspect du *self* qui s'appuie sur des doctrines déjà anciennes de prise en charge du corps par l'esprit, principe éthique dont les nouvelles formes d'ésotérisme sont particulièrement imprégnées. Cette importance du mental dans l'identité corporelle contemporaine s'inscrit de cette façon dans un comportement sous-jacent plus vaste qui a toujours mis en relation le corps et son « intérieur », qu'on l'appelle âme, esprit ou « mental », tel que le pensait notamment la médecine classique avec une vision du corps n'opérant pas une césure aussi forte que la nôtre entre physique et métaphysique. Ce qu'il faut observer dans ces ouvrages, c'est un comportement remarquablement permanent qui a toujours, dans une perspective ontologique, admis l'existence de l'influence de la pensée sur le physique, au travers de la représentation d'une âme « physique », ou mieux d'une *âme-corps*. L'individu supérieur, dans ce système de représentation, présente un état d'équilibre qui superpose l'harmonie de l'intérieur (âme, esprit, mental) et de l'extérieur (énergie, équilibre, guérison). Elien, lorsqu'il raconte que « lors d'une épidémie, seul Socrate ne fut pas touché par la maladie. Un homme qui avait un tel corps, quelle âme devons-nous penser qu'il avait [45] ? », aurait aussi bien pu écrire : « Quel *mental* devons-nous penser qu'il avait ? » Si la prétendue redécouverte du « mental » par l'individu contemporain se vérifie partiellement en regard de l'histoire immédiate (et partiellement seulement), elle s'inscrit en fait dans un système qui a toujours privilégié l'idée qu'âme et corps étaient indissolublement (j'ai envie de dire « biologiquement ») liés. Si l'individu semble aujourd'hui le redécouvrir, c'est seulement qu'il trouve de nouveaux moyens, plus immédiats sans doute, de l'exprimer.

L'autre grande caractéristique du *self* est que ces éléments disparates font tous l'objet d'une pratique dans laquelle l'implication personnelle est importante et ressort d'une mise en scène de soi-même. Toutes ces pratiques, en effet, ont pour point commun d'être des pratiques *ritualisées*, dans son sens sociologique de « pratique réglée à caractère symbolique » que celles-ci renvoient à la dimension collective ou individuelle du rite. Bien sûr, la dimension rituelle que revêt, par exemple, la pratique du yoga n'est pas la même que celle qui préside au suivi d'un régime allégé. Pour autant, ce qui est justement, selon moi, caractéristique de ce mouvement, est précisément que toutes les pratiques renvoient, plus ou moins implicitement, à un regard d'autant plus aigu sur le corps qu'il s'effectue à l'intérieur d'une relation à soi-même ritualisée. Pour mieux piloter son corps, ainsi, l'individu est mis en demeure de développer une « conscience corporelle » accrue. Proximité naturelle ou rapprochement de commodité, la femme est particulièrement ciblée par ce discours qui l'enjoint à prendre mentalement son corps en charge :

> « La façon dont nous voyons notre corps est un reflet de l'estime que nous avons de nous-mêmes. Elle est sujette aux mêmes distorsions psychologiques que la façon dont nous nous percevons, et affecte l'image que nous avons de nous-mêmes.[...] Des études ont montré qu'en général les femmes se pensent plus grosses que ce que les autres voient d'elles, là où les hommes ont une image plus précise de l'image de leur corps.[...] Sachez identifier le problème, améliorez ce que vous pouvez, répétez-vous les pensées négatives en les reformulant de manière positive, accentuez le positif, développez le sens de l'humour à propos de vous-même, changez vos priorités[46]. »

Le même ouvrage, pour mieux montrer jusqu'où peut aller cette dimension de ritualisation, conseille même des « traitements », consistant par exemple à répéter « mes seins ont exactement la bonne taille pour moi, et je me sens bien avec eux », et ce dix fois par jour pendant vingt et un jours. Ce discours n'est pas marginal et ce genre d'ouvrages, généralement bien en vue dans les librairies américaines, peut atteindre des audiences importantes. Entendons-nous bien, je ne suis pas en train de verser ici dans le « folklorisme » habituel à nombre de propos européens qui, quand ils abordent le territoire américain, le font de manière distanciée, pointant les innombrables extrêmes de la culture américaine en les sous-entendant d'un « Dieu merci, nous n'en sommes pas là ». C'est tout le contraire. Cette forme de pilotage du corps n'est pas marginale et – malgré une formulation certes différente de ce à quoi nous a habitués notre tradition – est loin d'être un comportement extrême. Il n'est que de voir l'importance que prennent ces mêmes ouvrages dans nos librairies, qu'ils soient traduits de l'américain ou bien écrits en français. Les librairies françaises ont notamment vu apparaître ces dernières années de nouveaux rayons nommés « développement personnel », appellation générique qui, tout comme le *self*, regroupe des titres centrés aussi bien sur la spiritualité, la psychologie, la nutrition ou encore les techniques d'entretien du corps (exercices et régimes).

Conséquence directe de cette ritualisation : une relation au corps plus étroite et qui se vit au quotidien. Une relation au

« temps du corps » faite d'écoute et d'attention à soi, de discipline et d'autocontrôle régulier. L'autre grande caractéristique du *self*, en effet, est de mettre l'individu dans une situation d'*assiduité* par rapport à son corps, assiduité face à l'état de santé (entretenir, énergiser, équilibrer) et face aux dérèglements (prévenir, soigner, accompagner). Cette discipline de l'écoute du corps devient la relation privilégiée que l'individu entretient avec lui-même, la femme plus étroitement encore de par sa proximité naturelle avec les maux quotidiens et le soin d'accompagnement. Le « devoir de santé », ainsi, s'inscrit dans un quotidien *disciplinaire*, relation dans laquelle l'exercice, la régularité, l'assiduité corporelle deviennent particulièrement prégnants. Cette relation disciplinaire s'exprime parfaitement dans les mots d'ordre des régimes-mode de vie : « prenez un congé sabbatique, réglez votre machine, changez de routine, changez d'état d'esprit, sortez et soyez combatifs, entraînez-vous avec un objectif[47] », conseils parfaitement révélateurs d'un état d'esprit qui mêle pratiques corporelles et vision du monde, objectif de santé et vision individuelle de soi-même, le tout à l'intérieur d'une relation quotidienne et disciplinaire forte. Une dimension d'autodiscipline que Michel Foucault avait parfaitement associée aux sources mêmes de ce dispositif du « souci de soi », constante culturelle dont les expressions varient mais dont les fondements, eux, restent constants.

Une technique corporelle multiforme, de la beauté intérieure à « l'intelligence de soi », formes qui se complètent et se répondent à l'intérieur d'un système rhétorique plus vaste, celui qui enjoint l'individu à prendre son corps en conscience. Cependant un espace également plus féminin que masculin, non que la conscience corporelle soit plus spécifiquement féminine mais de ce qu'elle lui est, on l'a vu, plus étroitement associée. Le « souci du corps », à nouveau, est un souci qui relève largement du féminin. Mais un devoir corporel qui, surtout, se déploie à l'intérieur d'un espace culturel défini qui s'oppose à l'espace masculin autour de quelques points qu'il est intéressant de synthétiser en conclusion à cette partie :

1. L'espace corporel féminin fait l'objet d'une mise en scène du surnaturel, là où l'espace masculin relève d'une réalité qui est de l'ordre du « prouvé », du démontré. Que ce soit l'espace des éléments transmutés, de la substance cosmétique miraculeuse ou encore de l'opération de transcendance opérée par la beauté intérieure, l'espace féminin est un espace *magique* là où l'espace masculin relève le plus souvent du concret.

2. L'espace corporel féminin s'appuie sur des modèles naturels là où l'espace corporel masculin va dans le sens de la technique. A chaque fois, il s'agit de se réclamer du *naturel* (la pureté des composants, l'imaginaire de l'essence) ou bien de le retrouver (le maquillage, l'équilibre) là où l'homme se déplace dans un espace qui relève davantage du scientifique.

3. L'espace corporel féminin s'inscrit dans le quotidien là où l'espace masculin s'exprime dans le temps exceptionnel, qu'il soit celui du dépassement ou de l'ailleurs. Que ce soit l'espace des « recettes » de beauté, de la relation beauté/cuisine ou de l'exercice quotidien, l'espace féminin relève de *l'ordinaire* là où l'espace masculin relève plutôt de l'extraordinaire.

4. L'espace corporel féminin est un espace clos et discipliné qui implique une forte relation d'assiduité à son corps là où l'espace masculin est le plus souvent représenté comme un espace récréatif, ne serait-ce que du fait de la compétition. Que ce soit l'espace du soin de beauté journalier ou celui des régimes, l'espace corporel féminin relève du *disciplinaire* (souffrir pour être belle) là où l'espace corporel masculin s'inscrit plus souvent dans une dimension ludique.

5. L'espace corporel féminin réclame plus que l'espace masculin des notions fortes de *savoir-faire*, que celles-ci servent à l'embellissement (savoir choisir, savoir appliquer) ou à l'accomplissement (penser son corps, être en intelligence

avec lui). Vivre son corps demande à la femme de *savoir*, là où l'homme est plutôt mis en demeure de simplement pouvoir, induisant une relation dans laquelle la nécessité de conscience de soi est plus forte.

« Magique », « naturel », « ordinaire », « disciplinaire » et « savoir-faire » s'opposent ainsi à « concret », « scientifique », « extraordinaire », « ludique » et « pouvoir faire », termes opposés qui règlent l'essentiel des représentations des espaces corporels respectifs féminin et masculin. Certes, cette division, comme toutes les divisions, reste arbitraire et peut heureusement être nuancée de la manière avec laquelle chaque individu vit et actualise sa relation à son propre espace corporel. Pour autant, et même si les choses sont moins tranchées dans la réalité, il n'en reste pas moins que le socle culturel sur lequel sont bâtis les espaces corporels respectifs que la culture accorde à l'homme et à la femme se fonde sur cette distinction entre deux systèmes qui se renvoient dos à dos et qui placent, une fois encore, la femme dans un espace corporel autre, aux contours précisément définis par la culture.

TROISIÈME PARTIE

La « nature » du corps féminin

La première partie de cet ouvrage était consacrée aux images du corps féminin entre cosmétique et santé, la deuxième aux techniques corporelles qui en découlent. L'ensemble de ces images et de ces techniques délimite ainsi les contours d'un espace féminin – rhétorique autant que technique –, principes fondamentaux qui déterminent les grands schémas culturels sur lesquels s'appuie l'identité corporelle féminine. Il s'agit maintenant de s'intéresser à la nature même de cette identité, aux caractéristiques mêmes de la chair que la culture attribue au féminin, substances et fluides qui soit le composent, soit le servent (ou le desservent), ainsi qu'aux fonctionnements et pathologies qui le caractérisent. Cette troisième partie déroule dans un premier temps une succession de courts passages consacrés aux principaux fluides liés à la beauté du corps féminin, que ceux-ci lui soient consubstantiels (le lait, le sang) ou associés de manière métaphorique (l'eau, la fleur), puis s'intéresse aux représentations de ses modes de fonctionnement, principalement dans sa spécificité biologique, c'est-à-dire la sexualité et la maternité, au travers de ses pathologies « culturelles », l'hystérie en tête, mais également de ses maux modernes autour de la sexualité et de l'alimentation.

La somme de ces remarques sur le fonctionnement culturel du corps féminin devrait nous amener vers une définition de la « nature » de sa chair, tentative d'encerclement des principes majeurs qui régissent l'imaginaire physiologique féminin.

1 – Les substances de la beauté

L'eau

L'eau source de vie. Cette image totalement récurrente dans nombre d'univers, de la vulgarisation scientifique à l'alimentation, est également une des constantes du soin de beauté. Entre toutes les substances évoquées dans ce chapitre, l'eau est certainement la plus importante, la plus régulièrement citée, celle qui possède l'imaginaire le plus vaste, aux résonances multiples puisqu'elle renvoie à différentes dimensions selon qu'elle est douce ou marine, deux principaux genres d'eaux qui sont utilisées différemment par le discours sur la beauté. Il existe en effet un double imaginaire de l'eau, de l'eau claire, celle de la surface, à l'eau riche, celle de la profondeur marine[1]. Mais deux imaginaires qui renvoient de manière identique à l'identité du féminin : l'eau est l'élément qui, mieux que tout autre, « incarne » le féminin. Que ce soit l'eau légère, celle des rivières ou l'eau profonde, celle de la mer, l'eau est toujours reliée à une représentation du corps féminin. Elle sert ainsi, selon Bachelard, à évoquer la nudité féminine : « L'eau évoque d'ailleurs la nudité naturelle, la nudité qui peut garder une innocence. Dans le règne de l'imagination, les êtres vraiment nus, aux lignes sans toison, sortent toujours d'un océan[2]. » La nymphe Juventa, depuis sa métamorphose par Jupiter en source de l'éternelle jeunesse (et donc de l'éternelle beauté), fait l'objet d'une quête permanente et Vénus, faut-il le rappeler, naît *de* la mer (et non dans la mer), après que Cronos y a jeté le sexe tranché de son père, Ouranos. De l'écume (*aphros*) qui se forme alors « une fille prit corps », évocation de la naissance dans l'eau et par l'eau, imaginaire de la génération et de la régénération qui est, bien évidemment, au cœur des pratiques comme des discours liés au soin de beauté. L'eau est peuplée de corps féminins : à chaque source sa naïade, à chaque mer ses néréides.

Ces deux types d'eaux renvoient à des imaginaires spécifiques en terme de soin de beauté. L'une est claire et légère, l'autre est riche et lourde ; l'une est du côté de la purification ; l'autre de l'enrichissement, l'une nettoie, l'autre nourrit. L'eau est ainsi d'autant plus étroitement liée à la beauté qu'elle l'est dans une double acception : le nettoyage et l'enrichissement. Nettoyer et nourrir, cette double mission dévolue à l'eau recouvre précisément les deux actions que réclame habituellement l'entretien de la beauté de la peau. L'eau, au contraire des substances qui vont suivre, est la seule qui opère simultanément dans ces deux dimensions et, de la même façon que l'on attend d'elle différentes fonctions, on lui prêtera simultanément différentes formes.

L'eau qui nettoie

L'eau qui lave est une pratique dont on sait l'inégale pénétration dans les pratiques quotidiennes d'hygiène. L'usage de l'eau comme agent nettoyant varie dans les pratiques comme dans les sensibilités tout au long de l'histoire, et s'est vu périodiquement remplacé par d'autres techniques de nettoyage, l'essuyage notamment. Mais encore une fois, quelle que soit la technique employée, il ne faut pas non plus croire comme on l'a trop souvent laissé entendre que les siècles précédents étaient, pour eux-mêmes, sales. Certes leur définition du propre était différente de la nôtre, mais cette propreté était tout comme aujourd'hui une des conditions de l'apparence de l'individu civilisé et une des conditions de son acceptation sociale. Ce qui change peut-être avec la révolution hygiéniste du XIXe siècle, c'est une association sensiblement plus étroite entre propreté et santé. Association qui entraîne la mise en valeur d'une « propreté pour soi » là où elle était jusqu'alors plutôt un acte collectif, que celui-ci ait relevé du festif ou du contrôle des apparences[3]. Pour autant, en plein XVIIe siècle – c'est-à-dire pour l'histoire de la propreté en pleine période « douteuse » –, on reconnaît que « les soins que l'on apporte à tenir le corps humain dans une propreté honnête [sont] autant utiles à la santé que pour l'ornement et la bienséance[4] », un précepte certes inégalement suivi, surtout selon les différentes couches sociales, mais un précepte dont le fondement, lui, reste inchangé quelle que soit l'époque.

Tout comme aujourd'hui, quel que soit l'état de saleté du corps que l'individu s'autorise, la prescription collective enjoint nettement à la propreté. Il faut rompre avec l'image d'un âge se complaisant dans la saleté corporelle, surtout en ce qui concerne la relation entre femme et propreté, relation *obligée* qui a toujours fait l'objet d'un fort discours de contrôle : « Il faut qu'une dame se lave quotidiennement tout entière, à l'eau chaude [...]. On doit rechercher la netteté de sa personne, si ce n'est pour les autres, au moins pour sa propre satisfaction[5] », un discours proche de nous qui remonte pourtant au XVIe siècle, période également « douteuse » de l'histoire de l'hygiène. Certes ce type de discours s'est fait plus rare à certaines époques, mais est-ce une raison pour penser que le précepte inverse – ne pas rechercher la netteté de sa personne – est possible ? Il faut également en finir avec cette apologie de la beauté crasseuse qui aurait été l'apanage des siècles passés, au nom d'une image de la saleté somme toute aussi relative que celle qui peut différencier aujourd'hui deux pays ou deux cultures.

La femme, ainsi, s'est toujours vue imposer un devoir de propreté, pour des raisons multiples qui relèvent autant de la prescription sociale que de l'hygiène ou de la morale, et ce qui a changé avec l'histoire c'est moins la teneur du message que l'appareil social de prescription et de contrôle de son application. Kant ne faisait-il pas observer que la pire injure pour une femme est d'être traitée de *repoussante*, affirmation qui montre bien l'importance de la relation femme-propreté[6]. Au-delà de l'évolution historique des usages liés à la propreté, le triangle femme, propreté et beauté présente trois positions permanentes qui se répondent, quelles qu'aient pu être par ailleurs les définitions qu'on leur accordait. Le lien entre eau et propreté rejoint ici le lien symbolique toujours réalisé entre eau et femme (« l'élément féminin par excellence ») pour stabiliser encore les trois assises de ce principe. Une notion de propreté qui rejoint une classique notion de pureté, pureté du corps, donc de l'âme, comme la Sophie de Rousseau qui, bien que propre, peut même se permettre d'ignorer « cette excessive propreté du corps qui souille l'âme ; Sophie est bien plus que propre, elle est pure[7] ».

En revanche si l'eau pure, celle qui nettoie, répond bien aux préceptes de propreté, ses relations avec la beauté sont plus ambiguës. Si elle est l'élément hygiénique par excellence, elle peut être également tenue pour suspecte, surtout quand elle est mise en contact avec le visage. Même en pleine période hygiéniste, l'association entre eau et beauté reste prudente et fait appel à des précautions spécifiques – son origine, douce ou minérale, la température des ablutions –, quand elle n'est pas purement et simplement frappée d'interdit : « Il faut mouiller la peau du visage le moins possible, et par conséquent éviter cette pratique déplorable de ces larges ablutions prolongées [...]. Que de dames qui ont conservé pendant des années un teint délicat, frais, transparent, en ne le mouillant jamais, ou du moins en le mouillant à peine[8] ! » Discours ancien de défiance de l'action de l'eau sur le visage, qui perdure encore dans un XIXe siècle qui a pourtant tendance à considérer l'eau comme le « cosmétique par excellence ». Discours qui resurgira plus fortement encore avec le début du siècle et qui n'a rien perdu aujourd'hui de son actualité, un discours qui place l'eau dans une position paradoxale, entre celle qui lave et abîme et celle qui hydrate et nourrit, deux images de l'eau qui recouvrent deux perceptions parfaitement antagonistes.

L'eau qui nourrit

Nourrir la peau par l'hydratation à l'aide d'une substance dont on sait qu'elle a une action desséchante sur la peau est à l'origine d'une rhétorique complexe dont l'industrie des cosmétiques s'est faite la championne. Il s'agit de démontrer les bienfaits de l'eau, donc du nettoyage ou de l'hydratation de la peau, par un produit qui n'est pas de l'eau mais qui en est constituée, qui s'en réclame mais qui la dépasse. Une « sur-eau » en quelque sorte : « Cette formule AquaSphere délivre une hydratation par diffusion continuelle d'eau biominérale », chez Estée Lauder pour le 100 % Time Release Moisturizer ; ou encore : « ressource permanente d'hydratation, riche en agents restructurants exclusifs aux propriétés hydratantes exceptionnelles, Hydrative forme un véritable système d'irrigation... », chez Lancôme avec pour support visuel l'image d'un pot ouvert d'où s'échappe une cascade d'eau jaillissante. Le nom autant que la référence visuelle de ce dernier produit à l'eau est explicite, pour un descriptif-produit qui par ailleurs s'en éloigne. De la même façon, Biotherm évoque « l'équivalent de 5 000 litres d'eau thermale concentrée dans un pot » (!). Ce qui est concentré, ici, ce n'est pas l'eau, c'est le thermal, c'est-à-dire, comme l'explique pudiquement une note en bas de l'annonce publicitaire, la concentration en « extrait pur de plancton thermal ». Une terminologie là encore syncrétique : plancton évoque la mer (richesse nourricière), thermal évoque l'eau de source (chaleur apaisante). Le visuel présente un visage souriant sous ce qu'on peut supposer être un douche (ou mieux une cascade) avec pour accroche un lapidaire : « Désaltérée ». Là encore, une évocation directe de l'eau au sein d'un principe actif (le plancton thermal) qui s'en réclame mais qui n'en est pas. L'eau est ainsi une substance ambiguë. Trop liée à la féminité et à l'hygiène (sans compter la dimension hédoniste que comporte toujours l'évocation des « plaisirs de l'eau ») pour que le discours sur la beauté puisse s'en passer, trop sujette à caution (et peut-être aussi trop simple) pour la promouvoir directement. Au passage, surgit une autre des difficultés discursives liées à l'emploi de l'eau, celle précisément de la profondeur de l'hydratation. Principalement depuis que la loi oblige, chaque fois que le terme hydratation est employé, à préciser que ne sont concernées que les « couches supérieures de l'épiderme », il s'agit d'évoquer quand même une hydratation en profondeur avec une terminologie faisant une large part aux mots « irriguer », « pénétrer », « en profondeur », etc.

L'eau et la beauté font ainsi généralement meilleur ménage en évocation qu'en substance, particulièrement autour de l'imaginaire de l'eau nourricière, de l'eau profonde. « L'eau-onguent » qui nourrit la peau participe d'un imaginaire ancien, déjà présent dans la poésie antique, comme dans ce poème d'Alcée :

> *Hèbre, le plus beau des fleuves au-delà d'Aenos [...]*
> *Et les jeunes filles, en troupe, descendent vers tes rives*
> *Pour laver leurs belles cuisses de leur mains délicates*
> *Dans l'enchantement, comme d'un onguent, de tes eaux merveilleuses*[9].

Une marque américaine apparue récemment sur le marché est exemplaire de l'utilisation de cette dimension de l'eau par l'industrie de la beauté. Nommée H_20, cette marque est diffusée dans des points de vente exclusifs, à l'architecture transparente, dont les vitrines sont constituées de tablettes de verre supportées par d'immenses bonbonnes d'eau alignées. Tous les visuels publicitaires utilisés montrent des visages mouillés ou des corps dans l'eau. La gamme de produits s'appuie sur des éléments classiques, complétés d'un composant déposé dénommé *Sea Mineral Complex*. Les dépliants publicitaires, imprimés dans des dégradés de bleu, du plus « limpide » au plus « profond », évoquent la vie des fonds marins ainsi que les éléments « essentiels » qui en sont issus. Le texte se termine par un « votre peau va boire à sa santé ». Un vocabulaire aquatique qui met en équivalence la mythologie de l'univers marin associé à la recherche scientifique et un environnement minimaliste dérivé de l'esthétique *New Age*, pour un produit par ailleurs moins élitiste que ce que son identité pourrait laisser croire.

L'eau de mer est évidemment au centre de cet imaginaire de l'eau qui nourrit, comme en témoigne le nombre de lignes de produits de soin exploitant la mythologie de la mer nourricière et de l'eau originelle. Lancôme lance ainsi en 1955 la ligne Océane, déclinant des éléments liés à la mer et à la régénération et déclarant que « grâce à ses éléments marins elle rétablit les conditions naturelles du milieu humide de la peau et l'irrigue du dedans ». Un imaginaire de la mer nourricière qui s'appuie également sur l'imaginaire déjà évoqué de la substance vivante, particulièrement autour des algues, planctons ou sels minéraux présents dans l'eau de mer. Un article de *Santé magazine*, par exemple, daté de mars 1998 évoquait, à propos des algues unicellulaires, leur capacité à résister aux très fortes pressions ou à des concentrations salines élevées : « C'est dans une telle algue, constituée d'une seule cellule, que la vie est apparue sur terre, c'est-à-dire dans la mer. Ces planctons sont de véritables concentrés d'énergie. Leur talent pour résister au temps est évident [...]. D'où l'utilisation de ces micro-algues éternellement jeunes dans nos soins antiâge. » Un argument qui entretient habilement une confusion entre durée de vie de l'espèce (« ce sont les plus anciens végétaux marins ») et durée de vie du micro-organisme en lui-même, amenant l'idée de résistance au vieillissement. Un imaginaire de l'algue source de bienfait naturel dont le texte commentait « la fabuleuse richesse minérale » et le fait qu'elle est « une usine naturelle à pomper et concentrer les oligo-éléments et les minéraux du milieu marin ». Une substance au passage largement utilisée par la cosmétologie antique, particulièrement chez Pline, et dont l'usage régulier s'appuie évidemment sur ce même imaginaire de la mer-mère qui entretient une relation étroite avec l'eau primordiale. Ce même article, ainsi, allait jusqu'à évoquer à propos de cette eau profonde des formes subtiles de consubstantialité entre algue et chair : « Comme elles, nos cellules baignent dans le même liquide nutritionnel originel, et notre plasma sanguin a gardé la même salinité que celui de la mer. » S'il l'a « gardé », n'est-ce pas de manière implicite parce qu'il en vient, et qu'ainsi nos cellules ne seraient jamais que les arrière-petites-filles de celles de ces micro-organismes éternels, origine non seulement de la vie mais de la substance même de notre corps.

Les eaux composées

Mais puisque l'eau pure n'est apparemment pas « objectivement » le meilleur procédé d'hydratation, le paradoxe c'est qu'elle en reste subjectivement la représentation par excellence. Il faut ainsi en trouver d'autres formes, extension radicale de l'imaginaire de l'eau dont le cosmétique est un exemple frappant. Plusieurs types « d'eaux » se partagent de la sorte, tour à tour ou simultanément, l'ensemble des soins de beauté :

— L'eau douce, tout d'abord, imaginaire évidemment associé à la pureté, une eau historiquement recherchée dans l'air, l'eau de pluie étant à ce titre, parce qu'elle était représentée comme une eau naturellement « distillée », considérée comme un cosmétique souverain, en bain, en lotion, ou même par une promenade sous la pluie, « truc » de beauté du XIXe siècle que l'on attribuait à Diane de Poitiers. Il faut ajouter qu'autour de l'eau douce, d'autres distinctions apparaissent parfois entre eau froide et eau chaude. L'eau froide est réputée « resserrer » la peau, l'eau chaude est supposée « l'ouvrir », de même qu'elle est capable de « chasser le sang, de faire cesser la congestion des parties engagées par l'afflux sanguin[10] ».

— L'eau minérale, elle plutôt liée à l'imaginaire de la terre, est utilisée de manière prudente dans le discours (le minéral, pour d'évidentes raisons, prédisposant à l'idée de dessèchement de la peau). On la trouve plutôt dans des discours la reliant à « l'eau technologique » (comme l'eau biominérale citée plus haut).

— L'eau thermale, plus rarement utilisée, est reliée à un imaginaire de la profondeur, du feu et de la chaleur. Une eau indiscutablement reliée à la notion de soin, dont une marque de cosmétiques, Avène, s'est faite la championne, le plus souvent en lien, elle aussi, avec cette évocation de « l'eau technologique ».

— L'eau distillée, ou encore les décoctions, sont également fréquemment utilisées dans l'histoire comme cosmétiques comme j'en ai parlé au chapitre précédent. Même si, chimiquement parlant, elles ne sont pas assimilables à de l'eau, elles en retiennent néanmoins le nom, ainsi que l'imaginaire de par leur fluidité et leur transparence.

— Les eaux composées, préparations aqueuses à base d'huile, de corps gras, de mucilage ou de lait, sont des eaux aux multiples attributions, qui n'ont le plus souvent d'eau que le nom. Elles renvoient à un imaginaire de la substance composée et font souvent appel à l'imaginaire de la nutrition de la peau par son imprégnation, particulièrement quand elles sont utilisées en bain.

Les eaux cosmétiques, ainsi, sont la parfaite illustration de cet antagonisme entre eau qui lave et eau qui nourrit. Ne pouvant pas ne pas être seulement liées à l'eau, elles doivent toutefois s'en réclamer pour la dépasser. Un excellent exemple récent de ces eaux *paradoxales* est donné par la marque Lancôme avec son « lait-en-eau », procédé décrit comme « une eau aussi hydratante qu'un lait », formulation dont le paradoxe résume à lui seul toute l'ambiguïté du rôle de l'eau dans le soin de beauté : ce qui hydrate (de *hudôr*, l'eau en grec), ce n'est pas l'eau, c'est le lait, mais afin qu'il soit le plus propre à servir l'hydratation de la peau, il faut lui donner la forme de l'eau (pour un produit qui s'appelle par ailleurs « Re-Source »). Entre une eau qui n'hydrate pas et un lait qui pour être perçu comme hydratant doit être changé en eau, tout le paradoxe de l'eau tient dans cette incompatibilité de nature assortie de cette « sur-compatibilité » d'imaginaire. Un imaginaire de l'eau maternelle reliée au lait que Bachelard a parfaitement interprété en déclarant : « D'abord tout liquide est une eau ; ensuite toute eau est un lait[11]. »

Le lait

Dans les associations entre substances et féminité-beauté, le lait occupe une place de premier plan. Associé au monde de la femme pour d'évidentes raisons biologiques – le mot femme vient d'une racine indo-européenne signifiant « sucer-téter », tout comme le mot latin *femina* (distinct de *mulier*) désignait « celle qui allaite » – le lait s'associe également naturellement à la naissance et à la croissance. Substance nutritive par excellence, le lait présente la particularité d'être à la fois nourriture et fluide corporel. C'est en effet le seul des fluides corporels dont on fasse réellement un usage alimentaire et dont, en tout cas, nous ayons tous, en principe, été nourris. Lié à la croissance, le lait est aussi souvent lié à l'immortalité et à l'éternelle jeunesse. Sa fonction de liquide de jouvence est notamment illustrée par l'histoire de Cimon et Pero, également connue sous le nom de *Charité romaine*. Cimon, emprisonné pour un délit, est condamné par ses juges à périr de faim dans sa geôle. Pero, sa fille, lui rend visite chaque jour et, jeune accouchée, le nourrit en lui donnant son sein à téter[12]. Tout autant qu'une représentation de la piété filiale, ce mythe est aussi une représentation des vertus que l'Antiquité prête au lait de femme. En nourrissant son père de son sein, Pero lui assure, mieux que sa survie, une véritable cure de jouvence. De la même façon, le lait de femme sera pendant longtemps un des éléments de la pharmacopée destiné au soin fortifiant des vieillards. On lui prêtait des vertus si nourrissantes qu'il pouvait guérir des malades et maintenir des adultes en vie. Par métonymie, on prêtait cette même vertu aux seins qui, « appliqués sur la poitrine d'hommes qu'un trop grand âge affaiblit, réveillent en eux la chaleur vitale, l'augmentent et la conservent[13] », une mythologie en partie à l'origine de l'aspect naturel que conserveront longtemps les mariages entre des hommes très âgés et des femmes très jeunes.

Cette vertu de jouvence du lait est également présente dans les usages du lait en application ou en bain, dont l'imaginaire de la beauté s'est largement nourri : « Le lait d'ânesse passe pour être fort bon à blanchir le teint des dames. L'impératrice Poppée, femme de Néron, menait ordinairement à sa suite, quelque part qu'elle allât, cinq cent ânesses nourrices, et se baignait tout le corps dans leur lait, afin de se rendre par ce moyen la peau plus parfaitement tendue[14]. » Un lait d'ânesse par ailleurs considéré à l'époque comme le plus proche du lait de femme, signe que cet usage du lait en bain fonctionne sur un imaginaire de « l'imprégnation » d'un corps par une substance d'autant plus proche qu'elle lui est consubstantielle. Une consubstantialité liée au lait maternel qui veut que s'opère un échange vital entre celle qui nourrit et celui qui est nourri, telle cette mère qui refuse de nourrir au sein sa fille car elle est si laide qu'elle craint « d'en barbouiller le bout, et d'en enlaidir non seulement les mamelles mais aussi tout le reste de sa personne par certaine contagion de telle et si hideuse laideur corporelle[15] ». Une réciprocité des substances qui peut rendre laide la mère qui donne le sein, mais qui rendra également la fille belle grâce à une nourrice aimante qui la nourrit d'un lait si bon « qu'enfin il se rendit un beau linge blanc. Car tant plus que la fille croissait en âge, tant plus elle croissait en beauté ». L'imaginaire de la belle nourrice, des relations entre sa beauté, sa santé et la valeur de son lait trouve probablement là une de ses sources, en vertu de l'idée qui voulait qu'il y ait équation entre la beauté de la nourrice et la santé du nourrisson *via* la qualité du lait. Une consubstantialité qui est également à l'origine de la mythologie des relations entre l'allaitement et le caractère, telle la légende qui veut que Prisile, la cruelle nourrice de Caligula, ayant tué une servante à la suite d'une querelle, se couvre les mamelles de son sang afin qu'il en aspire avec son lait, le rendant ainsi cruel et sanguinaire. Un imaginaire de la transmission des humeurs (au double sens du terme) qui rappelle le quatrain : « C'était un enfant maigrelet/qui avait tété le maigre lait/d'une nourrice pessimiste/et ce fut un nourrisson triste. »

Aujourd'hui, le lait reste une évocation récurrente dans l'univers de la beauté. Même si la substance elle-même est moins employée qu'elle n'a pu l'être, son évocation se fait de différentes manières la plupart du temps par l'usage du vocable « lait » lui-même. Ce terme désigne en effet en cosmétologie des produits qui n'en contiennent pas mais qui sont simplement des émulsions d'un peu d'huile dans de l'eau (au contraire des crèmes qui sont en principe des émulsions d'un peu d'eau dans de l'huile). Ce sens du mot lait est ancien, et était déjà utilisé au XVIIe siècle pour désigner toutes les préparations cosmétiques à base d'eau blanchie d'une substance comme le son ou les amandes pilées. Il est d'ailleurs à noter que les bains de lait suivent dans l'histoire la même évolution, puisque le terme peut aussi bien désigner des bains remplis de lait que d'eau « blanchie », que ce soit avec du lait ou du son, usage autant cosmétique que social puisqu'on l'employait souvent pour rendre opaque l'eau du bain et soustraire de cette façon son corps au regard[16]. Le terme lait ainsi désigne une tout autre substance, mais dans une perspective qui n'est pas anodine et qui lui permet de renvoyer à un imaginaire au croisement de la naissance, de la nourriture et de la femme.

Mais l'usage du lait en cosmétique joue surtout de cette forte image de consubstantialité, celle qui assimile la substance à la teneur même du corps, celui d'une femme dont le corps même est composé de chair et de lait. Car chair et lait ne sont, dans l'imaginaire physiologique classique, que des produits du sang. Ainsi, pour Aristote, le sang, résultat de la coction des aliments dans le foie, puis dans les reins et la rate, passe dans le cœur d'où il gagne les extrémités du corps où il est à son tour transformé en chair, os, graisse, moelle, lait, sperme, etc. Pour Aristote, la chair n'est que du sang épaissi, aggloméré, et dont la « croûte », la surface extérieure, en contact avec l'air, devient la peau : chez Aristote comme chez beaucoup de ceux qui le suivront, l'association sang-peau-lait est constante, un lait qui est considéré comme le produit de la coction du sang, de la même façon que la peau n'est que de la chair desséchée, elle-même formée de sang amalgamé : « La peau se forme par dessèchement de la chair, comme la pellicule qu'on appelle peau sur les liquides bouillis[17]. » On a en fait affaire à une chaîne de transformation des aliments qui obéit à la théorie de la coction : transformation des aliments par la chaleur du corps et la digestion en substances « utiles » comme le sang, le phlegme, etc. Par son degré de raffinement, le sang parfaitement « cuit et digéré » se transforme à son tour en une matière raffinée qui est le lait chez la femme et le sperme chez l'homme, matières toutes deux identiquement blanches (donc purifiées) et identiquement liées à la génération. Le lait, ainsi, bien plus qu'une des sécrétions corporelles de la femme, incarne une des substances même de son corps. Cette représentation est probablement à l'origine de l'analogie du « teint de lait », une image extrêmement répandue dans toute la littérature occidentale et qui renvoie tout autant à l'idée que la peau est blanche comme du lait qu'à l'idée qu'elle est en partie composée de lait. Cette analogie entre teint et lait reste exploitée aujourd'hui au-delà de l'usage extensif du terme, particulièrement avec le développement. Un produit lancé par Estée Lauder en 1996 aux Etats-Unis évoque ainsi des composants à base de protéines et de céramides du lait : « Les protéines de lait de Nutritious aident au processus d'auto-régénération de la peau [...] la peau est douce comme du lait, souple comme de la crème », un argumentaire qui joue indiscutablement de cette consubstantialité peau-lait accompagnée d'une image décidément récurrente dans cet univers de fontaines de jouvence : un pot ouvert qui laisse échapper une cascade de lait.

Les roses

Tout comme le lait, la fleur apparaît régulièrement dans les représentations de la féminité, particulièrement le lys et la rose, deux fleurs qui reviennent périodiquement évoquer la féminité et que l'on retrouve également dans la pharmacopée des soins de beauté. De la métaphore qu'opère la poésie de la Renaissance entre les seins et les lys au « laissez refleurir la féminité », accroche qui accompagnait en novembre 97 la photographie d'une femme nue arborant deux roses à la place des seins pour la marque de lingerie Rosy, l'image de la femme-fleur reste constante, le plus souvent sous une forme métaphorique mais également, en cosmétologie, de manière physique. La rose, fleur dédiée à Vénus, est par excellence consacrée à la beauté, comme en témoigne l'histoire d'Aspasie de Phocée. Affligée d'une excroissance au menton et peinée de n'en pouvoir guérir car rejetée par les médecins, elle voit en songe une colombe (oiseau également dédié à Vénus) qui lui dit de fuir médecins et potions, de prendre les couronnes de roses consacrées à Vénus qui sont désormais sèches, de les broyer et de les répandre sur la tumeur. L'excroissance disparaît et Aspasie devient la plus belle des jeunes filles[18]. Dans toute la culture occidentale, la rose reste le symbole végétal par excellence lié au féminin et à la beauté – faut-il rappeler que les petites filles naissent dans des roses ? – et cette association rose/beauté/féminité est à l'origine de maints rites de transmission, comme le fait d'enterrer le placenta de la nouveau-née au pied d'un rosier pour que celui-ci transmette sa beauté à la petite fille[19]. Dans cette association femme-fleur, on se rappellera également que « les fleurs » désignaient autrefois les règles et que, plus près de nous, les jeunes filles évoquaient « Tante Rose » dans les mêmes circonstances. Rose renvoyant ici à la fleur et non au prénom, suite logique de l'expression « avoir ses fleurs », métaphore de la couleur également puisque la rose, traditionnellement, est décrite comme une fleur rouge. Même si aujourd'hui la couleur de la rose tend autant et peut-être davantage vers d'autres nuances, pour les sociétés anciennes, elle était rouge. Le teint de rose renvoyant dans les textes à la couleur du sang, à la carnation des joues. La « petite main délicate blanche et couleur de rose » qu'évoque Perrault en décrivant l'infante de Peau d'Ane associe sans ambiguïté le lait au blanc de la peau et la rose à l'incarnat du teint.

Cette substance trouve, naturellement pourrait-on dire, nombre d'applications cosmétiques. Dans l'Antiquité, comme Aspasie, on en emploie les pétales macérés dans de l'huile afin de confectionner l'huile rosat, ou encore brûlés ou séchés pour s'en poudrer le visage. A partir du Moyen Age, on confectionne du miel rosat, de l'huile rosat et surtout de l'eau de rose, « bonne pour les dames car elle ôte les taches de la face et fait le cuir plus délié et [aus]si donne bonne odeur[20] ». L'eau de rose, c'est important de le souligner, est l'ingrédient majeur de la cosmétologie classique, un de ses composants le plus ancien et qui se trouve encore tel que aujourd'hui, même s'il est moins employé. Plus de la moitié des recettes anciennes que j'ai étudiées incluent de l'eau de rose, généralement à la fin de la préparation, comme excipient ou comme liant. Par ailleurs, les pétales, les fleurs entières et parfois les feuilles sont fréquemment utilisés dans de nombreuses recettes, comme principe actif cette fois. On trouvera même au XIXe siècle un « lait de rose », en fait un lait parfumé à la rose, mais dont le nom au moins évoque l'association parfaite des deux substances par excellence liées au soin de beauté. Cet imaginaire cosmétique de la rose est certes moins exploité aujourd'hui en soins de beauté qu'il ne l'est en produits parfumants, mais il demeure toutefois présent de manière périphérique, la fleur ou le pétale restant souvent visuellement présents dans le conditionnement des produits, quand ce n'est pas autour de la marque elle-même, comme Lancôme qui prolonge cette association femme-beauté-rose dans son identité visuelle, la rose étant l'emblème de sa marque : « Lancôme, la marque à la rose. La rose, éternelle, si élégante et si féminine, est le symbole de la douceur, de la pureté, de l'authenticité[21]. »

Il faut noter que cette analogie entre la femme et la fleur se prolonge également autour de l'imaginaire du fruit. S'y retrouve, après l'association femme-fleur, celle de la femme-fruit, analogie qui parcourt aussi de nombreuses représentations et qui se redéploie depuis que les vitamines sont largement utilisées par l'industrie de la beauté. La palme revient sans conteste à Synergie Eclat-Vitamines, produit des Laboratoires Garnier à base d'acides de fruits, dont l'accroche publicitaire est associée à l'image d'un mannequin tenant une pêche près de sa joue. Dans l'illustration, outre des oranges et des myrtilles – apparemment contenues dans le produit –, figurent des pêches et des abricots (pour l'analogie peau-fruit) mais pas de citrons (alors qu'ils figurent dans la composition), probablement en vertu d'un imaginaire de l'acidité dont on a vu qu'il était à manipuler avec précaution et par surcroît peu compatible avec la représentation de la « peau de pêche ». Bien peu de marques de cosmétiques ont, depuis quelque temps, échappé à cette survalorisation de l'imaginaire du fruit, imaginaire d'autant plus riche qu'il associe la dimension technologique de l'énergie vitaminique à la très ancienne analogie entre la femme et le fruit (n'est-ce pas Eve qui apporte le fruit à Adam ?) et dont la valeur positive joue à plein.

La blancheur

Le propos évoqué plus haut sur la couleur de la rose conduit à une remarque importante quant à la couleur des cosmétiques. Si la rose est le plus souvent représentée rouge, elle est dans le soin de beauté chaque fois employée blanche. Les roses rouges ne sont mentionnées que dans les cas de fards – rouges naturellement. Cette association entre substances cosmétiques et blancheur est constante et ne fait pas l'objet d'un seul contre-exemple dans les recettes que j'ai étudiées : chaque substance, chaque composant, chaque élément, quand il n'est pas transparent comme les eaux, est rigoureusement blanc[22]. Ainsi, les ingrédients se répartissent entre les blancs, proches du blanc ou transparents, et ceux qui, pour éviter toute ambiguïté, sont spécifiquement décrits comme devant être blancs, tels les : cire blanche, vin blanc, roses blanches, vinaigre blanc, lys blancs, miel blanc, santal blanc, sucre blanc, melon blanc, mie de pain blanc, etc., jusqu'aux animaux utilisés puisque le lait doit venir d'une vache blanche ou d'une chèvre blanche, la chair de pigeons blancs ou d'une poule blanche. Plus les préparations sont complexes et « crémeuses » (par opposition aux eaux plus largement utilisées par la cosmétologie antique et médiévale), c'est-à-dire du XVIe au XVIIIe siècle, plus la couleur blanche est spécifiée comme partie prenante de l'efficacité de la recette. Une recette du XVIIe siècle donne ainsi une liste d'ingrédients exemplaires : pain blanc, roses blanches, fleurs de lys blanc, fleur de nénuphar, fleur de fèves, blanc d'œuf, lait d'une chèvre blanche, le tout distillé[23]. Une blancheur qui finit en eau, une pureté transformée en essence, que venaient enrichir encore les ingrédients d'une blancheur « naturellement » précieuse comme la nacre, les perles, les porcelaines (le coquillage), l'argent, le talc. Un autre exemple est le fameux onguent blanc de Rhazès, composé de cire, de graisse et de céruse, un onguent extrêmement employé pendant le Moyen Age et la Renaissance, ou encore cette recette contre les rides très répandue à toutes les époques, composée de jus d'oignon de lys blanc, de miel blanc et de cire blanche. La cire blanche, au passage, est un élément également important de la cosmétologie classique, particulièrement pour les pommades. D'une composition équilibrée, selon Dioscoride, entre le chaud, le froid, l'humide et le sec, la cire est fréquemment utilisée par les médecins pour expliquer la tenue du corps entre l'hiver et l'été, entre les climats secs et les climats humides. Il est fort probable que cette vertu d'équilibre prêtée à la cire en faisait une substance également proche de l'homme, d'où peut-être son usage, plus fréquent que l'argile, dans les figurations du corps ou de la maladie, notamment dans les cas de pratiques rituelles ou magiques. La cire, quoi qu'il en soit, était réputée blanchir le teint, une recette qu'utilisaient déjà les médecins grecs, romains et arabes[24].

L'association femme-substances blanches dépasse d'autre part le strict cadre des cosmétiques, et il existe une alimentation spécifiquement féminine faisant largement appel elle aussi à ce même imaginaire de la blancheur. Dans beaucoup de sociétés traditionnelles en effet, une alimentation blanche semble avoir été liée à la femme, particulièrement pendant la grossesse et l'allaitement. Par ailleurs, une alimentation médicalisée destinée aux femmes a longtemps fait appel à ces aliments réputés « faibles » (ne risquant donc pas d'épuiser la malade) et en principe blancs. Certains traitements postopératoires féminins au XIXe siècle consistaient ainsi en un « régime non stimulant, constitué de lait, d'aliments farineux, de poisson et parfois de poulet[25] », tous aliments blancs et « féminins ». Rien aujourd'hui, dans l'univers de la cosmétologie moderne, ne vient contredire cet imaginaire de la blancheur. Les produits sont uniformément blancs ou proches du blanc, tout comme les conditionnements et les emballages, une blancheur encore renforcée par l'analogie désormais classique qu'opère l'univers des cosmétiques avec l'univers médical, grâce à une architecture qui décline volontiers un vocabulaire de laboratoire (ou du moins l'idée que l'on s'en fait). Il est à noter que cette règle de la blancheur des produits de soin ne connaît pour l'instant que peu de contre-exemples, et encore sont-ils extrêmement marginaux comme certaines crèmes solaires qui peuvent être d'une couleur ambrée. Cet invariant semble suffisamment immuable pour que la création d'une crème de soin brune, par exemple, soit encore difficile. Même lorsqu'elles s'adressent à une clientèle à peau sombre, ce qui pourrait être largement le cas pour les marques de cosmétiques nord-américaines, les crèmes restent blanches.

Par ailleurs, il est intéressant de le signaler, cette relation universelle à la blancheur du soin de beauté fait écho à une autre relation qui fait préférer dans de nombreuses populations les femmes à peau plus claire, quelle que soit d'autre part leur pigmentation. Peau claire ne veut pas dire peau blanche, et je ne suis pas en train de suivre les théoriciens des races du siècle dernier qui voyaient dans la race blanche un « beau universel », reconnu par tous. Si cette théorie est bien évidemment fausse, il semble en revanche que la valorisation de la clarté de la peau soit un trait commun à nombre de cultures. La femme est généralement plus claire que l'homme, pour une raison que l'on peut attribuer au mode de vie, les hommes vivant davantage à l'extérieur que les femmes, mais aussi pour une raison biologique, la concentration moyenne de sa peau en hémoglobine et mélanine étant moins forte que celle de l'homme[26]. Mais quelles que soient les origines de cette différence de couleur entre hommes et femmes, il faut constater la permanence du système qui veut que la femme, de la statuaire égyptienne à la peinture romantique, soit représentée plus blanche que l'homme. Il est fort probable que dans les sociétés anciennes, moins mélangées en terme de races que nos sociétés contemporaines, la population était plus sensible à cette différence de couleur entre hommes et femmes et en faisait ainsi une règle de la représentation des sexes. Le schéma homme foncé/femme claire semble être, là encore, un invariant de nombreuses cultures, même de celles à peau plus foncée. Cette valorisation de la clarté semble par ailleurs avoir un impact sociologique en facilitant, par l'absorption systématique des femmes les plus claires par les hommes les plus favorisés, une clarté qui s'observe dans les couches sociales supérieures, et dont l'Inde ou le Japon sont de bons exemples[27].

Cette valorisation de la clarté de la femme est cohérente avec la valorisation générale d'un cosmétique blanc. Quelle que soit du reste la couleur de peau de la femme qui l'utilise, l'analogie entre blancheur du produit et recherche de clarté de la peau peut jouer. De plus, certaines cultures semblent continuer à valoriser une peau blanche là où les pays occidentaux s'en tiennent pour l'instant majoritairement à la valorisation de la peau bronzée, notamment le Japon comme en témoigne le succès du Soin Eclaircissant de la marque japonaise de cosmétiques Shiseido, crème à l'action « éclaircissante et antitache », dont plus de douze millions d'unités se sont vendues entre son lancement en 1990 et 1997. J'évoque, à cette occasion, pour mémoire les produits éclaircissants dont font usage nombre de femmes (et d'hommes) d'origine africaine, littéralement destinés à blanchir la peau et dont on connaît les conséquences désastreuses pour l'épiderme.

La chair et le sang

En symétrique à cet univers féminin lié à l'eau, à la rose, au lait et à la blancheur, se place un univers opposé et complémentaire, lié à la chair et au sang. Soigner sa peau avec ce qui la constitue directement est un principe analogique particulièrement évident et, dans cet imaginaire de la vie et de la régénération, la chair et le sang, en tant qu'éléments « vivants », occupent une place particulière. Fonctionnant de la même manière que le principe de consubstantialité que j'évoquais à propos du lait, l'utilisation de la chair en soin cosmétique fait appel au même réflexe qui a longtemps fait (et fait encore) passer la viande pour l'aliment nourrissant par excellence. La médecine ancienne, principalement ses régimes de santé, est remplie de ces considérations sur cette chair dont « notre nature triomphe en l'assimilant à peu près tout entière ; elle la transforme, l'altère, et fait d'elle un sang utile[28] ». On retrouve ici la chaîne de transformation aliment-sang, constituée par le principe de coction des aliments. Cette représentation analogique faisait que certaines viandes étaient réputées plus proches de l'homme, le veau pour certains, le porc pour d'autres.

Cette « évidence » alimentaire de la proximité des substances est probablement à l'origine de techniques corporelles mettant en jeu cette même équivalence entre peau et chair. Le veau, ainsi, est régulièrement présent dans la cosmétologie, l'eau de pieds de veau faisant partie des cosmétiques courants aux XVIe et XVIIe siècles et la moelle de veau étant un composant fréquemment cité. On trouve également mention d'un « vin pour la face » à base de viande de bœuf séchée et fumée et de vin rouge, le vin étant à prendre ici également dans son rapport avec le sang[29]. Cette analogie peut prendre aussi un tour plus direct avec l'application pure et simple de morceau de viande sur la peau afin de la régénérer. Ces pratiques sous-tendent un imaginaire de l'imprégnation dans lequel la régénération d'un corps fatigué passe par le contact avec une substance similaire qui va être absorbée, « bue » par la peau, imaginaire de la passation d'un principe de vie d'un corps à un autre qu'illustre tout autant le crudivorisme que prônait Virey au début du XIXe siècle : « Lorsqu'ils sont dévorés crus, il semble surtout qu'une portion de la vie de l'animal expirant sous la dent meurtrière du carnivore, passe dans le sein de ce dernier avec ses membres qui palpitent[30]. » Substances similaires, sinon identiques, cet imaginaire de l'absorption de la vie amène bien sûr le mythe de la régénération par la substance humaine, application ultime de la règle des similitudes. La cosmétologie ancienne préconise ainsi l'application à même le visage d'un placenta sorti chaud de la matrice ou distillé, pendant que la pharmacopée classique fait grand usage de cerveau humain distillé, de crâne râpé, de sang humain séché au soleil et réduit en poudre[31], quand elle ne préconise pas, purement et simplement, une « aspiration directe » : « Et pourquoi nos vieillards aussi qui sont destitués de toute aide ne suceraient-ils le lait d'une jeune fille et le sang d'un adolescent qui le veuille bien, qui soit sain, gai, tempéré, qui ait le sang fort bon et par aventure trop en abondance. Qu'ils le sucent donc à la façon des airondes de la veine du bras gauche ouverte jusqu'à une ou deux onces. Et qu'incontinent après ils prennent autant de sucre et de vin et qu'ils fassent cela lorsqu'ils auront faim et soif au croissant de la lune[32]. » Sang sucé au creux du bras et au clair de lune, le mythe de Dracula semble avoir des racines médicales insoupçonnées, tout comme les objectifs cosmétiques que revendiquait sans doute la comtesse hongroise Erzebeth Bathory, condamnée au XVIIe siècle à être emmurée vive pour avoir tué, selon la chronique, plus de 600 jeunes filles vierges dans le sang desquelles elle avait coutume de se baigner. Ce Gilles de Rais féminin a réellement existé et, loin de l'image de vampirisme auquel on l'a généralement associé, n'a probablement cherché qu'un moyen, certes un peu « extrême », de prolonger sa beauté.

Cet imaginaire autour de la régénération par le sang et la

vie a pu trouver quelques résonances dans certains cosmétiques modernes. J'ai cité l'existence dans les années 70 de crèmes utilisant les extraits placentaires, substance qui mieux que toute autre est liée à la génération, à la vie et à l'idée d'une « chair en devenir », mais on pourrait citer également nombre de principes actifs encore récemment utilisés en cosmétologie comme les extraits tissulaires de bovin, les embryons de poulet, les tissus conjonctifs de poulet, le liquide amniotique de femme et de bovin, les cellules fraîches de fœtus de bovidé ou le sérum de sang de cheval[33]. Aujourd'hui, cet imaginaire semble s'éloigner et ces principes actifs, même s'ils sont encore utilisés, ce qui n'est pas sûr, ne sont en tout cas plus du tout revendiqués. La sensibilité collective, principalement en Amérique du Nord, autour de la condition animalière – et d'une manière générale autour de l'imaginaire de la chair – n'autorise plus de tels discours. Tout procédé pouvant évoquer de la dureté (ou de la cruauté) est trop éloigné de la revendication de douceur que traverse l'image du corps aujourd'hui et que j'évoquais au chapitre précédent. Un cosmétique américain se déclare ainsi dans son argumentaire « *oil-free, fragrance-free, cruelty-free and hypoallergenic* », discours d'innocuité et de « gentillesse », nécessaire semble-t-il pour répondre à la valorisation systématique de la non-agression, que celle-ci s'opère vis-à-vis de l'environnement ou de soi-même. Du coup, cet imaginaire de l'imprégnation par la chair, devenu par trop incorrect, est pour l'instant rangé dans le rayon des archaïsmes que j'évoquais dans le deuxième chapitre avec les pratiques dures et tout ce qui relève des « traitements de choc ». Pour autant, leur potentiel d'évocation reste fort, et était présent il y a encore peu de temps : dans les années 50, Lancôme a précisément dénommé « Traitement de choc n° 60 » une cure de « renouvellement cellulaire » utilisant notamment des extraits placentaires. Par ailleurs, *Traitement de choc* est le titre d'un film d'Alain Tanner tourné dans les années 70, dans lequel la pensionnaire d'un centre de thalassothérapie découvrait que le traitement miracle qui lui était dispensé était élaboré à base de cellules humaines prélevées sur des cadavres fraîchement tués. Il est à noter au passage que le film ne mettait pas en doute une seconde l'efficacité du traitement, présenté comme un rêve machiavélique certes, mais efficace. L'idée de ce « traitement de choc », décidément, semble entretenir un lien étroit avec cet imaginaire de la régénération possible par la substance vivante, que celle-ci soit d'origine animale ou humaine.

« Régir les substances » : quelques principes physiologiques du féminin

Après avoir évoqué quelques-uns des imaginaires liés aux substances du féminin, je voudrais explorer les grands principes qui régissent l'imaginaire physiologique du corps humain en général, et de la femme en particulier, système de représentation de l'identité corporelle féminine qui plonge ses racines très loin dans notre culture[34]. Tout groupe humain, toute société traditionnelle possède un certain nombre de représentations de son corps et des lois qui le régissent. Elles ont pour mission d'expliquer les principes mécaniques et physiologiques qui l'animent, le « donné biologique collectif », et sont autant de tentatives d'explication rationnelle des grands phénomènes que l'homme traverse comme la naissance, la sexualité, la maladie ou la mort. Différents d'une société à l'autre et d'une culture à l'autre, ces modèles explicatifs du corps et de la biologie humaine sont toutefois construits sur un certain nombre de mécanismes invariants, et qui gisent sous les faits. Loin d'être un objet d'étude historique, ils sont présents dans toutes les cultures, et sont le « socle » phénoménologique avec lequel l'homme et la société se forgent les représentations qu'ils se font d'eux-mêmes. La recherche anthropologique a précisément pour objet l'étude de ces « lois générales ou tout au moins modèles d'intelligibilité à visée universelle des pratiques sociales que l'on a isolées comme objet d'étude[35] ». Pour chacun des phénomènes qui le concernent ou qui l'entourent, l'homme s'est ainsi forgé des modèles explicatifs qui lui permettent d'établir des liens d'intelligence avec lui-même, avec autrui, avec son milieu naturel, avec son univers conceptuel. Chaque culture a de cette façon donné de ces phénomènes des explications différentes mais qui sont toutes fondées sur un principe conceptuel commun, celui de « systèmes qui opposent deux à deux des valeurs abstraites ou concrètes (chaud/froid, humide/sec, haut/bas, inférieur/supérieur, clair/sombre, etc.[36]) ».

Ces paires conceptuelles, s'opposant terme à terme, servent de manière universelle d'outil d'élaboration de la représentation que l'homme se fait de son milieu comme des principes de sa « mécanique physiologique ». J'ai déjà évoqué l'imaginaire qu'a pu dégager la confrontation de la paire conceptuelle clair/sombre avec la différence homme/femme, bon exemple de ces « modèles d'intelligibilité à visée universelle », à l'origine d'une distinction universelle des sexes suivant le modèle homme foncé/femme claire. A l'intérieur de cet ensemble de valeurs, deux d'entre elles, la paire chaud/froid et la paire humide/sec, sont essentielles pour comprendre la définition que l'homme s'est toujours faite de son identité physiologique. Ce modèle explicatif est un remarquable invariant, parfaitement récurrent d'un bout à l'autre de la culture humaine, de la biologie africaine ou amérindienne à la médecine de l'Antiquité ou de l'âge classique. La représentation du corps possède un socle de représentation qui induit, de manière universelle et « obligée », une lecture du corps (et des substances qui le composent et qui le servent) en fonction du chaud/froid et de l'humide/sec. Devenues, dans le vocabulaire occidental, les « quatre qualités », elles servent à définir l'identité physiologique de chaque individu, en plus ou moins chaud, en plus ou moins humide. Ce sont elles qui, dans le système médical occidental, conduiront à l'élaboration de la théorie des quatre tempéraments (sanguin, bilieux, flegmatique et mélancolique), principe central de la médecine de l'Antiquité au XIXe siècle.

Dans cette distinction élémentaire entre ces quatre qualités, l'homme est chaud et la femme froide, l'homme est sec et la femme humide. Cette différence entre les sexes a bien sûr à voir avec la logique de la chaleur intérieure, ou coction, que j'évoquais à propos du sang et du lait : « Ainsi la différence ultime entre les deux sexes est leur caractérisation en chaud et sec d'une part, froid et humide de l'autre, qualités rendues apparentes par l'aptitude ou l'inaptitude à la coction. On obtient ainsi une double chaîne de transformation : nourriture-sang-sperme, nourriture-sang-lait, qui rationalise l'ensemble de la production des fluides et surtout les hiérarchise en fonction d'une caractérisation des sexes qui les produisent[37]. » Ce principe, formulé par la médecine antique, même s'il a pu être l'objet d'un débat, déclare que « le plus chaud des hommes est plus chaud que la plus chaude des femmes, et que le plus froid des hommes est plus chaud que la plus froide des femmes[38] ». Cette partition entre un homme chaud et une femme froide permet à la pensée de la différence d'établir la nécessaire complémentarité des sexes, afin que le « mâle brun, velu, sec, chaud et impétueux, trouve l'autre sexe délicat, humide, lisse et blanc, timide et pudique[39] ». Cette description au raccourci étonnant oppose clairement terme à terme le sec et l'humide, le brun et le blanc, le velu et le lisse, l'impétueux et le timide. Cet homme chaud et sec et cette femme froide et humide sont toujours présents dans l'imaginaire des sexes. Une jolie fille sera ainsi, plus facilement qu'un garçon, qualifiée de « fraîche », expression qui n'est jamais qu'une manière valorisée de qualifier le froid et humide. Le terme « chaud », qui renvoie généralement à l'image d'un potentiel de sexualité, est un propos plutôt moins valorisant quand il s'applique à une femme qu'à un homme. La femme sèche est de la même façon plus dévalorisée qu'un homme sec. L'expression américaine « *sexy guys are never cold* » (les garçons sexy n'ont jamais froid) exprime très directement l'idée que masculinité (et beauté, c'est-à-dire, dans le cas de l'homme, force avant tout) et chaleur intérieure vont ensemble. Rentre bien sûr dans ce système l'opposition entre beauté chaude et beauté froide, la femme brune étant plus chaude que la blonde, la maigre que la ronde.

Cela, c'est l'imaginaire physiologique majeur sur lequel

s'appuie l'ensemble des techniques corporelles depuis l'Antiquité. C'est également celui sur lequel s'appuie l'imaginaire physiologique féminin de la consubstantialité qui m'intéresse ici. Toutes les substances en lien avec le corps, qu'elles soient destinées à combattre, soigner, épurer, équilibrer, régler ou nourrir, s'établissent suivant ces qualités, en jouant du chaud, du froid, de l'humide ou du sec selon les deux grands principes de la médecine classique : le traitement par le contraire (antinomie des substances) ou celui par le même (analogie des substances). Le traitement par le contraire (*contraria contrariis curantur*) préconise un traitement du chaud par le froid et du sec par l'humide, pendant que le traitement par le même (*simili similibus curantur*) préconise son symétrique, traiter le froid par le froid ou le sec par le sec.

Ces deux principes thérapeutiques trouvent bien sûr un prolongement dans le soin cosmétique de deux manières spécifiques : les procédés antinomiques lui serviront ainsi à soigner et à nettoyer la peau pendant que les procédés analogiques lui serviront à la nourrir, à la fortifier et à l'enrichir. Le premier fait appel à des substances dont les représentations peuvent être du côté du « contraire », notamment en ce qu'elles peuvent se réclamer du chaud et sec (les crèmes « échauffantes », les produits astringents pour sécher les boutons ou encore les patchs anti-points noirs en sont de bons exemples). Le second fait en revanche appel aux substances tournées vers le froid et l'humide (crèmes rafraîchissantes ou émollientes, eau, dérivés lactés, etc.), principe de consubstantialité que j'évoquais à propos du lait, du sang et, dans une moindre mesure, de l'eau, et qui joue de la mise en présence de l'imaginaire de substances directement associé à l'imaginaire physiologique du corps : lait sur lait, chair sur chair. C'est évidemment en vertu de ce principe que nombre de substances valorisées dans les cosmétiques le sont en fonction de l'imaginaire de la « fraîcheur », terme particulièrement présent aujourd'hui dans l'univers des cosmétiques et qui renvoie à un féminin froid et humide, alors que les quelques produits de beauté pour homme timidement apparus sur le marché il y a une dizaine d'années se réclament d'une rhétorique centrée sur la stimulation ou la protection davantage que sur la fraîcheur ou l'hydratation, même si le résultat en termes de produits est similaire. L'emballage suit également la même partition, comme la couleur des conditionnements des lignes Vichy, blanc pour les femmes et rouge pour les hommes.

C'est également ce même principe qui est à l'origine d'une analogie conceptuelle qui, au-delà des substances, opère par la forme de la préparation, par l'appellation ou encore par le nom et par l'image. On retrouve notamment dans cette catégorie l'analogie entre blancheur des produits et couleur théorique de la peau ; la relation directe entre dénomination générique du produit – « laits » cosmétiques par exemple – et texture, là encore théorique, de la peau, ainsi que l'évocation indirecte par la mise en discours du produit lui-même, dans son appellation commerciale ou dans l'image qui en est présentée, telles les références multiples à l'eau qu'opèrent les produits destinés à l'hydratation. On le voit, les substances du féminin répondent de manière logique à cet imaginaire physiologique « historique » du corps de la femme. Mais quel que soit par ailleurs la manière dont ils sont exploités, la permanence de ces modèles est un phénomène absolument frappant. Ce qu'il faut relever ici, c'est le développement relativement paradoxal du soin de beauté contemporain : les produits et préparations se réclament de plus en plus d'une technologie sophistiquée alors même que le discours marketing qui les entoure obéit sans forcément le savoir à des systèmes de représentations relativement anciens, passablement archaïques et, en tout cas, remarquablement invariants. Même à l'intérieur de l'évolution nécessaire des discours, probablement autant liée à l'évolution de l'offre qu'à celle de la mode, les principes majeurs sur lesquels le discours commercial du soin de beauté s'appuie sont passablement traditionnels et, il faut bien le dire, d'une remarquable obéissance aux modèles qui les ont précédés. Une histoire du cosmétique pourrait très facilement, on le voit, se doubler d'une « histoire immobile » des discours liés au soin de beauté.

2 – *Des maladies des femmes*

Ce qui caractérise le corps féminin, tout autant que les substances qui lui sont associées, c'est son fonctionnement, et à l'intérieur de son fonctionnement, c'est évidemment sa spécificité biologique, c'est-à-dire la physiologie de la fécondité, de la sexualité à la maternité. Il ne faudra pas s'étonner si, dans le chapitre qui suit, sexualité et fécondité sont observées sous l'angle de la pathologie : dans toute l'histoire du « sexe faible », on l'a vu, être femme c'est être fragile, et l'ensemble du regard que la culture porte sur la femme est, comme je l'ai déjà évoqué, un regard inquiet. *Des maladies des femmes*, et ce n'est pas un hasard, est par ailleurs le titre de l'ouvrage que le corpus hippocratique consacre à la femme : la physiologie de la femme pour la médecine classique est avant tout une pathologie, et une pathologie, on va le voir, essentiellement centrée autour de son ventre, de son fonctionnement comme de ses dysfonctionnements. Le début de ce chapitre reprend les pathologies « historiques » que la pensée médicale attribue aux femmes, l'hystérie particulièrement, pathologies certes largement rangées aujourd'hui au rayon des archaïsmes mais dont la présentation, au-delà de l'anecdote, est utile pour comprendre certains des principes qui sous-tendent les maux contemporains qui font l'objet de la fin de ce chapitre. Des maux contemporains centrés autour de la sexualité et de l'alimentation et qui, de la même façon, ramènent l'imaginaire physiologique féminin vers le ventre de la femme.

Car le point central de la femme pour la culture, c'est son ventre. Dans le plus célèbre des traités de chirurgie de la Renaissance, le *De corporis humanis fabrica* de Vésale, le frontispice de l'édition originale montre Vésale en train d'opérer une dissection sur un corps qui occupe le centre de l'image. Du doigt, il indique aux spectateurs ce qu'il est en train de mettre au jour : le corps est celui d'une femme, et l'organe que désigne Vésale, c'est son utérus. L'identité corporelle féminine s'articule historiquement autour des repères physiologiques que sont les règles et l'utérus. Ils sont les deux points de départ autour desquels se déploient toutes les anciennes représentations qui ont tenté de circonscrire le corps de la femme. Ce trait se comprend d'autant mieux que ce sont, avec le couple seins-lait déjà évoqué, les deux manifestations les plus immédiates de « l'identité biologique » féminine. On peut supposer que, dans l'ensemble des sociétés, le fait de « penser » les manifestations biologiques de la féminité – les pertes de sang mensuelles et l'enfantement – ait été une des premières manifestations de la nécessaire « pensée de la différence ». On le mesure d'autant mieux que règles et utérus, dans le cadre plus strict de la pensée médicale occidentale qui m'occupe ici, ont donné lieu à une littérature abondante, riche de contradictions, et en tout cas au centre même du regard biologique que l'homme a toujours posé sur le corps de la femme[40].

Les règles : « le mauvais sang »

Le cycle menstruel participe largement de l'image traditionnelle de faiblesse de la femme. Qualifiées de « plaie » (au double sens du terme), d'épreuve, de souffrance, les règles sont au centre de ce discours de faiblesse maladive qui entoure la femme. Comme Michelet à propos de la « blessure d'amour », la pensée médicale s'est le plus souvent attachée à décrire les règles comme une fatalité attachée à la condition féminine. Un auteur, femme elle-même, pouvait ainsi déclarer : « Il y a, pour la femme, une grande consolation en perspective lorsqu'elle avance sur le chemin de la vie : c'est que, à partir de quarante à cinquante ans, elle peut espérer voir cesser *l'épreuve féminine*[41]. » Décrire la ménopause comme un soulagement est certes un discours rare, particulièrement aujourd'hui, mais il n'en reste pas moins que cette représentation « fragilisante » des règles reste bien entière, non sans raison il est vrai : « A l'âge de la puberté, on a toutes rêvé d'accélérer le temps pour devenir très vite une femme. Une fois que l'on y est, on se rend compte que les problèmes commencent et que ce n'est pas si drôle que ça », déclarait *Réponse à tout Santé* en décembre 1997. Les règles restent encore largement représentées comme une accession douloureuse, une sorte de prix à payer pour la féminité et pour la maternité.

Dans la médecine classique, elles sont considérées par les médecins comme une « purgation naturelle des humeurs ». Elément premier du diagnostic, leur bon écoulement est considéré comme un signe de parfaite santé, « car ordinairement, si tôt qu'une femme tombe malade, cette évacuation est soupçonnée d'être la cause du mal, soit qu'elle soit trop grande ou supprimée, ou qu'elle paraisse hors de saison. C'est pourquoi les femmes doivent bien soigner d'être toujours bien réglées tous les mois[42] ». Leurs dérèglements (au sens propre) sont au centre même des différents *Traités des maladies des femmes* qu'ont connu l'Antiquité et l'âge classique. Pour la médecine ancienne, les règles sont l'évacuation naturelle d'une superfluité humorale dont les femmes doivent se débarrasser régulièrement. Sorte de saignée naturelle, qualifiées par Bordeu de « vraie épuration des humeurs[43] », elles sont le moyen par lequel la femme se purge et ne sont, pour la pensée médicale classique, que peu liée à la génération. On considérait seulement que cette purgation mettait la matrice dans une disposition favorable à la fécondation en la purifiant et que le moment qui suivait immédiatement les règles était le meilleur pour enfanter. Cette purgation des humeurs chez les femmes trouvait même son symétrique, puisque les hommes étaient réputés évacuer les leurs par des saignements de nez. Cette symétrie entre règles féminines et saignements de nez masculins se retrouve à intervalles réguliers dans la pensée médicale, plaçant ainsi les règles dans le registre de l'épuration et le sang menstruel dans le registre de l'excrément. Car si les femmes expulsent leurs résidus par les menstrues, cela veut dire aussi qu'elles en sont pleines : les interprétations que la culture tire des règles est certainement pour beaucoup dans le renforcement d'un discours d'impureté qui s'est depuis toujours attaché à la femme.

Pour les physiologies de la femme de la fin du XVIIIe siècle, les règles, toujours considérées comme une évacuation des humeurs, ont même pu être considérées non comme un phénomène naturel, mais comme un produit de la civilisation, un résultat de la culture. A partir de constatations de naturalistes déclarant que les femelles des mammifères n'ont pas de règles, et de certaines relations de voyage décrivant des peuples chez lesquels les femmes ne les connaîtraient pas – les Brésiliennes notamment –, la biologie « finaliste » des Lumières met en exergue l'idée que, puisque la nature (les animaux, les « sauvages ») ne connaît pas les règles, c'est donc qu'elles sont un produit de la civilisation. Il en est ainsi chez Roussel pour qui « bien loin d'être une institution naturelle, [les règles] sont au contraire un besoin factice contracté dans l'état social ». Elles seraient issues d'une habitude culturelle de gloutonnerie induisant des états pléthoriques, dont l'homme se purgerait de son côté par des saignements spontanés de divers organes et la femme par les règles. Les femmes, par nature sédentaires et inactives, seraient plus que les hommes sujettes à cette pléthore, et incapables de s'en séparer. Elles sont selon lui devenues une disposition naturelle de la femme, en fonction de la dégénérescence des espèces : « Ainsi l'évacuation menstruelle, une fois introduite dans l'espèce humaine, se sera communiquée par une filiation ininterrompue ; de sorte qu'on peut dire qu'une femme a maintenant les règles, par la seule raison que sa mère les a eues, comme elle aurait été phtisique peut-être si sa mère l'eût été. » Les règles sont une « maladie héréditaire », et dont on ne guérit pas puisque, quand elles cessent, on en éprouve « des regorgements et des congestions d'humeurs, et des affections telles que des maux de tête opiniâtres, la phtisie, l'affection hystérique ou hypocondriaque, la colique, le calcul, la goutte et un grand nombre d'autres maladies dont le flux menstruel, bien établi et bien ordonné, exempte les femmes »[44]. Ce texte, certes un peu extrême, n'est pas un cas isolé. Si les progrès rapides que fait la fin du XVIIIe siècle dans la compréhension des mécanismes de la génération empêcheront cette théorie de se développer davantage, l'association entre règles et culture traversera tout le XIXe siècle sous d'autres formes. Traçant un lien curieux entre éducation et règles, nombre de médecins affirmeront ainsi qu'elles arrivent plus tôt aux filles qui sont éduquées, à 14 ans pour Paris contre 17, voire 18 à la campagne[45]. De la même façon, Michelet écrit « qu'une Française de quinze ans est aussi développée pour le sexe et pour l'amour qu'une Anglaise de dix-huit. Cela tient essentiellement à l'éducation catholique et à la confession qui avance tellement les filles. La musique, cultivée si assidûment chez nous, a encore une grande action[46] ».

Des dérèglements des menstrues la médecine fait grand cas : tous les traités des maladies des femmes sont attentifs à l'écoulement des règles et voient dans leur abondance ou dans leur raréfaction autant de signes de maladies également « culturelles ». L'une d'entre elles retiendra particulièrement l'attention de la médecine classique, la chlorosis. Produit de la civilisation, la chlorosis est, pour la médecine du XVIIIe siècle, une maladie d'apparition récente (certains traités lui donnent 200 ans), occasionnée par des conditions de vie modernes particulièrement nocives à la femme. Elle touche essentiellement les jeunes filles qu'elle affecte par une raréfaction (voire une interruption) de l'écoulement menstruel. Les symptômes en sont : perte de goût pour les aliments ordinaires et appétit dépravé, pouls rapide et fiévreux, somnolence, jambes lourdes, « enfin, la couleur du visage se flétrit, et la vivacité du teint s'efface ; les malades deviennent pâles, plombées, couleur de cire ou de suif, et quelquefois même d'un jaune feuille-morte tirant sur le vert ou sur le noir[47] ». Egalement dénommée *morbus virgineus*, ou *febris pallida*, cette maladie est associée aux femmes ayant « une constitution molle et délicate, une vie sédentaire, des lectures lascives et des amours malheureux[48] ». Une maladie exemplaire qui relie les affections de matrice de l'Antiquité aux vapeurs du XVIIIe siècle puis aux nerfs du

XIXe siècle, et par là directement à l'hystérie. Mais une maladie qui relie surtout les trois regards principaux que la culture scientifique porte sur la femme : mode de vie féminin, processus biologique et relation entre culture et évolution. Quels que soient les noms qu'ils aient portés, les désordres qui affectent les règles sont généralement représentés en rapport aux passions relevant en cela, au-delà du strict processus biologique, d'une « maladie de l'âme », à l'intérieur bien sûr d'une représentation de l'âme féminine plus « animale » que celle de l'homme, et étroitement liée au processus biologique féminin.

Mais le système de représentation majeur qui préside aux règles est leur association avec le mal, le mauvais, la maladie. Historiquement considéré comme impur, puisque résultant d'une purgation excrémentielle, le sang menstruel est un « mauvais sang », et il faudra attendre le XIXe siècle pour qu'il soit analysé et déclaré identique au sang contenu dans le corps. Substance ambivalente, il est utilisé comme médicament et comme poison, en vertu de l'usage homéopathique que la pharmacopée classique faisait des poisons, procédé de guérison du mal par le mal sur le même principe que la thériaque, médicament à base de venin de vipère. Le sang menstruel est probablement pour beaucoup dans la construction de cette représentation de la femme porteuse du mal et de la maladie, de la femme qui « abonde en excréments, et qu'à cause de ses fleurs, elle rend une mauvaise senteur[49] ». C'est cette association entre sang menstruel et poison qui est évidemment à l'origine de l'interdit biblique de rapports sexuels pendant les règles (Lévitique, XVIII, 19), superstition que partageaient également les Romains et que l'on trouve notamment chez Pline l'Ancien.

Les malédictions attachées au sang menstruel sont particulièrement nombreuses. Ainsi, toujours selon Pline, le sang menstruel fait avorter : une femme réglée peut faire avorter une jument en la touchant ou une autre femme en l'enjambant. Avec du sang menstruel, les abeilles s'enfuient et les fourmis arrêtent leur travail. Pour se débarrasser d'insectes, il suffit d'organiser des promenades de femmes réglées nues ou ayant retroussé leur robe. Les chiens contractent la rage en buvant du sang menstruel, les plantes dépérissent, les couleurs et les miroirs ternissent, divers phénomènes naturels (tempêtes, grêles) peuvent être stoppés par une femme réglée qui s'y oppose. Ce qui est frappant, dans l'ensemble de ces phénomènes, c'est leur rapport relativement constant à l'eau. Il y a une sorte d'incompatibilité de nature entre l'eau et le sang menstruel, de la même façon qu'entre l'eau et le sang « pur », principes opposés, comme on l'a vu pour le sang et le lait, en vertu des relations entre chaud/froid et humide/sec. Ainsi, il semble que la femme réglée *dessèche* ce qu'elle touche : elle repousse l'eau et les tempêtes, elle communique la rage (*hydrophobia*) aux chiens, Pline recommande de ne pas effectuer les « promenades insecticides » au lever du soleil afin de ne pas brûler la végétation, les plantes fanent, etc. Résolument tournées vers le chaud et sec, les règles sont *hydrophobiques*.

L'utérus : l'animal imprévisible

L'utérus est l'autre fait physiologique féminin qui a fasciné, peut-être plus encore que les règles, la pensée médicale classique. Pour la médecine hippocratique, la matrice est un organe qui est indépendant de la femme, qu'elle ne régit pas et qui aurait plutôt tendance, au contraire, à avoir de l'emprise sur elle : organe qui « se meut en effet de lui-même [...] un être vivant dans un être vivant[50] », la matrice est un « animal dans l'animal ». Cette représentation d'un utérus « vivant » et autonome est largement à l'origine de la fascination qu'exercera cet organe pendant toute l'histoire de la pensée médicale et jusqu'à une date très récente. Centre de la femme, l'utérus est l'organe vers lequel tout converge, centre géographique de la femme, mais aussi nerveux, fonctionnel et animal. Assimilant plus étroitement encore la femme à un animal, la présence de cet organe « vivant » est ce qui donne à la femme son animalité même, mais animalité ici au sens d'*anima*, c'est-à-dire d'âme. Ce par quoi la femme agit, bouge, pense, c'est son ventre : « La femme porte au-dedans d'elle-même un organe susceptible de spasmes terribles, disposant d'elle et suscitant dans son imagination des fantômes de toute espèce.[...] C'est de l'organe propre à son sexe que partent toutes ses idées extraordinaires[51]. » *Tota mulier in utero*, « toute la femme dans l'utérus ».

Cet animal au centre de la femme est censé être à l'origine d'un ensemble de comportements changeants, réputés « féminins », que la pensée médicale s'est toujours plu à qualifier d'erratiques. De ce qu'elle est soumise à un cycle biologique, par métonymie pure et simple, la femme en est arrivée à incarner elle-même l'idée de cycle. La femme, comme la lune, est l'incarnation du changement là où l'homme incarne la stabilité – *souvent femme varie, bien fol est qui s'y fie*. A partir de cette lecture se développe un discours généralisé sur l'inconstance et la variabilité féminine. Puisqu'elles sont « plus sensibles à l'extérieur, en proie à des sensations locales et plus éphémères, les femmes doivent avoir nécessairement une imagination plus mobile que profonde, des idées plus faciles, plus brillantes que solides, des éclairs de pensée, et rarement cette attention soutenue, cette faculté d'observer et de combiner, enfin cette puissance de méditation qui imprime un plus grand caractère aux différentes opérations de l'esprit ». Elles sont de ce fait « très-vives, faciles à émouvoir, sans cesse occupées par des objets extérieurs, et très-peu susceptibles de ces modifications profondes, de ces ébranlements prolongés que nous appelons *raisonnement, réflexion, méditation* » [52]. Dans cette quête obsédée de la partition symétrique des sexes – la pensée de la différence a pu devenir une « pensée des contraires » – la femme du XIXe siècle est loin du raisonnement, et tout entière du côté de la mobilité. Souvent critiquée par les moralistes, trait « féminin » dont se raille particulièrement la pensée masculine populaire, la variété féminine est l'objet de maintes considérations : « Quelle ample matière que le chapitre des femmes pour parler de la variété. Galantes, médisantes, exigeantes, inconstantes, causeuses, voluptueuses, capricieuses, curieuses, rieuses, pleureuses, artificieuses, fougueuses, joueuses, futiles, indociles, vaines, hautaines, badines, mutines, elles offrent tour à tour, et souvent tout à la fois, le tableau le plus mouvant qu'on puisse voir[53]. »

Avec la fin du XVIIIe siècle, la théorie humorale perd du crédit et les vapeurs se voient peu à peu remplacées par les nerfs. On passe en quelques décennies de la lecture d'un corps fluide à un corps mécanique, d'un corps fait d'humeurs à un corps fait de fibres et de nerfs. L'erratisme féminin, de maladie due aux fluides, n'en perdure pas moins en devenant la conséquence d'un système nerveux particulier. Le XIXe siècle sera le siècle de la nervosité de la femme, nervosité qui s'explique pour la médecine de l'époque par une disposition spécifique des tissus qui compense un développement moindre, bien sûr, du système nerveux : « Le tissu cellulaire qui revêt la pulpe nerveuse, ou qui s'insinue dans ses divisions, est plus abondant ; les enveloppes qu'il forme sont plus muqueuses et conséquemment plus humides et plus lâches. Les mouvements, par suite nécessaires de cette disposition, s'y opèrent d'une manière plus facile et en même temps plus prompte. Ils s'y font d'une manière plus vive, tant à cause du défaut d'énergie vitale des fibres musculaires et des vaisseaux, que par rapport à la brièveté de toute la stature. Ainsi, tandis que chez l'homme, c'est le développement effectif du système nerveux qui est la mesure de la sensibilité, chez la femme c'est la faiblesse relative des autres organes[54]. » Bel exemple de prolongement, au travers d'évolution de la connaissance de la physiologie du corps, des anciennes représentations qui lient la femme à l'humidité et à la mollesse, caractéristiques qui président à la faiblesse des organes et qui font que ses fonctions vitales ne sont soutenues que par le système d'échange : la femme n'est que mouvement – mouvement des humeurs, mouvement des vapeurs, mouvement des nerfs. Cette fascination pour la mobilité nerveuse de la femme est constante depuis la fin du XVIIIe siècle. Il n'est que de se souvenir de l'importance littéraire de la belle agitée, de la femme qui vit par ses nerfs et qui finit par en mourir, de la présidente de Tourvel à Emma Bovary, ou de celle dont la maladie, précisément, développe la sensibilité nerveuse, de Fosca à Marguerite Gauthier : « J'étais trop avancé pour reculer, et d'ailleurs cette fille me bouleversait. Ce mélange de gaieté, de tristesse, de candeur, de prostitution, cette maladie même qui devait développer chez elle la sensibilité des impressions comme l'irritabilité des nerfs, tout me faisait comprendre que si, dès la première fois, je ne prenais pas d'empire sur cette nature oublieuse et légère, elle était perdue pour moi[55]. »

Cette représentation de la femme reste encore largement présente aujourd'hui. Même si le discours populaire en a perdu les fondements médicaux, l'idée que la femme est du côté de la mobilité et du changement reste profondément enracinée dans une grande partie du discours contemporain. Même si l'expression scientifique d'une « instabilité féminine » n'a évidemment plus cours aujourd'hui, l'association entre femme et variabilité continue de s'exprimer dans certaines représentations stéréotypées que peuvent véhiculer, entre autres, les médias et la publicité. La rhétorique publicitaire, particulièrement, excelle dans ce recyclage d'anciens schémas comportementaux liés à la variabilité féminine, ne serait-ce que par la mise en scène de situations dans lesquelles la femme passe très rapidement d'un état émotionnel à un autre, ou encore dans celles où elle incarne des traits de caractère traditionnellement attachés à ces représentations de la féminité : caprices, sautes d'humeur, excentricité, nervosité, etc. C'est Erving Goffman qui avait observé que « les femmes des publicités, plus que les hommes, ont tendance à se retirer de la situation sociale qui les entoure, du fait, entre autres, de leurs réactions émotionnelles[56] ». Du fait également de ce que les sentiments de la femme ne durent pas et que ce retrait de la situation sociale n'est peut-être qu'une des expressions d'un caractère qui vit dans l'instant, et dont l'évolution se fait au gré des « réactions émotionnelles » et non de la pensée.

Les dérèglements de cet organe central de la femme sont tenus pour l'origine d'une longue série de maladies : le mal d'amour, les langueurs, les vapeurs, la nervosité, la fureur utérine, la nymphomanie ou l'hystérie ne sont que les différentes projections (et différentes elles-mêmes suivant le moment de leur histoire respective) d'une même fascination, celle de la femme sujette d'elle-même, de son ventre, on pourrait presque dire *victime de sa féminité*. Maladie fréquemment décrite d'Hippocrate au XVIIe siècle, la « suffocation de matrice » est la conséquence d'un utérus qui se déplace de manière erratique dans le corps (tout comme le ferait un animal), venant à obstruer quelque fonction vitale en exerçant une pression. Le dérèglement de matrice trouvera chez Galien une autre interprétation. Pour lui, ce n'est pas tant la matrice elle-même qui est responsable de ces maladies que la semence féminine, sa trop forte rétention ou son trop fort écoulement, théorie qui rejoint celles évoquées ci-dessus à propos du dérèglement des menstrues. Ces deux théories d'explication des maladies des femmes – mouvements de l'utérus d'une part, dérèglement des humeurs d'autre part – vont perdurer pendant toute l'histoire de la médecine, se côtoyant souvent, se superposant parfois à l'intérieur des théories médicales qui prendront en charge la sexualité de la femme. Mon propos n'est pas ici de développer différentes définitions de l'hystérie qui ont été analysées par ailleurs[57]. Je voudrais seulement en développer un des traits marquants : le rapport à la sexualité. Ou plus exactement l'assimilation, encore une fois fortement marquée, de la femme à son corps et de ses maladies à son ventre, même (et surtout) lorsqu'il s'agit de considérer des manifestations d'ordre essentiellement psychologique.

Historiquement, le lien est, de manière constante, considéré direct entre hystérie et sexualité féminine, et le dérèglement de la matrice n'est que la conséquence d'un dérèglement de sa sexualité : « Si les femmes ont des rapports avec les hommes, elles sont mieux portantes ; sinon, moins bien. C'est que, d'une part, la matrice dans le coït devient humide et non sèche ; or, quand elle est sèche, elle se contracte violemment et plus qu'il ne convient; et en se contractant violemment, elle fait souffrir le corps. D'autre part, le coït en échauffant et en humectant le sang rend la voie plus facile pour les règles; or, quand les règles ne coulent pas, les femmes deviennent malades[58]. » Quelle qu'ait pu être, suivant les époques, la manière dont est justifié ce lien, l'hystérie et tous ses dérivés sont implicitement ou explicitement reliés à la sexualité féminine. Au XIXe siècle, moment pendant lequel « il n'est guère de maladie ou de trouble physique auquel n'ait [été] imaginé une part au moins d'étiologie sexuelle[59] », il est devenu naturel d'expliquer la totalité des troubles de la femme par l'état de ses organes génitaux et d'ainsi considérer que, si le siège de l'agitation résidait dans les organes sexuels, une action directe sur eux pouvait ainsi apporter, de manière préventive, un traitement efficace contre l'hystérie et les troubles nerveux.

Conséquence directe de cette prise de position active à l'encontre de la sexualité féminine, la médecine du XIXe siècle appliquera deux « remèdes » radicaux : l'ovariectomie et la clitoridectomie. L'ovariectomie « normale », ainsi qualifiée de ce qu'elle s'effectuait sur des organes sains, se répand dans les années 1870 aux Etats-Unis. Destinée au préalable à provoquer une ménopause artificielle ou à traiter des troubles de la menstruation, l'ovariectomie fut très rapidement appliquée au cas des maladies nerveuses. Dans les années 1880, les progrès de l'anesthésie et de l'asepsie permirent à l'ovariectomie un fort développement, de l'ordre probable de plusieurs dizaines de milliers de femmes. On la critique même à l'époque comme un véritable phénomène de mode, certaines femmes de la bonne société se précipitant sur cette opération dans le seul but de prévenir d'éventuels troubles gynécologiques futurs. A la même époque, en Angleterre, Isaac Baker Brown, chirurgien gynécologue, président de la Medical Society of London à partir de 1865 et fondateur du London Home for Surgical Diseases of Women, fut un ardent défenseur de la clitoridectomie comme traitement chirurgical de l'hystérie. Il se base pour cela sur la théorie physiologique du Dr Brown-Séquard qui faisait de « l'excitation des nerfs périphériques » – en d'autres termes, la masturbation – la cause des lésions du système nerveux central. Il s'agissait ainsi de soigner celles qui, une fois encore, échappent au contrôle d'elles-mêmes et deviennent les jouets de cet animal qui sommeille dans leur ventre[60].

Un regard médical qui met l'emphase sur « l'envahissement sexuel » et qui cherche avant tout à libérer la femme de sa sexualité, à lui permettre de dominer son ventre, à tuer (ou à tout le moins contraindre) l'animal qui sommeille en elle. En écrivant le terme libérer, je me rends compte que c'est le terme même qui servit de drapeau au mouvement féministe quand il s'est attaqué à la question de la sexualité. Et si cette collision sémantique n'était pas que le fait du hasard et que libérer la femme *par* la sexualité n'était au fond qu'un des prolongements d'un XIXe siècle qui cherchait à la libérer *de* la sexualité ? Comme si, avant tout, il s'agissait moins de réprimer ou de libérer que de *faire avec* un envahissement sexuel d'autant plus incoercible qu'il serait structurellement attaché à la définition même de la féminité. Que l'on tue l'animal ou que l'on cherche à l'apprivoiser en le contentant peut être analysé comme deux manières distinctes, mais aussi péremptoires l'une que l'autre, d'enjoindre la femme à « dominer son ventre ». Cette nécessité perdure largement aujourd'hui dans le discours, mais dans sa forme positive, le mot d'ordre étant de *vivre* sa sexualité pour la dominer et non plus de la contraindre. Une forme qui semble là encore plus mature mais qui n'en recèle pas moins d'identiques replis répressifs. A l'instar de l'ancienne étiologie de l'hystérie fondée sur le dessèchement consécutif à la privation sexuelle, la notion « d'engorgement sexuel », et tous les troubles qui peuvent en résulter, restent largement vivaces dans le regard que la culture contemporaine porte sur la sexualité féminine.

La « continence pathogène »

Le XXe siècle a ainsi prolongé cette forme de pathologie qui fait du désir sexuel retenu un agent de troubles et de malaises, un imaginaire de la « contenance malsaine » qui s'appuie évidemment sur la longue tradition des étiologies de l'hystérie centrées sur l'insuffisance de rapports sexuels. La « femme sans homme » est une femme dont le processus biologique ne saurait s'opérer de manière harmonieuse. Le débat a longtemps été nourri dans la médecine classique sur les avantages et les inconvénients de la virginité chez les jeunes filles et, dans la plupart des discours médicaux, elle a généralement été considérée comme un état propice à toutes les maladies même si elle était simultanément valorisée chez les moralistes. De la même manière, cet état est encore plus suspecté dès qu'il s'agit de la continence de la femme adulte, qu'elle soit non mariée ou religieuse, considérations qui rejoignent souvent celles attribuées aux veuves, bref de la femme qui, quand elle est « délaissée par les hommes, tombe dans un état de souffrance dont une foule de maladies peuvent être la suite[61] ». L'abstinence forcée des femmes n'a jamais été considérée comme un état sain et le modèle de la « virginité pathogène » – devenu le modèle de la « continence pathogène » – reste au centre du discours.

Ce modèle médical trouve à notre époque un prolongement aussi précis que marqué qui s'inscrit dans le droit-fil de cet imaginaire de la sexualité inassouvie. La femme sans homme est depuis toujours une femme *déréglée*. Déréglée physiquement et mentalement, elle est condamnée à de nombreux désagréments nerveux et moraux : c'est la fameuse « mal baisée » qui hante largement l'imaginaire contemporain, celle à qui il est « impossible de connaître la quiétude et le bonheur qui appartiennent aux femmes érotiquement comblées. Sans cette libération orgasmique, la femme est la proie de tensions plus ou moins conscientes fort préjudiciables pour sa santé et son esthétique[62] ». Faire marcher son corps, c'est faire marcher sa féminité, et faire marcher sa féminité, c'est faire marcher sa sexualité : « Ceux qui méprisent l'acte sexuel, n'y prennent pas plaisir, ne s'y livrent pas ou peu, vieillissent prématurément.[...] C'est un acte obligatoire puisqu'il permet le fonctionnement normal de glandes dont l'importance aujourd'hui n'est plus contestable[63]. » Une sexualité dont l'accomplissement est régulièrement décrit dans la presse de santé comme un épanouissement du corps et dont la privation est réputée entraîner des troubles physiques : « Pour être en forme, il faut faire l'amour... mais le faire bien ! Pas question d'accéder au septième ciel en deux minutes. Les sexologues sont formels, ceux et celles qui se satisfont de pâles galipettes ou qui préfèrent l'abstinence risquent à terme de souffrir de frustration, d'agressivité[64]. » Frustration et agressivité, l'abstinence sexuelle peut provoquer des états psychologiques mais peut également être à l'origine de maladies et de dérèglements du corps. On risque ainsi « déprime, amaigrissement ou kilos en trop, insomnie, ulcères, troubles urinaires et même maladies de peau... Souvent des maux inexpliqués viennent du manque de câlins [...] Quand le corps se sent privé, trop “ en manque ”, il se manifeste. On pourrait même dire qu'il parle. Et on peut développer du psoriasis, de l'urticaire ou de l'eczéma, comme si les plaques rouges qui naissent sur le corps disaient que la peau manque de caresses, et indiquaient l'endroit de ce besoin[65] ». Une activité sexuelle représentée comme hygiénique : il faut éliminer sa pulsion sexuelle sous peine de la voir s'accumuler sous la peau et se transformer en maladies éruptives ou, pire encore, en maladies cancéreuses. L'évacuation du désir devient une prophylaxie possible contre les maladies de « l'engorgement somatique » dont le cancer est probablement un des meilleurs exemples. Une sexualité hygiénique et prophylactique qui est aujourd'hui une des réponses à ce champ pathologique de l'engorgement du désir, là où son absence est tout entière du côté du malsain.

Cette dialectique de la sexualité hygiénique s'établit évidemment en rapport avec le modèle du corps accompli. La sexualité saine concourt au dépassement de soi dans toutes ses dimensions, un dépassement lui-même porteur de nouvelles performances, physiques comme mentales. Mais plus encore que de puissance physique, une sexualité épanouie est la meilleure garantie de puissance « mentale ». En 1996 paraissait aux Etats-Unis un ouvrage intitulé *The Power of Beauty* dans lequel l'auteur développait les théories d'une sexualité postféministe, c'est-à-dire ayant selon elle réconcilié domination et séduction. L'orgasme y était présenté comme la clef de voûte de l'accomplissement d'une féminité triomphante. Elle y décrivait comment, rentrant dans un restaurant après une séance de « *great sex* », elle réalisait au travers de l'attitude du maître d'hôtel, des serveurs et de la salle tout entière son « *postorgasmic power* ». Selon elle, il conviendrait d'éduquer les femmes à « rayonner postorgasmiquement sur le monde. Imaginez si toutes les femmes étaient plus à même de prendre un vrai plaisir au sexe : quel élan, quel bonheur, quel rêve » – femme et sexualité se superposent dans le modèle du corps accompli[66]. Certes, cette formulation, assez représentative d'un certain discours féministe américain, n'arrive pas de la même façon en Europe, mais il ne faudrait pas pour autant croire que nous n'en subissons pas les mêmes composantes. J'en veux pour preuve les titres réguliers sur la sexualité qu'affichent toujours en couverture la plupart des magazines féminins, particulièrement ceux ciblés sur une clientèle jeune, qui présentent un nombre infini d'intitulés du genre : « faire l'amour plus souvent », « mieux faire l'amour », « atteindre l'orgasme », « vivre ses fantasmes ». Hors la simple constatation que le sexe fait vendre, il semble que la récurrence de ces messages ne traduise également une angoisse physiologique face à l'insatisfaction sexuelle, que celle-ci soit quantitative (« Faites-vous assez l'amour ? ») ou qualitative (« Les façons les plus chaudes de faire l'amour »). L'autre pléthore contemporaine, c'est la frustration sexuelle, la pléthore du désir inassouvi qui engorge l'âme et le corps.

Mais jusqu'où cet orgasme médiatisé, devenu le prix à payer pour l'accomplissement de la féminité, est-il réputé accessible ? Le plaisir féminin fait depuis toujours l'objet d'un imaginaire particulier et a donné lieu à une littérature passablement imaginative. Là où le plaisir masculin est généralement représenté comme une simple « mécanique », l'orgasme féminin est sempiternellement décrit comme relevant d'un processus à la fois riche et complexe, et ce dans plusieurs dimensions. Son intensité d'abord : tout un courant un peu fantasmatique donne une suprématie absolue au plaisir féminin. C'est par exemple l'histoire de Tirésias qui, transformé en femme pendant sept ans après avoir troublé l'accouplement de deux serpents, déclare après avoir repris sa forme d'homme que c'est en tant que femme que les plaisirs de Vénus sont les plus intenses[67]. Et c'est encore la même notion qui fait apprécier de l'intensité respective des plaisirs par la comparaison des temps respectifs d'accès à l'orgasme pour les femmes et les hommes, celui des femmes étant décrit comme plus long, et surtout susceptible de reprises et d'enchaînement, une sorte de rêve de « l'orgasme sans fin[68] ». Mais ce qui est surtout frappant dans tous les discours sur le plaisir féminin, c'est la manière systématique dont il est représenté comme complexe, difficile d'accès, *mystérieux*, et ce quel que soit celui qui parle, homme ou femme. Le terme mystère est probablement celui qui, dans l'imaginaire du plaisir sexuel, « raconte » le mieux l'orgasme féminin, plaisir réputé insaisissable et dont trois thèmes au moins me paraissent caractéristiques :

1. L'orgasme féminin est régulièrement décrit comme difficile d'accès. Une enquête américaine donnait récemment un chiffre de 30 % seulement de femmes déclarant atteindre régulièrement l'orgasme et de 29 % déclarant n'avoir « jamais joui durant leurs rapports amoureux[69] ». Quel que soit le fond de vérité de ces chiffres, sans parler des variations qu'ils connaissent d'une enquête à l'autre, il n'en reste pas moins que leur répétition (assez intensive au demeurant) contribue à renforcer une représentation quelque peu dramatisée de la frigidité. La répétition de cette « incapacité au

plaisir », invariant des discours sur la femme, a contribué à ancrer une image qui est probablement largement plus présente dans les esprits que dans les corps. Il serait au passage intéressant de s'interroger sur les raisons culturelles qui font régulièrement attribuer à la femme cette incapacité à jouir. Peut-être doit-on y voir un prolongement d'un regard, commun à nombre de cultures, qui veut n'associer le plaisir qu'à la sexualité active ? Je crois surtout qu'il faut y voir l'image d'une inhabileté fondamentale, quelque chose comme l'idée que la femme serait à éduquer sexuellement (et par l'homme, cela va sans dire). Je crois assez possible de penser que le discours sur l'accès au plaisir féminin tend à induire l'image d'une femme qui peut jouir mais qui, simplement, *ne sait pas*. Il s'agira alors, selon cette publicité américaine pour une cassette vidéo d'éducation sexuelle destinée à des femmes et justement intitulée *Becoming Orgasmic*, de « passer en revue les raisons psychologiques qui peuvent expliquer pourquoi certaines femmes ont des difficultés à atteindre l'orgasme du fait de leur éducation, de préjugés moraux ou de leur ignorance de la masturbation ». La femme doit *apprendre à jouir*, apprentissage dont bien sûr l'homme ne saurait avoir besoin.

2. Les lieux du plaisir féminin sont décrits comme multiples. Le « comment jouit-elle ? » se double la plupart du temps d'un « où jouit-elle ? » A l'alchimie du plaisir féminin s'ajoute une représentation cartographique du plaisir, certes commune aux deux sexes mais toujours décrite de manière nettement plus complexe pour la femme. « Clitoridien ou vaginal, point G ou point d'interrogation[70] », le lieu du plaisir féminin est représenté de manière multiple, renvoyant son orgasme un petit peu plus dans la sphère du mystérieux. Car si le lieu du plaisir masculin ne pose de question à personne, le lieu du plaisir féminin est mouvant, difficile d'accès et relève du caché. Le débat journalistique nourri au début des années 80 à propos du célèbre « point G », ou « zone de Graffenberg » du nom du sexologue l'ayant « découvert », est exemplaire de cet imaginaire du « lieu secret du plaisir » : caché au cœur du corps de la femme, et

de plus caché dans *chaque* femme, puisque supposément placé dans des points du corps à chaque fois différent suivant chacune d'entre elles. Autre lieu du plaisir : le cerveau. Là encore orgasmes féminin et masculin s'opposent radicalement, car « s'il est pour lui mécanique, il sera pour elle une savante alchimie du corps et surtout de l'esprit[71] ». En appuyant la représentation d'un orgasme cérébral, le discours sur la sexualité féminine renforce encore l'idée d'un plaisir multiple situé dans des lieux éclatés.

3. Le plaisir féminin ne se manifeste pas de manière clairement physiologique. Avant même le « par où jouit-elle ? » est souvent apparu le simple « jouit-elle ? » C'est probablement en ce point que la littérature sur le plaisir féminin s'élabore : si la manifestation du plaisir masculin est évidente, celle du plaisir féminin est supposée relever, elle aussi, du caché. L'angoisse de l'orgasme simulé, passablement récurrente dans la littérature sur le sujet, traduit bien cette inquiétude sous-jacente : comment se manifeste le plaisir féminin ? Il s'agit de comprendre les signes qui montrent que « le corps se trahit[72] » et que le plaisir s'affiche. C'est probablement dans cette recherche de la manifestation du désir qu'il faut voir l'origine du mythe de l'éjaculation féminine. Tout un courant de la pensée médicale donne à la femme la possibilité d'éjaculer « tantôt dans la matrice, tantôt au-dehors[73] », imaginaire de la fécondité affichée qui traverse l'histoire de la pensée médicale et qui reste présent aujourd'hui, même si c'est de manière largement souterraine, la vulgarisation médicale ne contribuant pas à ma connaissance à diffuser cette représentation. Pour autant, dans une certaine « tradition orale » liée à la sexualité, ces propos sont encore vivaces. L'éjaculation féminine continue ainsi d'alimenter certains discours sur le plaisir féminin, comme cette bande dessinée des années 80, *L'amour propre*, dans laquelle le personnage masculin, à la recherche des lieux du plaisir chez ses partenaires, trouve chez l'une d'entre elles une mécanique parfaite, cumulant la maîtrise du « point G » et la capacité à éjaculer[74].

Mais quelles que soient les dimensions dans lesquelles elles se déploient, ces différentes représentations liées à l'orgasme féminin s'organisent autour d'un propos essentiel. Qu'il soit situé du côté de l'anorgasmie (le plaisir féminin est naturellement difficile d'accès, la femme doit y être éduquée) ou du côté de l'hyperorgasmie (la femme « vit » son plaisir de manière bien plus intense, elle peut l'exprimer aussi bien et mieux que l'homme), il s'agit toujours de l'éloigner d'une norme médiane, celle du plaisir « mécanique » masculin. Qu'il se situe dans le registre de l'*infra* ou dans celui du *supra*, le plaisir féminin doit, pour le discours qui le représente, échapper à l'entendement. C'est encore et toujours, « le grand mystère de l'orgasme féminin », un mystère dont l'explication se dérobe au fur et à mesure que le discours s'en approche. Un mystère qui place du coup la continence pathogène dans une sphère d'autant plus inquiétante que sa prophylaxie réclame un plaisir difficile d'accès. L'injonction au « tu jouiras » renforce paradoxalement deux discours qui s'opposent et se complètent : il faut jouir sous peine de frustration ou « d'inaccomplissement physique » alors même que la jouissance est réputée difficile, voire impossible à atteindre. Ainsi, comment croire à l'équilibre d'une femme quand elle se voit privée de l'outil même qui lui permettrait l'accomplissement de son corps, le plaisir ?

La « liqueur admirable »

Derrière cet imaginaire de la femme équilibrée parce qu'érotiquement comblée se cache bien évidemment la relation à une substance corporelle qui, certes, ne lui appartient pas, mais qui entretient toutefois avec son corps des relations exemplaires de l'imaginaire physiologique féminin que je développerai en conclusion : le sperme. Historiquement en effet, le sperme est considéré comme participant de l'accomplissement physique de la femme et pas seulement, comme on pourrait le croire, au travers de l'accession à la fécondité. De par le système de représentation auquel il a donné lieu, le sperme est également étroitement associé à l'éducation en vertu d'une équation qui place la matrice en symétrique du cerveau. La médecine classique voit en effet l'origine du sperme dans le cerveau, par assimilation probable entre sa consistance et la matière spermatique. Le sperme, « goutte de cervelle qui contient en soi une vapeur chaude[75] », était supposé descendre le long de la moelle épinière pour être ensuite stocké dans les testicules. Galien, en disséquant un veau, fera une interprétation erronée d'une glande placée à la base de la colonne vertébrale (glande que l'homme ne possède pas), y voyant le passage reliant la moelle épinière à l'appareil génital, permettant ainsi le passage de la semence. Dans l'Antiquité, la connexion entre semence, souffle (*pneuma*) et cerveau est évidente, et de nombreux auteurs de l'âge classique seront formels quant à cette connexion matière spermatique et cerveau[76].

« Liqueur admirable », le sperme est une humeur qui, dans la pensée médicale classique, véhicule un imaginaire de puissance. Sang parfaitement cuit et aéré selon Aristote, le sperme est une liqueur qualifiée de spiritueuse de par sa teneur en esprits animaux : « Elle a la vertu de consolider les parties, et de les nourrir ; elle irrite et stimule toutes les fibres ; elle est la cause de cette odeur fétide qui s'exhale de tous les mâles vigoureux ; elle produit des effets admirables ; elle doit être enfin regardée comme un stimulus particulier de la machine, auquel les médecins n'ont pas regardé d'assez près[77]. » Stimulus du corps, ce qui était décrit comme la « quintessence du sang » a ainsi longtemps été considéré comme un des éléments même de la force vitale de l'homme, élément dont le dessaisissement lors du coït constituait du coup une perte : « L'acte vénérien [...] diminue et abrège beaucoup la vie des jeunes, car il ne profite point aux choses nées mais à celles qui doivent naître, et sèche même les herbes incontinent qu'elles ont produit leur graine[78]. » Ainsi, pour longtemps, l'éjaculation a été assimilée à une *dépense* (l'argot anglais du XIXe siècle ne disait pas *to come* pour jouir, mais *to spend*), mais une dépense qui profite à la femme : une telle puissance ne peut pas ne pas être sans effet sur celle qui s'en abreuve régulièrement.

Ainsi, et jusqu'au XIXe siècle, on considère que la semence, principalement celle reçue lors des premiers rapports, produit un changement radical chez la femme, sa constitution ne pouvant qu'être profondément ébranlée par ce contact avec l'essence même de la masculinité, à la fois chaleur, esprit et mouvement :

> « Le changement de la fille en femme ne consiste pas seulement dans la défloration, dans la rupture de la membrane de l'hymen ; il y a pour toute l'économie une transformation manifeste. Cette vierge pâle et languissante deviendra dégourdie, rubiconde ; sa timidité se changera en mâle assurance. Cette jolie voix argentine et flûtée prendra un ton plus plein et même plus rauque ; cette transpiration douce ou inodore acquiert une odeur qui peut être aperçue par un sens très délicat. La chair des animaux n'a plus la même saveur, la même consistance, le même fumet avant ou après le coït, surtout chez les individus femelles. Il est donc certain que *le sperme masculin imprègne l'organisation de la femme*, qu'il avive toutes ses fonctions, et les réchauffe, qu'il donne plus d'expansion et d'activité à son économie, *qu'elle s'en porte mieux*[79]. »

« Dégourdie, rubiconde, voix rauque, transpiration odorante », cette femme qui change avec l'imprégnation de la semence, c'est une femme qui se réchauffe, qui se masculinise. Ainsi, pour Michelet, « la femme, même très jeune, au bout d'un an ou deux de mariage, prend à la lèvre un léger duvet, imperceptible chez les blondes, mais très frappant chez les brunes. La voix, la démarche, moins féminines, accusent aussi un état nouveau. Mais ce qui est surprenant, et que j'ai observé très souvent, l'écriture change. Celle de la femme se rapproche peu à peu de celle du mari.[...] Même sans fécondation, les rapports du mariage suffisent à la longue à masculiniser la femme ». « Sans fécondation » : ce n'est pas la maternité qui change le corps de la femme, c'est la régulière imprégnation de son corps par la semence masculine. Cette imprégnation n'est pas sans avoir des effets sur la suite même de la conception. Plus loin, Michelet cite à ce propos l'exemple d'une jument qui, ayant copulé avec un âne, ne donne plus par la suite que des « enfants mêlés qui rappellent tristement par le poil ou par la forme que leur mère a dérogé ». Toujours selon cette théorie, il peut arriver que les enfants du deuxième mariage ressemblent au premier mari, tout comme ceux de l'amant peuvent ressembler au mari, non plus par impression psychologique (en vertu des théories de l'imagination des femmes enceintes) mais bel et bien par imprégnation physiologique[80].

Ce qui sous-tend cette logique est encore à trouver dans le rapport chaud/froid. Si la femme se masculinise, c'est que son imprégnation régulière par une substance qui est elle-même d'une parfaite coction, donc idéalement chaude, la réchauffe, lui communiquant un certain nombre de « traits physiologiques » qui sont autant de traits masculins. Mais sexualité et chaleur liées peuvent provoquer chez celles qui abusent du coït des maux sans suite dont la perte de la pudeur n'est pas le moindre. Virey évoque ainsi d'une « jeune fille brune, maigre, de taille courte, d'un caractère très décidé, ardent, loquace et hardi, ayant à peine quatorze ans, peu de gorge, des yeux étincelants et libidineux, manifester l'appétit vénérien le plus effréné devant de jeunes garçons[81] ». Une jeune fille absolument décrite, sinon comme un homme, au moins comme une non-femme : la maigreur brune s'oppose à la rondeur blonde, le caractère décidé à la pudeur féminine, ou encore le peu de gorge à la poitrine généreuse (et nourricière, la nymphomane étant, dans la pensée médicale, parfaitement incompatible avec la mère).

Cette femme atteinte de « fureur utérine » est dans toute l'histoire un sujet d'étonnement et de fascination. Particulièrement de ce qu'il est admis que le phénomène n'est pas exceptionnel et qu'une virginité trop retenue (ou une abstinence, ce qui revient au même), un tempérament sanguin, une alimentation échauffante et une imagination enflammée suffisent à précipiter une femme dans des dérèglements incoercibles, dans des fureurs de matrice, fantasme probable du retour à une animalité primitive, celle de la femme dévoreuse et enfanteresse dont l'image parcourt nombre de mythes et de légendes. Ces femmes paillardes et lascives, celles à qui un « démon secret titille les ovaires, gonflés d'une liqueur luxuriante[82] », restent des objets de fascination, de peur et de désir. « Ogresses du sexe » dont l'impact sur l'imaginaire érotique masculin est loin d'être révolu, notamment dans le cinéma pornographique (tel *Spermula*, titre de film parfaitement évocateur de cet imaginaire archétypal de « l'ogresse sexuelle ») ou dans les messages publicitaires de certaines messageries roses. Des archétypes de l'hypersexualité féminine qui continuent de hanter les représentations de la femme à l'instar de « celles qui sont d'inclinaison paillarde et lascive, insatiables gouffre de sperme qu'on dit chaude comme des chiennes. Il leur faudrait une pinte de semence à chaque fois pour éteindre et modérer ce feu et désaltérer leur matrice [...]. Et si à de tels abîmes de semence, qui l'engloutissent et l'absorbent goulûment, on ordonne des bains chauds, n'est-ce pas mettre d'huile au feu, les faire courir les rues, et enrager de telle soif au risque de se jeter dans un puits[83] ».

La pléthore alimentaire

Cet imaginaire de la continence pathogène est le pendant d'un autre type d'engorgement tout aussi lié au féminin et, de la même façon, étroitement relié à son ventre : la pléthore alimentaire. Ainsi que je l'évoquais plus haut, le discours sur l'obsession de la minceur est un phénomène qui a été largement relayé, commenté et analysé. Le plus souvent critiqué, à juste titre, pour tout ce qu'il représente de normatif, il a été davantage analysé sous l'angle du terrorisme esthétique que de la discipline sanitaire. Les « *non-dieteting movements* » et la critique féministe américaine ont particulièrement abondé dans cette critique des excès de régime, allant jusqu'à brandir des chiffres-catastrophes d'un million d'anorexiques aux Etats-Unis, avec 150 000 décès par an, sans compter les dégâts occasionnés à l'image de soi chez toutes les femmes[84].

Quoi qu'il en soit, pour la pensée contemporaine, la recherche de la minceur est un phénomène qui relève majoritairement de l'esthétique et qui conditionne la relation de la femme à l'image de son corps. Cette vision sociale de la minceur (quand elle n'est pas politique) occulte généralement la dimension médicale de cette quête de la minceur. Il existe en effet un *champ pathologique* de la grosseur lié à l'image de l'engorgement : grossir est malsain et la norme esthétique du code de la minceur ne doit pas faire oublier l'autre norme – physiologique celle-ci – que représente un corps dont la santé se lit au travers de l'équilibre de la pondération. La minceur n'est pas qu'un discours esthétique et s'inscrit dans ce qui est peut-être le champ pathologique majeur de la fin du XXe siècle – « l'obsession purgative » : vider le corps de ses substances superflues.

Derrière cette image d'un corps qui souffre de son excès de poids gît en fait une image bien plus ancienne qui parcourt l'ensemble de la médecine classique : la *pléthore*. L'état pléthorique, depuis Hippocrate, est caractérisé par un engorgement du corps dû à une abondance de sang : « Réplétion d'humeurs, qui se dit particulièrement du sang, et ensuite des autres humeurs. La pléthore et la cacochymie sont les causes antécédentes de toutes les maladies[85]. » La pléthore est, on peut s'en douter, un état « naturel » à la femme : la masse de ses humeurs, son mode de vie, la mollesse de sa chair, tout concourt chez elle à susciter l'état pléthorique, ainsi qu'en témoigne l'existence des règles : « La femme étant d'une nature plus lâche, puise dans le ventre, pour le compte du corps, plus de fluide et plus vite que l'homme ne le fait ; et, avec cette laxité, quand le corps s'est empli de sang, s'il n'y a pas évacuation en l'état de pléthore et de chaleur où sont les chairs, la souffrance survient[86]. »

Pour comprendre l'imaginaire physiologique auquel fait

référence la pléthore sanguine, il faut se rappeler que le sang est en relation directe avec la nourriture ; qu'il est, pour Aristote, le produit de la coction des aliments. L'état d'engorgement de l'humeur sanguine, « augmentation du volume du sang en pneuma et en humeurs[87] » et dont les manifestations sont rougeur du teint, lourdeur du corps et de la physionomie, est un état qui relève du régime alimentaire. Selon Erasistrate, la pléthore s'opère quand l'alimentation l'emporte sur l'excrétion. Il se produit alors un « effet de trop-plein[88] » que l'on combat par l'exercice, la sudation, le bain, le vomissement, le régime, et que l'on combattra plus tard directement par la saignée. Dans l'Antiquité, la pléthore est un état lié sans conteste au régime alimentaire et, par là, au mode de vie. Dans une culture, particulièrement à l'époque de la Rome impériale, qui survalorise la prise en charge réglée de soi-même, la pléthore est doublement fustigée : état pathologique, elle est en outre le signe même de l'inconduite de l'individu, de son incapacité à se prendre en charge sainement. Lorsqu'il décrit l'état pléthorique, Sénèque ne cache pas, sous la description clinique, la critique morale qu'il fait du masque du débauché : « Teint décoloré, tremblement des nerfs imprégnés de vin, maigreur due aux indigestions, plus lamentable que la maigreur due à la faim, démarche incertaine et trébuchante, humeurs s'infiltrant partout sous la peau, ballonnement d'une panse qui a pris le mauvais pli d'absorber plus que son compte, épanchement de bile jaune, mauvaise coloration de la face, corruption de ce qui se décompose à l'intérieur du corps ; doigts desséchés aux articulations raidies[89]. » C'est le même corps que celui qu'évoque Galien quand il évoque, dans l'*Exhortation à l'étude des arts*, l'image du « bourbier de chair et de sang » qui caractérise l'état pléthorique, corps déréglé dont la masse interne est devenu un chaos, image en négatif des principes classiques d'ordre, de mesure et de proportion.

Cet imaginaire de l'engorgement du corps traverse l'ensemble de la pensée médicale jusqu'à une date assez récente, et laisse des traces dans l'imaginaire bien après l'abandon de la théorie humorale. Le déséquilibre alimentaire, à toutes les époques, « raconte » l'histoire d'un corps encombré d'excédents, obstrué d'humeurs, s'étranglant de l'intérieur, étouffant sous l'amoncellement d'une pollution interne d'autant plus stigmatisée qu'elle s'étale sur toute la surface du corps avec complaisance, avec délectation, avec laideur. Quelles que soient les variations qu'elle ait pu connaître suivant les époques, l'idée de pléthore traverse l'histoire des corps, s'adaptant sans cesse aux évolutions de la conscience physiologique.

Aujourd'hui, la représentation majeure de l'idée de pléthore reste majoritairement liée à l'alimentation. Elle l'est peut-être d'autant plus que les discours esthétiques sur la minceur se sont largement accrus en même temps que s'amplifiait la suspicion médicale sur les régimes pathogènes, particulièrement en ce qui concerne les maladies cardio-vasculaires. Cet imaginaire de la grosseur, de la graisse, du gras est la représentation par excellence du corps malsain contemporain : le corps pléthorique et malsain, c'est le corps gras. La littérature médicale de toutes les époques est intarissable sur les écarts qui éloignent le corps d'une constitution juste parce que médiane. On m'objectera sans doute que « gros » au XVIIe siècle n'équivaut pas à « gros » au XXe siècle, puisque l'embonpoint n'y était jamais qu'un état « en bon point », c'est-à-dire en bon et juste équilibre, comme les *dames galantes* de Brantôme qui étaient « belles, blanches, chaillées, poupines et en bon point ». Certes, mais de la même façon que pour le « trop » en maquillage, l'image du gros se mesure toujours dans un écart à une norme réglée pour une période donnée et on sait bien comment une même vision négative de la grosseur et du gros traverse l'ensemble de la culture[90]. Le « trop gros », quelles qu'aient pu en être par ailleurs les mensurations, a toujours existé dans le regard d'une médecine attentive à rechercher l'équilibre et à fustiger l'écart : « Regardez une de ces Falstaff femelles. Ses joues sont rouges et molles, ses yeux sont à demi fermés par des plis de chair, sa voix est rauque, elle a la silhouette d'une barrique et marche en se dandinant. Seul un Abyssinien pourrait la prendre pour une beauté. Ajoutez à cela qu'un tel fardeau de chair représente un extrême inconfort, souvent une misère, et équivaut à une maladie[91]. » Trop grosse donc malade : la grosseur reste représentée comme un écart à la norme hygiénique, écart qui touche bien sûr en majorité la femme, au centre comme toujours des débats croisés entre esthétique et santé.

Bon gras, mauvais gras

Le gras est une substance largement ambivalente. Partie intégrante de l'alimentation, il est présent dans la grande majorité des habitudes alimentaires comme dans les pratiques culinaires de toutes les cultures. Il est un élément nutritif de la vie quotidienne d'autant plus marquant qu'au contraire d'autres substances, il est présent dans un nombre important de composants, soit à l'état « premier » (le beurre, l'huile...), soit comme élément (la viande, le lait, les œufs...). D'aliment traditionnellement considéré comme bénéfique et historiquement recherché pour ses qualités nutritionnelles, la matière grasse est passée en moins d'un siècle d'une image très valorisée à un statut totalement suspect, synonyme de déséquilibre externe (l'adiposité) autant qu'interne (le cholestérol). Ce dernier est un très bon exemple de cette correspondance entre la phobie contemporaine du gras et les anciennes images de dérèglement humoral que j'évoquais plus haut : le cholestérol, c'est une substance négativement ressentie (le gras) en suspension dans un fluide corporel essentiel (le sang). Il est probable que le « taux de cholestérol » est, dans l'imaginaire physiologique actuel, largement synonyme de pléthore sanguine, faisant l'un comme l'autre appel à cette image forte « d'augmentation du volume du sang en humeurs » que je citais plus haut Si la surveillance étroite du cholestérol est une habitude que le corps médical s'accorde à reconnaître comme « en vogue », c'est probablement de ce qu'elle fait trop parfaitement la jonction entre un agent prohibé (le gras), un *champ pathologique* majeur (l'engorgement) et un des maux du siècle (les maladies cardio-vasculaires). Tout se passe en fait comme si le gras était devenu l'archétype du « mauvais aliment », à l'intérieur d'une représentation négative et alarmiste de la nutrition. Il est par ailleurs probable que la multiplicité des formes sous lesquelles il se trouve naturellement ne soit pour beaucoup dans la phobie qu'il déclenche depuis une trentaine d'années. Cette phobie contemporaine, déjà en gestation pendant l'entre-deux-guerres et dont les racines remontent à la diététique américaine du XIXe siècle, se fonde sur la prise de conscience graduelle de la trop grande richesse de l'alimentation en Occident, autour de l'idée d'une « *malnutrition due to overnutrition*[92] », notamment du fait d'un régime faisant la part trop belle au gras.

La matière grasse sous toutes ses formes est ainsi devenue l'ennemi n° 1, et la « lipophobie » occidentale est certainement un phénomène sans précédent de rejet d'une substance alimentaire par ailleurs aussi répandue dans notre alimentation quotidienne. Elle a donné lieu à tout un développement de régimes alimentaires destinés à diminuer la présence de graisse de l'alimentation ainsi que de produits « non gras » – produits alimentaires ayant conservé leur aspect culinaire traditionnel, mais dont sont ôtés au préalable les composants nuisibles, graisses et sucres. Si les premiers mettent l'accent sur le contrôle de soi et la prise en charge quotidienne, les seconds prolongent, eux, le modèle médical du contrepoison. Dans le premier cas, il s'agit de changer ses habitudes alimentaires afin d'éliminer autant que faire se peut l'agent nocif ; dans le second, il s'agit de prolonger ses habitudes alimentaires tout en bénéficiant d'une garantie d'innocuité, la substance néfaste ayant été éliminée de la préparation. Le règne de « l'allégé » a ainsi atteint un degré culminant qui voit des plats cuisinés à base d'œufs brouillés et de pommes de terre frites s'adjoindre des promesses publicitaires du type « faire du bien au corps ». Cet imaginaire du « non gras » a également donné naissance à un certain nombre de produits aux effets encore plus prometteurs, proposant ni plus ni moins que de tuer « dans l'œuf » l'agent néfaste. Absorbés en même temps que les repas, ces produits sont décrits agir « comme des éponges lipophiles, les comprimés absorbant les graisses présentes dans l'alimentation[93] », de l'*intérieur.* Ces produits, généralement qualifiés de « produits miracles » par la presse qui s'en fait de plus en plus l'écho, s'environnent quant à eux d'une aura de sérieux le plus scientifique possible, parlant par exemple comme Terrafor ventre plat de s'adapter « au principe chronobiologique naturel du métabolisme ». Mais quoi qu'il en soit de leur efficacité, il n'en reste pas moins que leur succès témoigne d'un rêve déjà ancien : celui de combattre la pléthore de l'intérieur par l'absorption, en même temps que du poison délicieux, de son antidote.

Mais il y a gras et gras, les « bons » et les « mauvais » comme se plaisent à le répéter les fabricants d'huiles de table afin de convaincre un public sceptique que l'huile n'est pas, dans la cuisine, un « danger nécessaire ». Il y a aussi le gras de surface et le gras profond, distinction moins ressassée de manière explicite mais qui ressort très clairement à l'analyse des discours contemporains sur cette substance. La première de ces deux distinctions, celle qui oppose le bon au mauvais gras, est particulièrement évidente dans les discours de vulgarisation diététique que véhicule la presse de santé. Il en ressort généralement deux perceptions antagonistes : la première, négative, confortablement installée depuis quelques trente ans; la seconde plus récemment apparue sous l'impulsion probable d'un nouveau courant nutritionniste[94]. Deux articles récents, entre mille, sont parfaitement exemplaires de cette dialectique entre bon et mauvais gras : le premier était intitulé « Alerte au gras – la science en révèle les dangers cachés pour la santé », le second était intitulé « Le gras sain. Faites à nouveau place au gras dans votre cuisine ». Les deux articles ont paru le même mois dans deux magazines de santé (*Living Fit* et *Health*) relativement comparables, et en tout cas tous deux situés sur la même cible, féminine et active, relativement haut de gamme. Dans le premier article était par exemple développée l'idée que « perdre quelques kilos peut améliorer la pression artérielle, le niveau de cholestérol et l'habileté du corps à se débarrasser des sucres contenus dans le sang », là où dans le second étaient évoquées « de nouvelles habitudes alimentaires accordant une faveur modérée aux types de gras dont le corps a besoin ».

Cette dialectique ne s'oppose qu'en apparence, et l'une et l'autre de ces positions se situent en fait sur un fond commun : le gras est une substance nocive qu'il convient de contrarier dans le premier cas ou d'apprivoiser dans le second. Il est ainsi significatif que l'apprivoisement passe par un discours de type « précautions d'emploi », mettant en avant la connaissance des différents types de gras – saturés, monoinsaturés, polyinsaturés – catéchisme destiné, comme l'écrit le magazine, à savoir « séparer le bon gras du mauvais », de même qu'un discours « d'usage modéré » de ces types d'aliments. Le débat, sensible aux Etats-Unis mais également présent en Europe occidentale, sur le « bon gras », ne se situe ainsi que sur certains produits, l'huile d'olive en tête qui bénéficie d'un retour en grâce qui n'est pas seulement revendiqué du point de vue gustatif mais également du point de vue nutritionnel. Participant de ce que l'Amérique désigne sous le nom de « *French paradox* », la remise au goût du jour des vertus nutritionnelles de l'huile d'olive accompagne celles du vin rouge, en ce moment crédité d'un rôle dans la prévention des maladies cardio-vasculaires (encore elles). On notera au passage la redécouverte du grand modèle diététique de l'Antiquité, celui qui était fondé sur cinq aliments – huile, miel, vin, lait et céréales – et dont le mélange était assimilé par les Grecs à l'ambroisie des dieux de l'Olympe. Par ailleurs, tout « bon gras » qu'il soit, l'abus, c'est-à-dire une consommation hors de tout contrôle, reste totalement prohibé. Plus encore que revaloriser le gras dans nos assiettes, ces discours visent davantage à diversifier le nombre de prescriptions alimentaires, tout en accompagnant l'engouement contemporain pour les cuisines d'origine méditerranéenne.

Cette opposition de discours entre bon et mauvais gras

connaît également une variante entre profondeur et surface. C'est une distinction que le discours médiatique met moins en avant mais qui parcourt en filigrane de manière récurrente nombre de discours sur le gras. Plus qu'une image de la substance, il s'agit de sa relation avec le corps, relation qui m'intéresse évidemment bien davantage dans le cadre d'une réflexion sur la pléthore. Si le gras que j'évoquais ci-dessus fait référence à l'aliment, le gras dans sa dimension de profondeur concerne plus étroitement le corps qui le contient. La distinction entre bon gras et mauvais gras concerne l'apport nutritif, la distinction entre gras de surface et gras profond renvoie à la matière grasse *contenue dans le corps* et non pas seulement absorbée par lui. Il n'est au passage certainement pas sans conséquences sur cet « imaginaire du gras » que le même élément renvoie simultanément aux deux substances, celle qui est absorbée par le corps et celle qui est contenue par le corps. L'ambivalence de statut que connaît le gras est certainement liée à cette « polysémie conceptuelle » qui fait du même terme à la fois l'agent et son résultat, ambiguïté que ne connaissent pas les autres matières corporelles, du moins pas dans ce degré-là, même si l'on peut effectivement parler de cette même ambiguïté pour les sucres, les protéines, etc., qui sont également à la fois agents et résultats. Pour autant, les implications dans le discours en sont moindres et, si l'on peut parler du « gras du corps » (fait visible), on ne peut guère parler du « sucre du corps » (fait invisible).

Cette distinction s'organise ainsi entre graisse de surface, celle qui est située juste sous la peau, et graisse de profondeur, celle qui est logée plus profondément dans le corps. Mais plus que de situer géographiquement la graisse *dans* le corps, il s'agit surtout de la situer organiquement, c'est-à-dire dans la relation de nécessité qu'elle entretient *avec* le corps. Les deux relations, bien sûr, s'opposent là encore terme à terme : la première relève de l'esthétique, la seconde s'inscrit au plus près de la physiologie ; on peut se passer de la première, la seconde est représentée comme nécessaire ; la première peut en principe être éliminée, la seconde est inscrite dans l'organisme. Deux représentations qui se répondent en miroir autour d'un même agent. Mais si la graisse de surface, celle qui est située sous la peau, relève généralement d'un discours de domestication, du type de ceux qui sont hebdomadairement diffusés par les magazines féminins, la graisse de profondeur répond à des injonctions plus angoissées qui relient plus ou moins directement cette substance à une condition saine ou malsaine de l'individu. La graisse de surface semble, malgré l'intensité avec laquelle sont assénés ces messages, n'être représentée que comme une matière certes excédentaire et superflue, mais somme toute moins dangereuse que cette autre graisse cachée, tapie dans l'organisme, prête à tout moment à dérégler irrémédiablement l'équilibre du corps, et dont le cholestérol, à nouveau, est parfaitement exemplaire.

Il est tout à fait significatif de voir quels types de discours produit l'observation de cette graisse de la profondeur : « C'est le gras au plus profond de l'abdomen – sous les muscles et entre les organes – qui est facteur de risques pour les maladies de cœur, la pression artérielle et le diabète, pas le gras juste derrière la peau, celui qui capitonne vos cuisses[95]. » Les termes *deep*, *under* ou *between* présents dans la version originale de ce texte sont parfaitement évocateurs de l'image de présence tapie et sournoise d'une graisse cachée (entre les organes) et qui est hors d'atteinte (*sous* les muscles, le muscle étant le dernier niveau que l'individu peut atteindre à l'aide d'un effort musculaire ou d'un régime). Non sans paradoxe, on retrouve évidemment la même distinction entre bon gras et mauvais gras à propos du gras profond. Lié à l'organisme, ce gras profond ne peut pas non plus être tout à fait mauvais, et la même rhétorique journalistique qui en présente les méfaits peut tout aussi bien en présenter simultanément les bienfaits pour le fonctionnement du corps. Une grande part des discours de critique des régimes alimentaires s'appuient sur cette même représentation d'un gras nécessaire à la vie, et à la vie des femmes tout particulièrement, puisque « le tissu adipeux lui-même jouerait un rôle important dans l'ovulation[96] ». Une double opposition clairement marquée, qui renvoie dos à dos esthétique (les régimes) et fécondité (nuisent à la fertilité) ; gras de la surface (celui qu'implique le terme régime) et « bon gras » de la profondeur (le tissu adipeux). Une représentation qui prolonge le très ancien modèle physiologique féminin, celui qui fait depuis longtemps associer la graisse à la fécondité.

Evacuer, purger, vider

Face à cette image de pléthore alimentaire et d'engorgement du corps répondent les discours de « l'obsession purgative ». Vider, purger son corps est une obsession récurrente à toutes les époques, quelles qu'aient pu être par ailleurs les techniques d'évacuation mises en œuvre, qu'elles soient naturelles (l'excrétion) ou provoquées (le vomissement, la purge). Si la période contemporaine n'aborde le sujet de l'excrétion que de manière détournée, la diététique qui la précède, particulièrement celle du début du XXᵉ siècle a elle lourdement insisté sur son équilibre et sa régularité, la qualité de l'excrétion étant le meilleur signe d'une bonne alimentation. On insiste ainsi volontiers sur ce thème, brandissant comme un repoussoir hideux le spectre de la constipation, fléau féminin de la santé et de la beauté. Kellogg, le diététicien américain qui laissera son nom à la célèbre marque de céréales, est un ardent défenseur d'une excrétion la plus intense et régulière possible, et diffuse autour du colon un discours relativement alarmiste faisant de lui l'ennemi n° 1 de la femme. Il faut, selon lui, impérativement aller aux toilettes trois fois par jour, et dès que le besoin s'en fait sentir[97]. La France de la même époque n'est pas en reste et les ouvrages d'hygiène féminine laisse apparaître une préoccupation similaire : « Je m'excuse de traiter ce sujet, mais il est absolument inutile que vous espériez vous bien porter, rester jeune, belle, si vous n'allez pas à la garde-robe au moins une fois par jour. Neuf femmes sur dix sont constipées[98]. »

Un chiffre curieusement précis, que l'on retrouve également aux Etats-Unis à la même époque, et dont l'origine remonte aux réformistes américains de la santé du XIXe siècle. Pour eux, l'excrément était l'indicateur même des dérèglements alimentaires, une alimentation équilibrée et saine devant produire de l'énergie pure, sans autres déchets. Dans cet imaginaire machiniste du corps, la matière fécale devrait pouvoir être considérée comme des « cendres » (*ashes*), une bonne digestion devant consommer l'essentiel de la matière alimentaire, ne rejetant que des « résidus » (*dandruffs*) du canal alimentaire. L'excrément sain devait être sec, inodore, et être « ni plus agressif que de l'argile humide et n'avoir pas plus d'odeur qu'un biscuit chaud[99] ». Je ne peux m'empêcher de citer cette phrase avec un certain plaisir tant cette métaphore de l'intestin comme un four et de la digestion comme cuisson, tout comme la figuration de l'excrément en matière première (l'argile) et en matière nourricière (le biscuit), me paraissent exemplaires. La femme reste évidemment au centre de cette question de l'engorgement et de l'excrétion, la constipation restant plutôt liée à la féminité. Il suffit pour s'en persuader de voir le ciblage majoritairement féminin des messages publicitaires de produits destinés à combattre la constipation. Michelet, encore, qui décidément « représente » à merveille cet imaginaire de la femme, est lui aussi allé dans ce sens : « Elle ne mange pas comme nous, ni autant, ni les mêmes mets. Pourquoi ? Surtout par la raison qu'elle ne digère pas comme nous. Sa digestion est troublée à chaque instant par une chose : elle aime du fond des entrailles. La profonde coupe d'amour (qu'on appelle le bassin) est une mer d'émotions variables qui contrarient la régularité des fonctions nutritives[100]. » La femme, l'a-t-on assez entendu, est un ventre, et ce ventre se dérègle aussi bien de ce qui s'y vit que de ce qui le nourrit.

La période contemporaine, relativement pudique dans la manière dont elle aborde le sujet, fait plutôt cas de procédés métaphoriques comme le célèbre « transit intestinal », tout en assurant la promotion de médicaments destinés à accompagner la digestion et à combattre la constipation. Pour autant, la manière dont est évoquée l'excrétion s'est légèrement déplacée : dans une période qui, plus qu'une bonne évacuation, valorise la retenue et le bon réglage de l'alimentation, l'excrétion n'est plus mise en avant comme elle a pu l'être. Aujourd'hui, si l'on mange bien, on digère bien, et si l'on digère mal c'est dû à un comportement alimentaire déréglé. Les termes comme assimilation ou digestion sont devenus, dans la rhétorique diététique contemporaine, plus importants que les termes évacuation ou élimination (sauf peut-être dans le célèbre « buvez-éliminez », mais qui renvoie par ailleurs à la miction). L'essentiel est de convenablement assurer le travail de transformation interne de l'aliment que d'évacuation des déchets, conséquence directe d'un renforcement des prescriptions diététiques. On retrouve le modèle de la machine à digérer, notamment autour des compléments nutritionnels destinés à l'enrichissement de la fonction digestive : « Derrière ce joli ventre plat, il y a une flore bifidogène en pleine activité. Avec le stress, l'âge, la flore intestinale change, elle s'appauvrit en bonnes bactéries, les bifidobactéries. Résultat : un ralentissement du transit intestinal, des ballonnements abdominaux, un ventre rond. » Afin de combattre cet appauvrissement des capacités du corps à se défendre, il convient d'absorber un produit à même de faciliter le « bien-être intestinal » et de « purifier le corps ». Un imaginaire de la pureté purgative encore renforcé par le nom du produit, Œnobiol pureté totale, ainsi que par l'image d'une jeune femme en blanc, le ventre nu, un ventre rendu encore plus transparent par l'idée du « derrière ce ventre » ; et un imaginaire de l'activité organique au service de l'équilibre et de la beauté, dans le prolongement du « ce qu'il fait à l'intérieur se voit à l'extérieur » que je citais en introduction à cet ouvrage.

Maux et maladies

J'ai, dans ce qui précède, essentiellement analysé les maladies des femmes au travers des dérèglements du corps et, particulièrement, de ceux du ventre, « lieu » culturel par excellence de la féminité biologique. Certes, on pourra m'objecter que ces propos paraissent, à la clarté scientifique contemporaine, appartenir au passé : la femme semble accéder aujourd'hui à une relative objectivation de son image médicale. Prises en charge par la gynécologie et l'obstétrique, maintenant largement répandues dans l'ensemble de l'Occident, les maladies des femmes ont perdu de leur caractère fantasmatique, et le discours médical sur la femme a en principe cessé d'être un « discours sur l'étrangeté ». Il faut pourtant interroger l'imaginaire contemporain du malsain tel qu'il est véhiculé dans la culture quotidienne afin d'observer que cette image *menacée* du corps de la femme que j'ai évoquée ci-dessus continue d'alimenter l'identité corporelle féminine.

Mais précision d'importance : moins qu'aux « maladies des femmes », je me suis attaché aux « maux des femmes », c'est-à-dire moins à ce qui relève de « l'altération organique considérée comme une entité définissable » qu'aux manifestations de la « souffrance » et du « malaise physique » selon les définitions que Le Petit Robert donne respectivement de « maladie » et de « maux ». Car on doit à la science médicale moderne d'avoir tracé une frontière entre la maladie et le mal, ligne de partage qui a, depuis, donné lieu à deux systèmes de représentations distincts. Relativement confondus dans les anciennes évocations du malsain, maux et maladie se distinguent davantage aujourd'hui l'un de l'autre dans le rapport qu'ils entretiennent à la conscience que l'individu se fait de son propre corps, et ce dans quatre dimensions essentielles :

— La maladie est un état « définissable » qui relève d'un système de connaissance organisé, là où les maux échappent à une définition circonscrite. Le concept de maladie implique dans la grande majorité des cas l'existence d'un système clinique qui la reconnaît, en prévoit l'évolution et règle la stratégie thérapeutique qui y répond. Les maux, parce qu'ils ne sont que ressentis et malaises, relèvent davantage de la perception diffuse que de l'analyse objective. Maladies « en devenir », ils n'en sont que la forme embryonnaire, zone floue qui laisse d'autant le champ libre à l'imaginaire.

— La maladie relève d'une prise en charge collective là où les maux s'établissent à l'intérieur d'une expérience individuelle. La maladie est un standard collectif – les maux, puisqu'ils relèvent davantage de la représentation, dépendent d'une échelle propre à chacun en fonction de son « ressenti physiologique ». Ils sont une approche du malsain plus personnelle, plus individualisante que la maladie.

— La maladie relève généralement de l'exceptionnel et découpe le « temps biologique » de l'individu, là où les maux sont de l'ordre du quotidien et de l'accompagnement. Certes, il faut distinguer les maladies chroniques, qui relèvent bien de la maladie par la manière dont elles sont identifiées et traitées mais qui, au plan de la conscience individuelle, s'apparentent aux maux par la dimension de malaise quotidien qui leur est attachée.

— La mise au jour de la maladie se fait grâce à une technique extérieure à soi là où la perception des maux relève d'une relation intime. La maladie n'appartient pas au malade, elle appartient à une science médicale « exacte » qui, depuis le XIXe siècle, a établi son droit à produire du diagnostic et de la guérison. Les maux en revanche appartiennent à leur porteur, c'est lui qui les supporte, c'est à lui qu'en revient la première observation, la compréhension et quelquefois même, la médication. La maladie appartient à la médecine, les maux appartiennent à l'individu.

Bien sûr, on m'objectera que la frontière de l'une aux autres est imprécise, et j'ajouterai même qu'elle varie non seulement suivant les individus, mais aussi suivant les moments. Là n'est pas la question. Ce qui m'intéresse dans cette distinction entre maux et maladie, c'est seulement le fait qu'elle existe. Qu'elle varie dans l'espace (ce qui est maux et ce qui ne l'est pas) ou dans le temps (ce qui est « maux » aujourd'hui et sera maladie demain) ne change pas le principe de cette inflexion entre deux perceptions qui, pour moi, s'opposent et se répondent. C'est à la jonction entre les termes « état définissable », « prise en charge collective », « moment biologique exceptionnel » et « prise en charge extérieure à soi-même »; et les termes « perception diffuse », « échelle individuelle », « accompagnement quotidien » et « relation intime » que se situe le type de relation au malsain que je voudrais mettre en lumière.

On m'objectera aussi que cette distinction, si elle est opérante, n'est pas si neuve, et qu'elle n'a peut-être pas attendu l'apparition de la médecine moderne pour s'affirmer. C'est également en partie vrai, mais en partie seulement. Si l'oscillation entre maux et maladie ne date pas d'hier, la partition entre perception individuelle du mal d'une part et prise en charge thérapeutique « extérieure » d'autre part n'a pu que s'affirmer plus radicalement avec l'avènement d'une médecine créditée de toute-puissance qui laisse le *patient* (au sens didactique de « celui qui est passif ») dans une position d'abandon face à la stratégie thérapeutique qui est choisie pour lui. La science médicale, en débarrassant l'homme de la maladie (c'est souvent sa propre expression), l'en a également privé : débarrassé de la maladie, il doit, pour prolonger cette écoute de lui-même que j'évoquais dans la deuxième partie, « s'inventer » une conscience physiologique qui lui appartienne, prolonger dans le regard qu'il porte sur lui-même, en même temps que l'idée de malsain, la responsabilité que lui fait incomber depuis toujours le « devoir de santé » : en dépossédant le malade de sa maladie, la médecine moderne l'a probablement obligé à chercher en lui-même d'autres imaginaires du malsain, d'autres formes d'introspection physiologique. En faisant rentrer la maladie dans l'âge de la clarté, la médecine moderne a paradoxalement renforcé l'existence d'un imaginaire du malsain préexistant, situé hors de son champ d'intervention.

Ainsi, si les maladies cardio-vasculaires ou l'obésité sont des maladies contemporaines, le gras profond ou la continence pathogène sont des maux au sens où je l'entends ici c'est-à-dire, plus que des *maladies imaginaires*, à savoir des pathologies précises dont l'étiologie seule relèverait de la représentation (et dont le meilleur exemple en serait sans doute les « inventions » de substances réputées pathogènes), elles sont des *champs pathologiques* autour desquels l'inquiétude et la peur du malsain se développent. Si « l'écoute inquiète » est essentiellement un regard sur les agents de la maladie, la culture des maux est davantage un regard sur une territorialité sanitaire : souffrance et malaise se déploient à l'intérieur d'une représentation spatiale du malsain qui s'exprime en termes de domaines et d'agresseurs.

Un très bon exemple de ces champs pathologiques qui s'exprime en terme d'agresseur est à chercher dans la relation à l'environnement atmosphérique. Un champ qui paraît prendre de l'ampleur avec un débat de plus en plus nourri sur la pollution, mais qui vient également de loin. La perception d'un environnement menaçant existe de manière également récurrente et, quel que soit ce que l'on y incrimine, l'idée que l'environnement peut être néfaste pour l'intégrité du corps se trouve dès l'origine de la pensée médicale. Pour l'Hippocrate du traité *Des airs, des eaux, des lieux*, le milieu possède ainsi une influence considérable sur l'état général de l'individu : qualité de l'eau, qualité de l'air, présences environnantes telles que marais, vents dominants, etc. Qu'on se rappelle également que, dans les régimes de santé médiévaux, air et milieu sont les premiers des *sex res non naturales*, les éléments du régime qu'il convient de surveiller régulièrement. Dans toute l'histoire de la pensée médicale, l'environnement atmosphérique fait l'objet d'une surveillance régulière, d'une attention soutenue. Certes, ce que l'on y voit et ce que l'on y redoute est spécifique à chaque période – vents, lumière, pollution, etc. –, mais quel que soit l'agent représenté, l'attention à l'environnement semble, de manière permanente, être étroitement liée aux représentations de la santé.

Bien sûr, ces considérations sur le milieu n'affectent pas en priorité les femmes et ne semblent pas particulièrement s'appliquer à la recherche d'un *champ pathologique* spécifiquement féminin. C'est pourquoi je n'en développerai que l'aspect qui m'intéresse particulièrement dans le cadre de ce travail, celui de l'influence des facteurs environnementaux sur la beauté. Car s'il existe bien un imaginaire du « malsain atmosphérique » spécifiquement féminin, c'est celui qui menace, autant que sa santé, la beauté de la femme. C'est certes souvent le même agent (vent, lumière, pollution) qui est convoqué quand il s'agit de brandir des menaces, mais il n'est pas manipulé avec la même intensité du fait d'un élément crucial commun à la beauté et à l'environnement : la peau. Car la peau est à la fois une des perceptions immédiates de la beauté et objet du premier soin cosmétique en même temps qu'elle est la première barrière, la frontière entre le corps et l'atmosphère. Cette jonction entre beauté du corps et menace environnementale n'est pas anodine et se retrouve dans toute l'histoire du cosmétique, insistant particulièrement sur la fragilité de la peau et sa sensibilité à l'agression : « Le visage ne devrait pas être exposé au grand air juste après le lavage. Un peu de cold-cream avant de sortir conservera la peau douce et la protégera du soleil et des gerçures. En rentrant à la maison, le cold-cream devra être essuyé avec un linge fin. Un voile de gaze blanc sera utilisé pour préserver la peau des injures du soleil ou du vent.[...] La chaleur du feu, les rayons directs du soleil, le froid excessif et le vent sont mauvais pour le teint. Toucher le visage avec les doigts est une habitude qui peut produire les pires conséquences et doit être absolument évité[101]. » Un discours alarmiste certes caractéristique de son époque, mais des précautions sous-jacentes qui rejoignent des précautions relativement immuables : éviter les contacts trop directs du visage avec les éléments naturels.

Ainsi, que ce soit de l'environnement extérieur (l'air, la lumière) ou de l'environnement intérieur (le manque d'air, l'obscurité), il faut, toujours, protéger la beauté de ses agresseurs : « La beauté, la perfection absolue de l'enveloppe extérieure, sa fraîcheur et sa netteté, en tant que remède contre ce mal intérieur que créent inexorablement les rythmes trop aigus du monde moderne : voilà la conclusion à laquelle il faut arriver ! [...] Cette beauté n'est pas gratuite. Elle *s'impose*. Elle s'impose pour procurer à la femme un bien-être, une sécurité défensive, une cuirasse contre la violence de la vie [102]. » La beauté est un bastion dont la peau est à la fois le défenseur et la première victime. Il s'agit clairement d'hermétiser le corps, de l'isoler de l'extérieur. Une perception de la peau que prolonge le discours actuel, tel cet article de *New Woman* d'avril 96 déclarant que « par définition, la peau est sensible. C'est l'organe le plus grand du corps et il est exposé aux éléments tous les jours ». Une vision qui met en avant la fragilité de l'exposition de la peau aux éléments, tout en insistant sur la difficulté qu'il y a à la protéger du fait de sa taille. La suite de l'article, s'appuyant sur une enquête menée par une marque de cosmétiques, déclare que, si seulement 20 % des femmes ont réellement une peau fragile, 50 % se trouvent une peau sensible, un chiffre qui monte à 80 % et à 90 % selon deux autres marques [103].

Quelle que soit la véracité de ces données, ce qu'il faut constater c'est l'emphase mise sur cette perception. La représentation de fragilité que l'on attribue à la peau est au centre du dispositif du champ pléthorique externe, celui qui fait de la peau l'organe-sujet de toutes les menaces. Ainsi, selon le vice-président en charge du développement d'Estée Lauder, toujours dans le même article, « la peau sensible s'affaiblit de ce que, quand elle est irritée, elle ne peut poursuivre sa fonction de barrière. L'humidité s'évapore et les agents irritants rentrent plus facilement.[...] Lorsque la peau est privée de sa protection contre les agressions de l'environnement, collagène et élastine sont détruits et les dégâts dus aux radicaux libres arrivent plus rapidement ». Une vision relativement alarmiste de la protection de la peau contre l'environnement qui joue de manière exemplaire de l'image d'une peau naturellement faible (*sensitive skin*), encore fragilisée par les agressions (*weakened when irritated*) et qui doit pourtant assurer une protection (*its function as a barrier*) alors même qu'elle est de plus en plus menacée (*deprived of its protection*) par ses agresseurs (*environmental assault*). Bref, plus elle doit assurer la protection, plus elle est menacée, plus elle est menacée, plus elle est faible et plus est faible, moins elle peut protéger, et ainsi de suite. Tout le problème de la figuration de la peau se trouve au croisement d'un double statut : elle est la première arme que possède le corps pour se défendre et elle est simultanément la première cible des agressions externes et internes. De ce fait, toute une génération de produits cosmétiques ont spécifiquement positionné leur discours autour d'un argumentaire sur la protection et la défense de la peau contre l'agresseur « atmosphérique ». Comme DayWear d'Estée Lauder, réputée lutter « efficacement contre les effets nocifs des oxydants », et grâce à laquelle la peau « peut enfin vivre à l'abri de l'environnement », une accroche résolument centrée sur le défensif, associée à un visuel montrant une vue aérienne de la pollution sur New York.

Une de ces menaces invisibles est exemplaire de cette représentation d'un *champ pathologique externe* : les « radicaux libres ». Fortement présents dans la rhétorique publicitaire consacrée à une génération récente de produits de beauté, ils désignent précisément cet agresseur invisible, le rendant d'autant plus inquiétant qu'il est mentionné plus que décrit. On parle beaucoup dans le discours publicitaire de « radicaux libres » sans vraiment les expliquer, une relative absence d'explication qui renforce encore leur image de « caché ». Je me suis livré à une petite enquête spontanée autour de moi. Moins d'une femme sur dix peut s'en faire une idée à peu près précise et un certain nombre n'en connaît purement et simplement pas l'existence. Ce n'est certes pas une donnée définitive, mais elle conforte l'idée qu'une certaine forme de rhétorique publicitaire s'est coupée de son contenu pour ne plus s'occuper que de « promesses » : je crée un dragon, je l'anime, puis je vends des épées (ou mieux, des boucliers). Quand on les explique, c'est généralement pire, et le discours qui les décrit est soit purement ésotérique, type les « métabolites hautement réactifs qui vont oxyder les constituants de la cellule », selon un prospectus distribué dans les pharmacies, soit remarquablement alarmiste : « [les radicaux libres] sont des atomes qui une fois excités par la lumière du jour, la pollution, la fumée de cigarette, le stress ou la fatigue, détériorent nos cellules cutanées » selon le magazine *Elle* en avril 1997. Arrêtons-nous quelques instants sur cette dernière phrase, à elle seule parfaitement révélatrice de l'imaginaire de ces substances nocives et cachées :

— Il s'agit « d'atomes » (en fait des molécules), c'est-à-dire d'éléments invisibles à l'œil nus, entité générale d'autant plus vague que le terme atome ne renvoie pas seulement à des particules suspendues dans l'atmosphère mais à la composition de l'atmosphère elle-même. « Des atomes » est suffisamment précis pour décrire une entité invisible en suspension autour de nous et à la fois suffisamment flou pour évoquer toutes sortes d'éléments, tous types de menaces.

— Ces atomes sont « excités », c'est-à-dire qu'au contact d'autres éléments ils ont acquis un potentiel autonome et agressif (on aurait presque pu écrire qu'ils se sont « animés de manière négative »). Dans cet état, on se les représente volontiers tournant à vive allure autour de nous, prêts à fondre sur nous et à attaquer.

— Ils sont excités par « la lumière du jour », c'est-à-dire que leur action est quotidienne et que, dès qu'il fait jour, ils sont en état de nous agresser. Le fait qu'ils correspondent au jour (qui les a faits) leur confère une absolue présence. Ils sont, « comme le jour », d'une absolue évidence.

— Leur potentiel est encore renforcé par « la pollution » et par « la fumée de cigarette », c'est-à-dire qu'ils sont d'autant plus agressifs dans un environnement atmosphérique malsain. Comme des microbes, ils se nourrissent (ou se renforcent, ce qui revient au même) de conditions nauséabondes. Ils sont comme ces virus qui naissent de foyers pathogènes ou comme les rats qui se reproduisent dans la saleté. Leur force est d'autant plus grande que l'environnement est sale et malsain.

— Ils sont également excités par « le stress ou la fatigue », c'est-à-dire qu'ils sont d'autant plus fort que nous sommes faibles. Ils profitent des baisses de notre système de défense pour nous attaquer au moment même où nous pouvons le moins nous défendre, affaiblis par l'état de santé associé à la vie moderne, particulièrement à l'environnement professionnel et urbain.

Ces cinq points sont également communs aux discours consacrés à nombre de maladies : des éléments invisibles et pourtant présents en suspension, agressivement dirigés contre nous, et ce de manière quotidienne, profitant de conditions générales malsaines ainsi que de la baisse de notre système de défense. La littérature sur les pestes, les considérations sur les facteurs de propagation de la syphilis, la prise de conscience des conditions épidémiologiques du choléra comme les descriptions hygiénistes de l'environnement des tuberculeux présentent, toutes, des descriptions jouant de procédés discursifs similaires. On le voit, seuls les objets se sont déplacés : les maladies aujourd'hui prises en charge par la médecine ont laissé la place à d'autres maux mais dont les systèmes de représentations sont restés quasi identiques. Les maux des femmes restent vivaces à l'intérieur comme à l'extérieur du corps, d'autant plus proches qu'ils sont inclus dans notre quotidien, d'autant plus insidieux qu'ils sont présents dans notre alimentation, dans nos habitudes érotiques ou dans l'atmosphère dans laquelle nous vivons, et d'autant plus dangereux qu'ils y sont invisibles.

Se pose la question, à la fin de cette troisième partie, des éléments qui relie ces différents éléments de la « nature » du corps féminin : qu'y a-t-il de commun entre la relation de consubstantialité au lait, l'imprégnation du corps par le sperme, la distinction entre gras de surface et gras de profondeur, la constipation ou encore la protection des radicaux libres qui nous permette de comprendre de quoi est faite cette chair, de quels éléments la femme est-elle affublée par la culture, principes constitutifs d'un imaginaire physiologique féminin qui font l'objet de la conclusion qui suit.

Conclusion

Il est temps, parvenu à ce point de l'analyse, de tenter de regrouper l'ensemble de ces observations sur l'imaginaire physiologique féminin autour de quelques caractéristiques fondamentales. Les différentes dimensions de la culture corporelle féminine que j'ai essayé de mettre ici au jour renvoient toutes à différentes représentations dont je voudrais à présent isoler quelques traits invariants, de l'imaginaire du *corps inquiet* (inquiet de sa beauté ou de sa santé) à celui du *corps inquiétant*, inquiétant parce que différent du corps de référence, celui de l'homme.

C'est autour de cette différence que j'aimerais conclure ce propos. La femme, dans la culture, est représentée de diverses manières mais toujours à partir du point évoqué en début de cet ouvrage : la femme, c'est l'autre. Je pars ici du postulat que le principe discursif qui règle les représentations de la beauté féminine est un principe majoritairement masculin, et que les variations culturelles comme les évolutions historiques de la relation homme/femme n'ont que peu d'incidences sur la façon dont l'homme pense depuis toujours ses rapports entre l'identique (lui-même, un autre homme) et le différent (elle, l'autre, la femme). La femme, pour la pensée masculine, relève ainsi le plus souvent de l'étrangeté la plus absolue, le terme étrangeté étant pris dans les deux sens du mot *extraneus* : étrange et étranger. Que ce soit dans le discours scientifique, celui qui essaie de comprendre la place et le devenir biologique de l'homme ; que ce soit dans les techniques de soin et d'accomplissement mises en place afin de régler ce même devenir ; que ce soit dans les substances associées à ces mêmes techniques, il s'est toujours agi de placer la femme sur l'autre rive de la culture humaine. La femme est par essence l'*altérité radicale* de l'homme.

Cette différence nécessaire a été, on l'a vu, pensée de manière remarquablement constante par la science des hommes. Quelle que soit, parmi les oppositions évoquées dans ce qui précède – chaud/froid, dureté/mollesse, stable/erratique ou encore humoral/nerveux –, celle qui est mise en avant, la mise en discours du corps féminin s'organise toujours autour d'une altérité physiologique radicale, opposant terme à terme, comme dans la phrase de Virey citée plus haut, le sec à l'humide, le brun au blanc, le velu au lisse, l'impétueux au timide. De la même façon, lorsque les techniques sont en jeu, elles sont systématiquement rattachées à des sphères non masculines et ont cela de spécifique qu'elles sont toujours représentées dans les deux dimensions, déjà évoquées, de l'*infra* et du *supra* – que ce soit celle du quotidien et de l'ordinaire domestique ou bien celle du mystérieux et de l'extraordinaire –, deux dimensions qui s'opposent de la même façon à « l'évidence » de la technique masculine. En termes de substances enfin, la même pensée de la différence renvoie la femme à un certain nombre de substances, relativement limité et là encore remarquablement invariant, le plus souvent rattachées aux fluides corporels féminins eux-mêmes, tel le lait. Entre l'homme chaud, sec et impétueux et la femme humide, lisse et blanche, la culture a toujours opéré une césure aussi marquée que possible, dimorphisme de l'apparence à la fois reflet et origine d'un « dimorphisme biologique », d'une différence radicale entre organes et consistance physiologique de l'un et l'autre sexe.

Il est par ailleurs probable qu'une des origines de cette pensée de la différence biologique est à trouver dans la croyance, fortement marquée depuis la médecine antique, que la reproduction est le fruit de la complémentarité des sexes, une complémentarité en fait synonyme de contrariété, au sens de contraire. Puisque l'homme ne peut que voir la cause de l'enfantement dans la différence physiologique des sexes (ainsi, la stérilité a longtemps été considérée comme le seul résultat d'une trop grande ressemblance physiologique entre la femme et l'homme), il est normal que, poussant la logique entre identique et différent, il en déduise la nécessité d'une complémentarité termes à termes, d'une totale logique des contraires (à la fois physiques, biologiques et psychologiques) de l'un à l'autre sexe. Dans cette logique d'un corps pour chacun, l'homme et la femme se sont historiquement vu gratifier par la pensée scientifique et médicale de corps résolument différents et complémentaires, autour de représentations qui président à la constitution d'identités corporelles respectives. Je voudrais à présent en explorer quelques-unes qui vont peut-être permettre de mieux comprendre les fondements de cet imaginaire de la consubstantialité sur lequel je me suis appesanti à maintes reprises, particulièrement autour de l'imaginaire des substances, qu'elles soient liées à la beauté ou à la santé. Pour comprendre comment opère cette relation de consubstantialité, il s'agit de s'intéresser aux représentations de la *texture* du corps, notamment dans trois dimensions, celle du corps mou, du corps poreux et du « corps qui mange ».

Un corps mou

La distinction fermeté/mollesse est un invariant largement répandu de cette pensée de la différence appliquée à la physiologie des corps. Depuis Hippocrate, la femme est réputée être d'une mollesse caractéristique, directement issue de la froideur humide de son corps. Faite d'une « chair plus lâche et plus molle que l'homme[1] », elle « a les humeurs plus aqueuses ; elle a plus de disposition aux stases et aux dépravations de la lymphe ; les règles, le lait, dénoncent en elle une surabondance de liquides[2] ». Les associations femme-eau et femme-lait prennent évidemment leur source dans les trois caractéristiques identifiées au début de la troisième partie : la faiblesse des organes, la mollesse de la texture et la fluidité des échanges. Le corps de la femme est mou et humide. Cette observation récurrente s'appuie sur une des grandes questions qui traversent une part importante de la pensée médicale : la question de la *densité* du corps. Les deux couples froid/humide et chaud/sec ont donné lieu, particulièrement avec Hippocrate, à un couple unique réunissant deux à deux les quatre qualités : la paire dureté/mollesse. Une grande part du pronostic antique s'appuie ainsi sur l'observation de la densité du corps, de l'aspect ferme ou relâché de ses chairs[3]. Il va sans dire que, dans cette optique, c'est surtout l'homme qui est dur et la femme qui est molle, mollesse dont résulte naturellement une indistinction formelle et mécanique qui fait que son corps reste passif et *réagit* plus qu'il n'agit. Cette mollesse physiologique – évidemment à l'origine de la prétendue faiblesse psychologique féminine – se traduit dans son aptitude à se laisser marquer par ce qui l'environne : le corps de la femme, parce qu'il subit toutes les influences, est diversement pénétré d'influx bénéfiques ou nuisibles.

Cette réputation de mollesse de la texture du corps féminin est à l'origine de toutes les considérations sur la physiologie de la femme telles la faiblesse des organes ou la fluidité des échanges, que ceux-ci soient vitaux (les fluides corporels) ou nerveux. Ces constantes déclinent tous les clichés qui continuent d'avoir cours dans certaines représentations de la constitution féminine : les organes sont plus fragiles et davantage soumis au dérèglement, les muscles moins résistants, l'ossature plus fragile, mais surtout les nerfs sont plus vifs, les sensations plus passagères, les sautes d'humeur plus nombreuses, les émotions plus marquées et plus rapides, etc. La représentation des « états d'âme » féminins, généralement centrée autour de notions de variabilité, de caprice, d'excessive mobilité, etc., prend sa source dans cette lecture physiologique d'un corps plus clair, plus mou, plus « aéré », dans lequel les échanges s'opèrent avec une plus grande rapidité. Un corps dont la matière est mouvante et évolue, se transforme, s'altère et se régénère.

Certes, cette représentation de la mollesse est ancienne, et se voit aujourd'hui contrebalancée par l'imaginaire d'un corps dont une des évolutions historiques majeures a été précisément de s'endurcir. L'annexion progressive de techniques corporelles d'endurcissement par les femmes (culture physique, épreuves de résistance) tout comme l'abandon progressif des « béquilles » du corps (le corset notamment) vont dans ce sens. Pour autant, les traces de cet imaginaire d'un corps féminin mou et humide restent selon moi largement présentes dans le discours, tout particulièrement dans celui des cosmétiques. Si le discours sur la santé ne présente plus aujourd'hui une image de mollesse féminine, le discours sur la beauté en a conservé les composantes essentielles au travers de l'image d'un corps poreux, traversé et imprégné.

Un corps poreux

La porosité du corps est un phénomène dont l'évolution historique est aujourd'hui bien connue. Les frontières du corps humain ont longtemps été indistinctes et nos sociétés anciennes avaient l'image d'un corps « perméable et vulnérable, traversé par les influences du monde extérieur[4] ». Une porosité de l'enveloppe corporelle que l'on analyse généralement comme une représentation historique qui tendrait à disparaître au profit d'une vision plus rationnelle du corps. Là encore, le processus est loin d'être aussi linéaire, et si les sociétés anciennes avaient effectivement une vision marquée de la porosité corporelle (défiance vis-à-vis de l'eau ou de l'air, usage prophylactique des parfums, usage « nutritif » des odeurs d'aliments...), ces mêmes modèles de représentations n'en continuent pas moins d'être d'actualité et se sont seulement déplacés sur d'autres domaines, notamment au travers des représentations physiologiques du féminin.

La femme est particulièrement au centre de cette représentation de la porosité du corps, en premier lieu de ce que la texture relâchée de son corps, évoquée plus haut, l'y prédispose, mais également de ce que, placée sous le regard de l'homme, c'est elle qui est chargée de représenter l'évolution de la compréhension du corps. Ce qui est en effet frappant lorsque l'on regarde les évolutions historiques de l'imaginaire du corps féminin, c'est la permanence de sa perméabilité aux représentations dominantes du corps, surtout quant à leurs aspects nuisibles. Ainsi, l'imaginaire du corps « à vapeur » du XVIIIe siècle s'incarne-t-il dans les vapeurs féminines, tout comme le modèle du corps mécanique est à l'origine de l'image de la femme nerveuse, aux terminaisons multiples et irritées. Au XIXe siècle, l'imaginaire du chimique donne lieu à la représentation d'un corps « gazeux », aux humeurs et aux graisses saturées de gaz. On peut lire, par exemple, des descriptions étonnantes, comme celle de cette alcoolique dont on retrouve le corps calciné sans qu'il y ait d'autres traces de brûlure autour d'elle. Morte « d'auto combustion », cette femme se serait enflammée et consumée d'elle-même du fait d'une graisse « composée d'hydrogène et de carbone, diffluente et alcoolisée à un haut degré »[5].) Le début du siècle voit à son tour le corps « oxygéné », soigné et embelli à l'oxygène, le corps irradié soigné à coups de rayons ou de cosmétiques radioactifs ou encore le corps « électrifié », traité à l'électrolyse et soigné à coups de courant faradique.

Ce qui est frappant dans cette série de modes de représentations du corps (modes étant à prendre ici aux deux sens du terme), c'est leur relation obligée avec le corps féminin, à preuve la permanence de leurs adaptations cosmétiques, adaptations qui me semblent plus extrêmes que pour l'homme, plus quotidiennes aussi puisque dirigées vers une action préventive : le soin de beauté. Cette galerie de corps féminins qui relie la femme vaporeuse à la femme électrifiée ou irradiée montre, mieux encore que la succession des modes physiologiques, comment et à quel point la femme est traversée par les courants dominants qui régissent les représentations de l'imaginaire physiologique. Le prochain de ces modes de représentation sera peut-être la femme « programmée » grâce à l'informatique, dont une marque de cosmétique au moins a tenté la mise en place : « Shiseido Eudermine est un véritable “ ordinateur ” de peau. Il programme l'hydratation au climat ambiant », pour un visuel largement inspiré par ailleurs de l'esthétique du virtuel.

Cette image de porosité du corps, si elle semble avoir relativement disparue du discours de vulgarisation médicale, n'en continue pas moins de se prolonger au travers de la notion de respiration de la peau, représentation sous-jacente dont continue de se servir largement le discours cosmétique. Lors d'un triomphe papal de la Renaissance, un enfant dont le corps avait été recouvert de feuilles d'or devait mourir quelques heures après de ce qui avait été rapporté par les contemporains comme une asphyxie perspiratoire. Cette anecdote a largement impressionné les chroniqueurs et a été largement relayée par la littérature médicale jusqu'au XIXe siècle, le plus souvent en lien avec des considérations sur l'hygiène de la peau, une anecdote reprise dans une des aventures de James Bond, *Goldfinger*, mais avec une femme cette fois. L'impact de cette histoire laisse entrevoir l'importance que toutes les époques (la nôtre incluse) accordent à la respiration de la peau et à sa fonction d'échange avec l'extérieur, qu'elle soit représentée de manière bénéfique (la peau, en expirant, permet l'évacuation par la transpiration) ou nuisible (la peau, en inspirant, laisse pénétrer les miasmes et la contagion dans le corps). Cet imaginaire de l'étouffement est encore fort aujourd'hui, suffisamment en tout cas pour que le lancement récent chez Vichy d'un fond de teint « respirant » fasse précisément l'objet d'une campagne de publicité où un visage est montré à demi recouvert d'une feuille de plastique transparent figurant l'étouffement de la peau.

Un corps qui mange

Mais plus intéressant encore que la perspiration est le concept de nutrition analogique : de la même manière que le corps respire par la peau, que celle-ci favorise les échanges entre l'intérieur et l'extérieur, le corps est également représenté se nourrir par simple contact de la peau avec un aliment nourrissant. C'est toute une mythologie de la « peau-estomac » qui parcourt ainsi la littérature médicale, principe de nutrition analogique qui imagine des clystères pour engraisser à base de bouillon de tête de mouton, de longe de veau, de riz, d'huile rosat et de noix[6]. Une recette qui fonctionne là encore sur un imaginaire de l'imprégnation, la zone à engraisser étant, dans ce cas, les cuisses. Le même ouvrage décrit également des recettes pour maigrir, liniments ou emplâtres servant à « repousser la nourriture accourante à la partie », à base de boue de métal (résidus de rémouleurs), de céruse, de plomb, ou encore des bains d'eau de pluie, vinaigre, sel, soufre, nitre, alun. Une pharmacopée agressive pour un principe encore d'actualité de nos jours et dont le marché des crèmes amincissantes connaît bien le fonctionnement. Les crèmes amincissantes agissent selon ce même principe de correction de l'équilibre interne par application d'une substance externe, image ancienne de pénétration du corps par une substance appliquée, d'un corps qui mange par la peau ce qu'on lui présente. Il est d'ailleurs à noter que ces produits, s'ils sont effectivement présents sur le marché de la minceur, n'en sont pas pour autant des produits présentés comme amincissants, mais utilisent plutôt de prudents procédés rhétoriques comme « l'effet anticapiton » ou encore « l'effet tenseur », tel que déclaré par un produit de la gamme Liérac, précisément dénommé « Body lift, concentré minceur anticapiton », une terminologie qui renvoie sans ambiguïté à l'imaginaire de la minceur tout comme le « Dior Svelte, concentré modeleur, cellulite control complex ». Une vision analogique du soin déjà évoquée plus haut à propos des substances et dont le soin de beauté contemporain s'est fait le champion.

L'image de la peau-estomac parcourt encore largement le discours cosmétologique : « Ne pas se soigner par voie cutanée semble aussi grave que ne pas s'alimenter par voie orale. La peau absorbe, digère, transforme et toutes ces fonctions peuvent être assimilées à celles du système digestif.[...] Les tissus de notre peau sont constitués de milliards de petits " estomacs " avides de nourriture[7]. » Une image que prolonge le *Guide de beauté Lancôme* lorsqu'il déclare, à propos d'un principe actif, qu'il est « littéralement avalé par l'épiderme ». C'est cette même relation à la peau-estomac qui est évidemment à l'origine de l'importance des cosmétiques non gras, alors même que l'on sait qu'un minimum de gras est bon pour la peau et qu'une crème émolliente (à défaut d'une huile, terme peu employé aujourd'hui pour ces mêmes raisons) ne peut pas ne pas contenir un minimum d'huile. Cette peur de l'huile en usage externe est évidemment à rapprocher de la phobie du gras déjà évoquée, comme si une crème grasse faisait graisser la peau voire, pire, *engraisser* la chair. Une représentation qui, là encore, s'applique particulièrement à la femme de par les liens qu'elle entretient, et jusqu'à aujourd'hui, avec le soin de beauté. Une représentation qui place au premier plan les échanges internes et externes, le défaut de consistance du corps et sa trop facile pénétration par l'environnement comme par les substances.

La mécanique de l'éponge

Entre corps mou, corps poreux et corps qui mange, un lien conceptuel pourrait regrouper ces différentes dimensions de l'imaginaire physiologique féminin autour de trois principes :

1. Le corps féminin est un *corps traversé*, traversé de tout influx, énergie, maladie ou substance qui lui est associé, une vision qui s'inscrit évidemment dans le prolongement des

orifices du corps féminin. Largement issue de cette lecture d'un corps mou, humide et de contexture lâche, cette image du corps traversé est probablement celle qui résume le mieux l'ensemble des discours, techniques et substances que je me suis efforcé de mettre ici au jour. C'est à propos du corps féminin que la perception de porosité est la plus grande, que l'idée de nutrition externe est la plus forte, que les craintes liées à l'environnement au travers de l'image de la peau-écran sont les plus présentes.

2. Le corps féminin est un *corps imprégné*, de ce qu'il retient la substance par laquelle il est traversé. Du sperme à la crème hydratante ou à la graisse, le corps féminin est un corps qui, du fait de sa mollesse, s'imbibe au plus profond de lui-même du principe actif des substances auxquelles il est confronté et qui se transforment sous leur action. C'est également chez la femme que l'idée de l'imprégnation du corps par la substance externe est la plus forte, toujours en lien, sans doute, avec l'idée d'une imprégnation « première » par la semence masculine.

3. Le corps féminin est un *corps exprimable*. Conséquence directe de cet imaginaire du corps imprégné, le corps féminin peut aussi « s'exprimer », au sens physique du terme, par la manière dont on peut en extraire ce qui le constitue comme ce dont il s'imbibe. Que ce soit le lait, le sang menstruel ou les sécrétions vaginales, le corps de la femme est perçu et décrit comme une source de substances, que celles-ci soient positives ou inquiétantes. De la femme qui soigne à celle qui donne la vie, en passant par celle qui répand le mal avec son ventre se déploie l'imaginaire d'un corps qui exprime ce qui le compose et l'épand autour de lui.

Trois niveaux donc, du plus superficiel au plus organique, du plus quotidien au plus inquiétant aussi. L'identité physiologique « générique » féminine se superpose dans ces trois niveaux de lecture principaux : une femme faible et facile à modeler, qui attrape les substances avec lesquelles elle est en contact grâce à la malléabilité naturelle de son corps ; une femme charnelle à rassasier au quotidien, qui se gorge des substances, liquides et humeurs qu'elle rencontre et dont elle se nourrit ; une femme porteuse d'une « charge biologique », qui diffuse des substances devenues siennes, femme dévoreuse et nourricière qui porte le mal ou la vie au-devant d'elle. Femme à nourrir, femme à rassasier et femme nourricière, au corps pétri de matière.

Absorbant et profitant de tout ce qui le nourrit, le corps de la femme est le réceptacle d'un imaginaire physiologique qui lui prête tour à tour toutes les associations, toutes les imprégnations. C'est à ce stade de l'analyse que se réalise à quel point le corps féminin est culturellement figuré suivant *la mécanique de l'éponge*, prompte à *absorber* ce qu'on lui tend ainsi qu'à *exprimer* ce qu'elle contient. C'est cette image d'un corps éponge, d'un corps dont la texture molle et lâche lui permet tous les échanges, toutes les imprégnations, qui est à l'origine d'une « beauté qui se mange » comme d'une « santé qui passe aussi par la peau », principes d'essence parfaitement ontologique entre intérieur et extérieur, entre peau et chair, entre absorption et expression, entre forme et substance. L'explicite slogan pour une crème antirides qui déclare « réveillez l'antirides qui est en vous » joue ainsi exactement de cette image d'un corps qui absorbe et exprime :

— L'antirides est « à l'intérieur » : comme une éponge, le corps de la femme retient au-dedans des gisements d'humeurs inexploités qui peuvent régler (ou dérégler) le bon fonctionnement de son organisme.

— Il faut « réveiller l'antirides » : s'il dort, c'est évidemment du fait de la mollesse naturelle, de la paresse corporelle de la femme qui, alors même qu'elle est naturellement porteuse d'une substance bénéfique, est condamnée à ne pas pouvoir s'en servir puisqu'il dort caché dans un des replis de sa chair.

— Il s'agit de le « réveiller » par l'adjonction d'une autre substance afin d'établir un « lien biologique », une liaison d'ordre consubstantiel permettant à cette substance qui dort au fond de chaque femme, d'agir. Comme une éponge, le corps de la femme mêle au-dedans d'elle des humeurs complémentaires pour en produire des « actifs biologiques ».

— Il va se réveiller : comme une éponge, le corps va exprimer sa propre médecine et les « résultats visibles en X semaines » seront le résultat de l'habileté du corps à faire ressortir cette humeur latente contenue dans le corps et qui effacera les rides.

Le corps de la femme est ainsi porteur d'une charge biologique, bonne ou mauvaise, mais « qui est en elle », et que le contact biologique avec une substance adaptée peut aider à combattre ou à exprimer. Femme imprégnée, femme traversée et femme exprimée au sein d'une seule et même entité biologique : la femme est au confluent de fluides et d'humeurs, de substances absorbées et de substances exprimées. L'exemple qui précède (j'ai pris cet exemple, j'aurais pu en prendre cent autres) montre bien comment une conscience du corps relativement archétypale se recompose au travers de discours et messages qui, pour être contemporains, ne s'inscrivent pas moins dans des cadres conceptuels remarquablement invariants. Il montre également comment l'histoire du corps n'exclut pas une « histoire immobile » de ses représentations, manières dont la culture recompose à l'infini un nombre limité de socles discursifs de nature anthropologique. La « matière » dont la femme est faite, la « nature » de sa chair trouvent au long des étapes de notre culture des échos d'autant plus constants qu'ils sont souterrains, et qu'il convient de mettre au jour en les débusquant sous la simple histoire des faits.

Il s'agit également, par cet exercice, de permettre un recul critique, une prise de distance face à un appareil rhétorique que je crois remarquablement répressif. En démontant, comme je me suis efforcé de le faire, nombre de discours publicitaires et journalistiques, j'ai essayé d'offrir un angle d'analyse, ou à tout le moins un « point de vue » distancié d'où embrasser des modèles rhétoriques d'autant plus insidieux que notre quotidien en est rempli. Il s'agit ainsi d'attirer l'attention sur ce qui me semble être un relatif repli des éléments que le féminisme a pu apporter au regard que la culture porte sur les femmes. Si les acquis sociologiques du féminisme semblent (encore que cela soit à nuancer selon les lieux) peu remis en question, il me semble que ses acquis *culturels*, que l'image de la femme qu'offre la culture quotidienne, celle de la presse, de la télévision ou de la culture populaire, passe par une phase de relative régression, et que les archétypes de la féminité objet et soumise tendent à reprendre le dessus après quelques années de mise à distance. Quand l'édition française du magazine anglais *FHM* (*For Him Magazine*), bel exemple de recomposition d'un territoire masculin archétypal, écrit dans son éditorial de juillet 99 que « nous [les hommes] ne sommes rien sans les femmes mais que (surtout) les femmes ne sont rien sans nous », ce « surtout » entre parenthèses en dit long sur la teneur du discours sur les femmes que s'autorise cette presse. Et pendant que la version française du magazine *Men's Health* titre pour son numéro de juin : « ce que les femmes veulent », *Question de femmes* titre la même semaine : « Comment les hommes nous veulent », bel exemple de recomposition de la relation homme sujet/femme objet dans laquelle les magazines féminins eux-mêmes jouent à un jeu qui n'est parfois ni mature ni libérateur, à l'instar du magazine *Elle* montrant en couverture la même semaine une paire de fesses nues assortie d'une accroche intitulée « cellulite, l'autre façon de la combattre ».

Face à cette remontée en puissance des schémas archétypaux, je crois de plus en plus nécessaire de faire preuve de recul critique et de vigilance, particulièrement du fait que quelques théories sociologiques sur l'accomplissement – l'« hypothèse de maturité » que je dénonçais au début de cet ouvrage – ont récemment pu nous faire penser que « ça y était », que l'homme et la femme étaient enfin réconciliés, que « demain serait féminin » et que les territoires d'une féminité mature étaient les champs élyséens du prochain siècle. En ce qui concerne l'image de la femme dans la culture, et au vu de tout ce qui précède, j'ai un peu de mal à y croire. Nous sommes à l'évidence loin d'être affranchis des fondements culturels de cette *corporéité féminine obligée*, même si pour des raisons essentiellement rhétoriques nous faisons semblant de l'oublier, voulant à toute force croire à l'inexorabilité positive de notre évolution comme si, nous recomposant inlassablement au sein des mêmes schémas, il était par essence inconcevable que nous le sachions.

La femme ainsi, malgré les évolutions réelles que l'histoire a su imprimer à son image, reste néanmoins cantonnée à une corporéité d'autant plus radicale qu'elle relève tout à la fois de l'étrangeté et de l'altérité. Beau sexe et sexe faible sont, pour longtemps encore, les deux miroirs essentiels que la culture tend à la femme. Qu'elle soit belle ou qu'elle cherche à l'être, qu'elle soit en bonne santé ou qu'elle s'en inquiète, elle n'en est pas moins obligée de se référer implicitement à l'une ou l'autre de ces dimensions. Femme traversée par les techniques de la culture corporelle, femme imprégnée de ses substances, femme lourde d'un imaginaire physiologique dont on a pu mesurer la densité, son image ne peut pas ne pas refléter ce système de représentation qui régit majoritairement son corps dans la culture, replaçant ainsi son corps individuel face au corps collectif. La belle Suédoise qui ouvrait cet ouvrage reste le parfait exemple d'un corps de désir et de soupçon, composé de flux et d'échanges, corps dans lequel les fluides de la beauté et de la sexualité se ressourcent et s'échangent, corps éponge imprégné de désir et de maladie et prompt à les exprimer, avec son ventre, au-devant d'elle-même. Ce que montre cette étroite association entre femme et corporéité, c'est que, quels que soient les modes rhétoriques, les modèles proposés et les moyens pour y parvenir, la femme, sa personnalité comme son existence, sont toujours, et peut-être plus que jamais, *confondues* avec son corps. Si l'homme a toujours eu conscience d'avoir un corps, nous n'avons peut-être pas encore réalisé à quel point la culture destinait la femme à *être* un corps, son corps.

NOTES

La femme « mise en culture »

1. « Il s'agit de formuler des lois générales ou tout au moins des modèles d'intelligibilité à visée universelle des pratiques sociales que l'on a isolées comme objet d'étude. C'est là le but avoué de la recherche anthropologique. » Françoise Héritier, *Masculin/Féminin*, Paris, Odile Jacob, 1996, p. 34.

2. Marc Augé, *Non-lieux*, Paris, Seuil, « La librairie du XXe siècle », 1992, p. 28.

3. Ibid., p. 34.

Première partie
Les images du corps féminin

1. Gilles Lipovetsky, *La troisième femme*, Paris, Gallimard, 1997, pp. 155 et 176.

2. Editorial du magazine *Elle*, mars 1998, p. 12.

3. Jean Baudrillard, « Le plus bel objet de consommation : le corps », in *La société de consommation*, Paris, SGPP, 1970, p. 216. Probablement un texte des plus dynamiques (comme des plus actuels) sur la question du corps et de l'échange. Sur cette même question, voir également de Philippe Perrot, *Le travail des apparences*, Paris, Seuil, 1984, pp. 204-207.

4. Baldassare Castiglione, *Le livre du courtisan* (1528), Paris, Gérard Lebovici, 1987, p. 235.

5. Anonyme, *Ornatus mulierum*, Presses Universitaires de Bruxelles, 1967, exhortation au lecteur.

6. Naomi Wolf, *The Beauty Myth*, New York, Morrow, 1990, p.6. L'ouvrage a été traduit en français sous le titre *Le Mythe de la beauté*, Paris, First, 1994.

7. Dorothy Scheffer, *What is beauty ? Nouvelles définitions*, Paris, Assouline, 1998.

8. Véronique Nahoum-Grappe, *Le Féminin*, Paris, Hachette, 1996, p. 15. Une des études récentes les plus remarquables sur l'image et le statut de la femme dans nos sociétés.

9. Phrase de conclusion de « Lancôme pour vous » (prospectus), Paris, Lancôme, c. 1990.

10. Helena Rubinstein, *The Art of Feminine Beauty*, New York, Liveright, 1930, p. 30. Plus dramatique encore : « En notre temps, la femme dont la maternité altère la ligne est impardonnable. [...] La femme doit être fière de pouvoir montrer un corps jeune quand ses enfants ont grandi. » Marcel Rouet, *L'Esthétique corporelle*, St Jean de Brayes, Dangles, 1978, p. 22.

11. Cash et Henry, « Women's Body Images : The Results of a National Survey in the USA », *Sex Roles*, vol. 33, n°s 1/2, 1995. Pour une version vulgarisée de cette image inquiète du corps, voir également le résultat du « Body Image Survey », *Psychology Today*, février 1997, p. 30.

12. *New Woman*, février 1994, p. 122. Tous les textes en langue anglaise cités ont été traduits par moi, dans cette partie comme dans le reste de ce travail.

13. *Santé et Fitness*, juillet-août 1997, p. 3.

14. Ce que Jean-Jacques Courtine a observé à propos du *body building*. « Les stakhanovistes du narcissisme », *Communications*, n° 56, Paris, Seuil, 1993, pp. 225-250. Au passage, le fameux *no pain, no gain* que je citais plus haut se trouve déjà chez Benjamin Franklin au XVIIIe siècle (*The Way to Wealth*, Philadelphie, 1809).

15. « Le terme de beauté est à bannir, on parle plutôt de soin. Les instituts pour homme vendent du bien-être mais ne véhiculent pas la part de rêve qu'attendent les femmes. » Interview du propriétaire d'un institut de beauté pour hommes, *Le Monde*, 25 septembre 1997, p. IV.

16. Titre pris d'un magazine grand public américain, *Psychology Today*, novembre 1994, p. 32.

17. « Leur unique ressource était de séduire ; elles connurent que si elles étaient dépendantes des hommes par la force, ils pouvaient le devenir d'elles par le plaisir. Ces premières vérités connues, elles apprirent d'abord à voiler leurs appâts pour éveiller la curiosité ; elles pratiquèrent l'art pénible de refuser, lors même qu'elles désiraient de consentir ; de ce moment elles surent allumer l'imagination des hommes, elles surent à leur gré faire naître et diriger les désirs : ainsi naquirent la beauté et l'amour. » Pierre Choderlos de Laclos, *Des femmes et de leur éducation* (1783), in *De l'éducation des femmes*, texte présenté par Chantal Thomas, Grenoble, Jérôme Millon, 1991, pp. 110-111. Pas de jugement moral chez Laclos pour qui la femme est plus à libérer par l'éducation qu'à soumettre, mais une simple constatation : la provocation du désir masculin, la faculté à « allumer son imagination », l'aptitude à savoir se refuser sont pour les femmes une arme pour que les hommes deviennent à leur tour dépendants d'elles, bel exemple, si besoin était, de représentation historique de la séduction passive.

18. Voir *Le Nouvel Observateur* du 22 janvier 1998, p. 8.

19. Sur cette question, voir de Lydia Kamitsis « Le pantalon féminin ; de l'échange vestimentaire », *Ramage, Revue d'archéologie moderne et d'archéologie générale*, Paris, Presses de l'Université de Paris Sorbonne, avril 1999.

20. Jean-Jacques Rousseau, *Emile, ou De l'éducation* (1762), T. II, Livre V, « Sophie ou la femme », Paris, Les Libraires Associés, 1793, p. 180.

21. *Les femmes, la santé et le développement*, Organisation Mondiale de la Santé, Genève, 1985.

22. Sources AEPM (Audience de la Presse Magazine), janvier-décembre 1996. Ce lectorat féminin est par ailleurs moins âgé que ce que l'on pourrait croire, les taux de pénétration les plus élevés des principaux titres se situant dans la classe d'âge 25/35 ans.

23. *Réponse à tout Santé*, juillet 1997.

24. Pierre Aïach, « La santé et ses inégalités », Revue *Esprit*, février 1997, p. 70.

25. « Et je ne lisais pas la description d'une maladie que je ne crusse être la mienne. » Jean-Jacques Rousseau, *Les Confessions*, Œuvres complètes, Gallimard, « La Pléiade », p. 248.

26. *Comment avoir une maison qui guérit* (publicité), Laboratoires Marcel Violet, 1997.

27. Marcel Pagnol, *La gloire de mon père*, Paris, Le Livre de Poche, 1957, p. 94.

28. La géniale intuition de Fracastor était que la propagation foudroyante de cette maladie était due à des corps invisibles, les *seminæ*, qui étaient propagés par l'air d'un individu à l'autre, inventant ainsi, avec la notion de germe, la représentation moderne de la contagion. Fracastor (Fracastoro), *Syphilis*, Paris, 1753 (*Syphilis sive Morbus Gallicus*, Venise, 1530).

29. J'en veux pour preuve les appels à *Sida Info Service*, la ligne téléphonique française de prévention contre le sida, où les questions de type : « Je ne me sens pas bien, j'ai tel ou tel symptôme, se pourrait-il que ce soit le sida ? » sont fréquentes.

30. Hésiode, *Les travaux et les jours*, 57-101, Paris, Les Belles-Lettres, 1928.

31. Hésiode, *Théogonie*, 570-590, Paris, Les Belles-Lettres, 1928.

32. Dora et Erwin Panofsky, *La boîte de Pandore* (1962), Paris, Hazan, 1990, p. 13.

33. « How much dysease women have or than they brought them into this world. » Trotula de Ruggiero, ou Trotula de Salerne, ou Trotte, *Trotula Major* et *Trotula Minor* (XIe siècle), version manuscrite en anglais du début du XIVe siècle (British Library, Ms. Sloane 2463), *Medieval Women's Guide to Health*, Kent State University Press, Kent, Ohio, 1981, f. 194r.

34. René Crevel, *Détours* (1924), Paris, Jean-Jacques Pauvert, 1985, p. 94.

35. Charles H. Goodrich, *Beauty and Preventive Medicine*, annual meeting of the New York State Federation of Women's Clubs, Albany, 10 nov. 1937, s.p.

36. T.C.E. Edouard Auber, *Hygiène des femmes nerveuses, ou Conseils aux femmes pour les époques critiques de leur vie*, Paris 1841, p. 350.

37. Emile Zola, *Nana*, Œuvres complètes, Paris, Gallimard, « La Pléiade », T. II, p. 1485. La marquise de Merteuil, défigurée peu avant elle par la petite vérole (la variole, le grand fléau de la beauté des XVIIe et XVIIIe siècles), avait de la même façon vue « sa figure se retourner » et « son âme apparaître sur son visage ».

38. Jules Michelet, *L'Amour* (1858), Œuvres complètes, Paris, Flammarion, 1985, p. 64.

39. A.L.J. Bayle, C.M. Gibert, *Dictionnaire de médecine usuelle et domestique*, Paris, 1835-36, article « Femme » , p. 661.

40. *Dictionnaire abrégé des sciences médicales*, Paris C.L.F. Panckouke, 1821, T. VII, p. 277.

41. M.H. Chomet, *Conseils aux femmes sur leur santé et sur leurs maladies*, Paris, Garnier frères, 1846, p.5.

42. L.S. Rolet, *Le tableau des piperies des femmes mondaines*, Cologne, 1685, cité par Jean-Pierre Landry, « Le corps de la femme dans la littérature française du XVIIe siècle », in *Le corps de la femme, du blason à la dissection mentale*, Actes du colloque du 18 novembre 1989, Cedic, Université Lyon III, Lyon, 1990, p. 29.

43. « Si les hommes voyaient ce qui est sous la peau, la vue des femmes leur soulèverait le cœur : cette grâce féminine n'est que saburre, sang, fiel. Quand nous ne pouvons toucher du doigt un crachat ou de la crotte, comment pouvons-nous désirer embrasser ce sac de fiente ? » Odon, abbé de Cluny (Xe siècle), cité par Jean-Pierre Albert, « Les belles du Seigneur », *Communications*, Paris, Seuil, 1995, p. 71.

44. Jules Michelet, *L'Amour* (1858), Œuvres complètes, Paris, Flammarion, 1985, p. 174.

45. Jean Liébault, *Trois livres des maladies et infirmités des femmes*, Rouen, 1649 (première édition 1582), II.

46. A.L.J. Bayle, C. M. Gibert, *Dictionnaire de médecine usuelle et domestique*, Paris, 1835-36, article « Femme », p. 659 .

47. Lix Ruxol, *Beauté, santé, plastique : hygiène de la femme et de l'enfant*, Montluçon, 1913, p. 43.

48. *Réponse à tout Santé*, n° 67, avril 1997, p. 30.

49. *Les femmes, la santé et le développement*, OMS, Genève, 1985. En outre, pour parfaire ce tableau d'une fragilité de la femme produite par la société elle-même, environ 500 000 femmes meurent chaque année de causes liées à la grossesse qui pourraient être facilement évitées (cas de fièvre puerpérale, notamment), et ce jusqu'à 200 fois plus dans les pays particulièrement concernés (Afrique, Asie du Sud) que dans les pays industrialisés.

50. A.L.J. Bayle, C.M. Gibert, *Dictionnaire de médecine usuelle et domestique*, Paris, 1835-36, article « Femme » , p. 661.

51. « Rebel against a sedentary life », *Health*, avril 1997, p. 85.

52. « Stop being a perfect housewife », *Women's living*, janvier 1997, p. 32.

53. M.H. Chomet, *Conseils aux femmes sur leur santé et sur leurs maladies*, Paris, Garnier frères, 1846. Même chose chez Diderot : « C'est par le malaise que la nature les a disposées à devenir mères, c'est par une maladie longue et dangereuse qu'elle leur ôte le pouvoir de l'être » (Denis Diderot, *Sur les femmes,* in *Œuvres*, Paris, Robert Laffont, « Bouquins », 1994, p. 954).

54. Claude Lachaise (docteur en médecine), *Hygiène physiologique de la femme considérée dans son système physique et moral*, Paris, Marvis, 1825, p. iiij. Dans ce passage, l'auteur en arrive même, tant le cortège de douleurs qu'endure la femme lui paraît insurmontable, à dire que la maternité n'est pour elle qu'une « triste compensation des chances de vie et de santé qu'elle trouve dans les occupations sédentaires auxquelles la nature de son organisation l'appelle ».

55. *Réponse à tout Santé*, décembre 1997, p.9.

56. Charles-Auguste Vandermonde, *Essai sur la manière de*

perfectionner l'espèce humaine, Paris, 1756, T. I, p. 94. Race présumée, les Dariens étaient censés vivre en Amérique sur l'isthme qui sépare la « mer du Nord » du Pacifique, et posséder une peau d'une blancheur surprenante.

57. Ella A. Fletcher, *The Woman Beautiful, A practical treatise on the development and preservation of woman's health and beauty*, New York, Brentano's, 1901, p. 12.

58. William Sharpe, *The Cause of Color among Races, and the Evolution of Physical Beauty*, New York, Putnam & Sons, 1881, p.3.

59. John Harvey Kellogg, *Rules for « Right Living* », Battle Creek, Publication du Health Extension Department, Battle Creek Sanitarium, 1935, p.3.

60. Ainsi, en France, Paul Richer écrit-il : « Grâce à la science, nous arriverons donc à rayer, comme ne pouvant prétendre à représenter la perfection humaine, un bon nombre d'individus : d'abord tous ceux qui sont déformés par des causes morbides ou autres, puis ceux qui ne sont pas suffisamment développés, ceux qui offrent encore quelques signes extérieurs de l'animalité, ceux qui présentent un mélange même atténué des attributs sexuels ; enfin ceux qui ne représentent pas dans toute sa pureté le type de la race la plus résistante. » *Introduction à l'étude de la figure humaine*, Paris, Gaultier, Magnier et Cie, 1902, pp. 155-160. Cité par Georges Didi-Huberman, *Charcot, L'histoire et l'art*, postface à J.M. Charcot et Paul Richer, *Les Démoniaques dans l'art,* Paris, Macula, 1984, pp. 200-201.

61. Knight Dunlap, *Personal beauty and racial betterment*, St. Louis, Mosby, 1920, p. 57.

62. *Vogue's book of beauty*, New York, Condé Nast Publications, 1933, p.9.

63. Les guillemets ne sont ici que pour rappeler le caractère toujours fragile de ces conquêtes, fragilité que montrent bien les récents mouvements abolitionnistes contre l'IVG en Europe et aux Etats-Unis ou encore l'abrogation récente de la loi interdisant la clitoridectomie en Egypte. Dans les deux cas, il s'agit clairement de reprendre aux femmes le « contrôle du ventre ».

Deuxième partie
Les techniques du corps féminin

1. « Les techniques du corps », in *Sociologie et anthropologie*, Paris, Quadrige/PUF, 1991, pp. 365-389.

2. Galien, *Œuvres* (Kuhn, 1826), XII (*De compositione medicamentorum*), p. 434.

3. Galien (129-201) est, avec Hippocrate, la référence historique absolue en matière de médecine antique. Dioscoride (Ier s.), avec son *Histoire des plantes*, pose les bases de la pharmacopée.

4. Pline, *Histoire Naturelle*, XXVIII, 28.

5. Jean Liébault, *Trois livres de l'embellissement du corps humain*, Paris, 1584. Un des livres majeurs de la Renaissance en ce qui concerne le soin du corps et la physiologie de la femme.

6. Alessandro Piccolomini, *Dialogo della belle creanza delle donne dello stordito intronato*, Milan, 1560, p. 80.

7. Maria Galand, Dr Claude Chauchard, *Toute la vérité en esthétique, à la recherche de l'éternelle jeunesse*, Paris, Buchet-Chastel, 1980, p. 170.

8. *Harpers' Bazaar Beauty Book*, New York, Appleton Century-Croft, 1959, p. 64.

9. Gabriel de Minut, Baron de Castéra, *De la beauté*, Lyon, 1587, chapitres 18 et 19.

10. Baldassar Castiglione, *Le livre du courtisan* (1528), Paris, Gérard Lebovici, 1987, p. 78.

11. Lola Montes, *The Arts of Beauty*, New York, Dick & Fitzgerald, 1858, p. 47. Une valorisation du « savoir-maquiller » que Philippe Perrot a fort bien analysée en montrant que le prétendu abandon du fard au XIXe siècle est en fait une autre forme d'application de celui-ci, plus subtile, plus légère, plus « animée ». Plus qu'un siècle sans maquillage, le XIXe siècle est plutôt celui d'un « fard imperceptible ». Philippe Perrot, *Le travail des apparences*, Paris, Seuil, 1984, p. 149.

12. Louis-Antoine de Caraccioli, *Le livre de quatre couleurs*, Aux quatre-éléments, de l'imprimerie des quatre-saisons, Paris, 1760, p. 39.

13. Pierre Choderlos de Laclos, *Des femmes et de leur éducation* (1783), Grenoble, Millon, 1991, p. 136.

14. Charles Baudelaire, « Eloge du maquillage », *Le peintre de la vie moderne* (1858-1860), in *Baudelaire critique d'art*, Paris, Gallimard, collection Folio, 1992, pp. 375 et 377.

15. Véronique Nahoum-Grappe, *Le Féminin*, Paris, Hachette, 1996, p. 98.

16. Diderot et d'Alembert, *Encyclopédie* (1750-1765), article « Fard ».

17. Platon, *Gorgias*, 463 b.

18. Mircea Eliade, *Le Mythe de l'alchimie*, Paris, L'Herne, 1978, p. 33.

19. « L'argumentation » (document interne destiné à la formation des vendeuses), Lancôme, 1974.

20. René Jacquet, *Dictionnaire des soins de beauté*, Paris, 1935, p. 113.

21. Marie Earle, *Culture rationnelle et scientifique de la beauté*, Paris, s.d. (1908), pp. 9 et 14.

22. Données respectivement issues de : *Harper's Bazaar Beauty Book*, New York, Appleton Century-Crofts, 1959, p. 61-64 ; « Les produits cosmétiques » (document interne), Lancôme, 1974 ; « Actifs des années 90 », *Le moniteur des pharmacies et des laboratoires*, juin 1996, pp. 34-40.

23. Yves Rocher, *Restez vraie*, Paris, Hachette, 1977, p. 170.

24. Francis Bacon, *Essays* (*The Essays or Counsels Civill and Morall*), Londres, 1625, XXX.

25. A. Monteuuis, *L'usage chez soi des bains de lumière et de soleil*, Nice, 1911, cité par Georges Vigarello, *Le sain et le malsain, santé et mieux-être depuis le Moyen Age*, Paris, Seuil, 1993, p. 272.

26. L'imaginaire du corps-machine se développe à partir du XVIIIe siècle, en lien avec les principales évolutions de la mécanique et de la chimie. L'ouvrage de référence, au titre exemplaire, qui illustre ce courant reste celui de Julien Offroy de la Mettrie, *L'Homme-machine*, écrit en

1747, mais aussi les *Eléments de physiologie* de Denis Diderot (1780). Faisant une large place à la notion de circulation (mécanique) et d'échanges (gazeux), il décrit le corps comme « un composé d'éléments regroupant de l'azote, du courant électrique, de l'oxygène, de l'hydrogène ou du carbone » (Joseph James Plenck, *The Hygrology, or Chemico-physiological doctrine of the fluids of the human body*, traduit de l'allemand par Robert Hooper, Londres, 1797), pendant que la découverte du principe respiratoire par Lavoisier en 1777 parfait l'idée que la vie est le résultat d'une combustion.

27. Même si, par ailleurs, d'autres interprétations de la rousseur – autres que médicales – renvoient sur des imaginaires nettement moins positifs que celui de l'énergie, du côté de la traîtrise et de la gaucherie. Voir notamment les travaux de Michel Pastoureau, *Figures et couleurs*, Paris, Le léopard d'or, 1987.

28. Helena Rubinstein, *Food for beauty*, New York, Washburn, 1938, p. 11.

29. Baronne Staffe, *Le cabinet de toilette,* Paris, Victor-Havard, 1891, p. 243.

30. C. Jéglot, *La jeune fille et la beauté*, Paris, Editions Spes, s.d. (c. 1930), p. 3.

31. Lola Montes, *The Arts of Beauty*, New York, Dick & Fitzgerald, 1858, p. 37.

32. Baronne Staffe, *Le cabinet de toilette*, Paris, Victor-Havard, 1891, p. 244.

33. Marcelle Auclair, *La beauté de A à Z, dictionnaire de beauté et de santé*, Paris, SEPE, 1949, article « Expression » .

34. Sur cette question du visage, voir l'ouvrage de Jean-Jacques Courtine et Claudine Haroche, *Histoire du visage*, Paris, Rivages, 1988.

35. François Cabuchet, *Essai sur l'expression de la face dans l'état de santé ou de maladie* (thèse de médecine), Paris, Brosson, Gabon et Cie, an X (1802), p. 52.

36. Charles-Auguste Baud, *Harmonie du visage, Etude scientifique de la beauté appliquée en chirurgie esthétique*, Paris, Maloine, 1978, p. 148.

37. *Dictionnaire abrégé des sciences médicales*, Paris, C.L.F. Panckouke, 1821, T. VII, p. 264.

38. Dr E. Monin, *L'Hygiène de la beauté* (11e édition), Paris, Doin, 1901, p. 95.

39. Baronne Staffe, *Le cabinet de toilette*, Paris, Victor-Havard, 1891, p. 60.

40. Ibid., p. 63.

41. A. Debay, *De la beauté humaine,* Paris, Moquet, 1851, p. 22.

42. Joseph Spence, *Le miroir des belles femmes, ou L'art de relever par les grâces les charmes de la beauté*, Paris, 1803, p. 57.

43. *Our Bodies, Ourselves* (collectif), The Boston Women's Health Book Collective, 1973, p.2. Voir à ce propos de Martha H. Verbrugge, « Knowledge and Power : Health and Physical Education for Women in America », in *Women, Health, and Medicine in America*, sous la direction de Rima D. Apple, New York, Garland, 1990, pp. 369-390.

44. Jean Baudrillard, « Le plus bel objet de consommation : le corps », in *La société de consommation*, Paris, SGPP, 1970, p. 216.

45. Elien, *Histoire variée*, XIII, 27.

46. Denise Foley, Eileen Nechas, *Women's Encyclopedia of Health and Emotional Healing*, Emmaus (Penn.), Rodale Press, 1993, p. 31. Une vision de soi-même qui se trouve par ailleurs aux sources de la culture américaine. Des expressions comme « *Trust thyself* » ou « *Insist on yourself; never imitate* » se trouvent à toutes les pages d'un essai d'Emerson publié en 1841, précisément intitulé *Self Reliance*. Ralph Waldo Emerson, *Selected Writings*, New York, The Modern Library, 1992.

47. « Is your body bored ? », *Self*, septembre 1996, pp. 175-182. Derrière ce discours fait de devoir et de discipline, se trouve une volonté de suprématie de la notion d'individu : « *You can do it, too : accept that you are a beautiful and unique individual, then take responsibility for your own life. This will keep you on a positive path without overwhelming you. Your goals are personal : no explanations, no apologies are ever needed* » (*Living Fit*, avril 1997, p. 52).

Troisième partie
La « nature » du corps féminin

1. Je renvoie ici évidemment à la distinction de Bachelard entre « les eaux printanières » et « les eaux profondes ». Gaston Bachelard, *L'eau et les rêves*, Paris, José Corti, 1942.

2. Ibid., p. 45.

3. Sur l'évolution des pratiques de propreté, voir de Georges Vigarello, *Le propre et le sale, L'hygiène du corps depuis le Moyen Age*, Paris, Seuil, 1985.

4. Edit du 23 mars 1673 sur l'instauration de la profession de Barbier-Baigneur... Manuscrit Delamarre, BNF, Arts et métiers, T. II, fol. 112, cité par Alfred Franklin, *La Vie privée d'autrefois*, « Les Soins de toilettes », Paris, Plon, 1887, p. 35.

5. Alessandro Piccolomini, *Dialogo della belle creanza delle donne dello stordito intronato*, Milan, 1560, édition d'Alcide Bonneau, Paris, 1884, p. 102. Dans un texte de la même époque, l'eau est décrite comme le « vrai cosmétique ». Agnolo Firenzuolo, *Of the beauty of women* (paru en 1548 sous le titre *Dialogo delle bellezze delle donne*), Londres, 1892, CXXIV.

6. Emmanuel Kant, *Observations sur le sentiment du beau et du sublime*, Paris, Gallimard, « La Pléiade », T. I, p. 482.

7. Jean-Jacques Rousseau, *Emile, ou De l'éducation* (1762), T. II, Livre V, « Sophie ou la femme », Paris, Les Libraires Associés, 1793, pp. 259-260.

8. Dr Alphée Cazenave, *De la décoration humaine, hygiène de la beauté*, Paris, Paul Daffis, 1867, p. 40.

9. Alcée, VIIe-VIe siècle av. J.-C., cité par Yves Battistini, in *La Séduction,* p. 32.

10. Baronne Staffe, *Le cabinet de toilette, Paris*, Victor-Havard, 1891, p. 60.

11. Gaston Bachelard, *L'eau et les rêves*, Paris, José Corti, 1942, pp. 135-136.

12. Valère Maxime, V, 4

13. Henri Corneille Agrippa, *De nobilitate et praecellentia feminei sexus,* Anvers, 1529, édition de R. Antonioli, Genève, Droz, 1990, p. 103.
14. Pline, *Histoire Naturelle*, livre XI, 96.
15. Gabriel de Minut, Baron de Castéra, *De la beauté,* Lyon, 1587, pp. 44-45.
16. Alfred Franklin, *La vie privée d'autrefois,* « Les soins de toilettes », Paris, Plon, 1887, p. 120.
17. Aristote, *Génération des animaux*, II, 6.
18. Elien, *Histoire variée*, XII, 1.
19. Françoise Loux, « Passer la maladie : perméabilité du corps et thérapeutiques de transfert dans la France traditionnelle », *Les frontières du mal : approches anthropologiques de la santé et de la maladie, Ethnologica Helvetica* n° 17/18, Berne, Société Suisse d'Ethnologie, 1993/1994, pp. 415-428. Le placenta du petit garçon était bien sûr enterré au pied d'un chêne, pour assurer sa force.
20. Barthélemy de Glanville, *Le grand propriétaire de toutes choses,* Paris, 1556, 134.
21. « Guide de beauté Lancôme » (prospectus), Lancôme, 1991.
22. Je m'appuie pour cela sur l'analyse d'un corpus d'environ 500 recettes de cosmétiques qui s'échelonne de l'Antiquité au début du XXe siècle.
23. Pseudo-Albert le Grand, *Les secrets merveilleux de la magie naturelle du petit Albert*, reprint, Paris, Bussières, 1986.
24. « Si tu crains une altération du teint par le soleil, car il enlaidit de taches, utilise l'huile mêlée de cire comme on le fait dans les harems. » Abu Ali Al Hussein Ibn Abdallah Ibn Sina, dit Avicenne (environ 980-1037), *Poème de la médecine*, version abrégée et rimée du *Canon de la médecine*, 911-912.
25. Isaac Baker Brown, *On the Curability of Certains Forms of Insanity, Epilepsy, Catalepsy and Hysteria in Females*, Londres, Hardwicke, 1866, p. 17.
26. Pierre L. van der Berghe, Peter Frost, « Skin color preferences, sexual dimorphism and sexual selection », *Ethnic and Racial Studies*, 9, 1986, pp. 87-113. Voir également de Peter Frost, « Femmes claires, hommes foncés », *Anthropologie et Sociétés*, 1987, 11, n° 2, pp. 135-149.
27. Voir Jean-Luc Bonniol, « Beauté et couleur de la peau », *Communications,* n° 60, Paris, Seuil, 1995, pp. 185-204. Pour autant, cette relation à la blancheur semble plutôt s'exercer au sein du mariage. Ainsi, chez les Ndembu, la couleur noire est la plus valorisée pour les maîtresses que pour les épouses, probablement comme signe de vitalité sexuelle, en relation à un imaginaire de la chaleur. Voir Dominique Zahan, « L'homme et la couleur », *Histoire des mœurs*, Paris, Gallimard, « La Pléiade », 1990, T. I, pp. 130-139.
28. Galien, *Des facultés naturelles*, I, 10.
29. Arnaud de Villeneuve, *Le trésor des pauvres qui parle des maladies qui peuvent venir au corps humain et des remèdes ordonnés contre icelles*, 1512, fol. 59.
30. Julien-Joseph Virey, *Histoire naturelle du genre humain, ou Recherches sur ses principaux fondements physiques et moraux*, Paris, an IX, p. 259. Le poisson, évidemment, ne convient ni aux soldats ni aux athlètes, mais « aux personnes délicates et valétudinaires ».

31. Nicolas Lemery, *Traité universel des drogues simples*, Paris, 1698. L'ouvrage de Lemery fait partie des ouvrages de base de la pharmacopée officielle du siècle de Louis XIV. Un des produits de base de la pharmacopée classique est ainsi la mumie, poudre de chair de chrétien séchée et affinée. Pour un imaginaire de ces produits pharmaceutiques humains, voir le travail de Piero Camporesi, *Les baumes de l'amour*, Paris, Hachette, 1990, ou encore *La sève de la vie*, Paris, Le promeneur,1990.

32. Marcile Ficin, *Les trois livres de la vie*, Paris, 1581, II, 11.

33. « Les produits cosmétiques » (document interne destiné à la formation), Lancôme, 1974.

34. Je m'appuie pour cette analyse sur les travaux de Françoise Héritier, tout à fait essentiels en ce domaine, particulièrement ceux réalisés autour de l'analyse de la « pensée de la différence », pour reprendre le soustitre de son ouvrage, *Masculin-Féminin*, Paris, Odile Jacob, 1996.

35. Ibid., p. 34.

36. Ibid., p. 21.

37. Ibid., p. 143.

38. Ian Maclean, *The Renaissance Notion of Woman : a study in the fortunes of scholasticism and medical science in European intellectual life*, Cambridge University Press, 1980, pp. 34-36. Voir également Helkiah Grooke, *Microkosmographia, A Description of the Body of Man*, Barbican, 1615, p. 272.

39. Julien-Joseph Virey, *De la femme, considérée sous ses rapports physiologique, moral et littéraire*, Paris, 1825 (2e édition), p. 195.

40. A propos d'une « influence de la biologie féminine sur la culture masculine », voir de Tilde Gianni Gallino, *La ferita e li re, Gli archetipi femminili della cultura maschile* (Milan, Rafaello Cortina, 1986), qui interroge ce phénomène, notamment au travers du mythe de la plaie du roi du Graal, plaie à la cuisse qui saigne suivant les phases de la lune.

41. Lix Ruxol, *Beauté, santé, plastique : hygiène de la femme et de l'enfant*, Montluçon, 1913, p. 30.

42. Philbert Guybert, *Le médecin charitable*, Rouen, 1678, IX, p. 414.

43. Théophile de Bordeu, *Du sang* (1775), in *Œuvres*, édition de Richerand, Paris, 1818.

44. Pierre Roussel, *Système physique et moral de la femme*, Paris, 1775, pp. 197-204.

45. Claude Lachaise, *Hygiène physiologique de la femme considérée dans son système physique et moral*, Paris, Marvis, 1825, p. 89. Et si éducation et règles sont liées, il suffit alors, pour faire venir leurs règles aux jeunes filles, de leur offrir une vie de bals et de spectacles et de leur faire lire des romans de Walter Scott (!) (V. Raymond, *Etudes hygiéniques sur la santé, la beauté et le bonheur des femmes*, Paris, 1841, p. 14).

46. Jules Michelet, *L'Amour* (1858), Œuvres complètes, Paris, Flammarion, 1985, p. 70.

47. Jean Astruc, *Des maladies des femmes*, Paris, 1761, T. II, chap. 1, p.4.

48. M.H. Chomet, *Conseils aux femmes sur leur santé et sur leurs maladies*, Paris, Garnier frères, 1846, p. 44. « Les pâles couleurs sont une sorte de maladie nerveuse ; on peut en dire autant du pouls ou de la fièvre ou de toutes les autres espèces de maladies de cette classe. » Théophile de

Bordeu, *Sur le pouls* (1756), in *Œuvres*, édition de Richerand, Paris, 1818, p. 346.

49. Levinus Lemnius, *Les occultes merveilles et secrets de nature, par Levin Lemne médecin zirizéen*, Paris, 1567, II, 22, p. 288. A propos du sang menstruel comme excrément, voir Ian Maclean, *The Renaissance Notion of Woman : a study in the fortunes of scholsticism and medical science in european intellectual life*, Cambridge University Press, 1980, pp. 39-40.

50. Arétée de Cappadoce, *Signes et causes des maladies aiguës*, II, 11.

51. Denis Diderot, *Sur les femmes.* (1772), in *Œuvres*, Paris, Robert Laffont, collection « Bouquins » , 1994, p. 952.

52. A.L.J. Bayle, C.M. Gibert, *Dictionnaire de médecine usuelle et domestique*, Paris, 1835-36, article « Femme » , pp. 660-661.

53. Louis-Antoine de Caraccioli, *Le livre de quatre couleurs*, Aux quatre-éléments, de l'imprimerie des quatre-saisons, Paris, 1760, p. ix.

54. Claude Lachaise (docteur en médecine), *Hygiène physiologique de la femme considérée dans son système physique et moral*, Paris, Marvis, 1825, p. 14.

55. Alexandre Dumas fils, *La Dame aux Camélias* (1848), Paris, Gallimard, 1974, p. 114.

56. Erving Goffman, « Gender Advertisements », *Studies in the Anthropology of Visual Communication*, vol. III, n° 2, 1976, pp. 69-154.

57. Voir à propos de l'hystérie l'étude d'Etienne Trillat, *Histoire de l'hystérie*, Paris, Seghers, 1986.

58. Hippocrate, *De la génération*, IV, 3, cité par Michel Foucault, *Histoire de la sexualité*, II, *L'usage des plaisirs*, Paris, Gallimard, 1984, p. 145.

59. Michel Foucault, *Histoire de la sexualité*, I, *La volonté de savoir*, Paris, Gallimard, 1976, p. 88.

60. Sur toutes ces questions, voir Andrew Scull et Diane Favreau, « Médecine de la folie ou folie de médecins, controverse à propos de la chirurgie sexuelle au XIXe siècle », in « Epidémies, malades, médecins », *Actes de la recherche en sciences sociales*, juin 1987, n° 68, pp. 31-44, ainsi que C. Smith-Rosenberg et C. Rosenberg, « The Female Animal : Medical and Biological Views of Women and her Role in Nineteenth Century America », *Journal of American History*, n° 60, 1973, p. 334.

61. *Dictionnaire abrégé des sciences médicales*, Paris, C.L.F. Panckouke, 1821, T. VII, p. 277.

62. Marcel Rouet, *L'Esthétique corporelle, santé et beauté plastique de la femme*, Saint-Jean-de-Brayes, Dangles, 1978 (4 éditions), p. 282.

63. Dr Pierre Fournier, *La beauté par la santé*, Paris, Robert Laffont, 1977, p. 166.

64. *Réponse à tout Santé*, n° 68, mai 1997, p. 76.

65. « Quand on ne fait plus l'amour, qu'est-ce qu'on risque ? », *France Dimanche*, n° 2597, novembre 1997, p. 32.

66. L'auteur s'interroge même sur le fait que tant de femmes « *spend so much time and money on beauty and so little in bed, which is free* ». Nancy Friday, *The Power of Beauty*, New York, Harper Collins, 1996, p. 117.

67. Ovide, *Métamorphoses*, III, 317-352.

68. « Les femmes sont-elles meilleures que les hommes ? », *Réponse à tout Santé*, juillet-août 1997, p. 46.

69. Dans un article justement intitulé « Les mystères de l'orgasme féminin », *Réponse à tout Santé*, décembre 1997, pp. 76-77.

70. Ibid.

71. Ibid.

72. Ibid. Suit dans cet article la liste des « signes subtils » qui désignent le plaisir. Je me suis presque entièrement basé sur un même journal pour cette analyse, mais on aurait tort d'y voir un cas isolé, témoin cet article d'un magazine concurrent déclarant que « subtil et variable, le plaisir féminin abrite bien des secrets [...] On le dit plus diffus, plus difficile à atteindre, plus fragile et instable, plus complexe [et] plus variable aussi ». S'y retrouvent exactement les mêmes constantes sur le plaisir : la difficulté à l'atteindre, sa démultiplication, les signes de sa manifestation. *Santé magazine*, mars 1998, p. 74.

73. Hippocrate, *De la génération*, IV, 1, cité par Michel Foucault, *Histoire de la sexualité*, II, *L'usage des plaisirs*, Paris, Gallimard, 1984, p. 144.

74. Martin Veyron, *L'amour propre*, Paris, Albin Michel, 1980. Naturellement, ce personnage féminin était dominatrice et autoritaire. Une bande dessinée au passage assez exemplaire de l'ensemble des représentations traditionnellement évoquées à propos du plaisir féminin.

75. Diogène Laërce, *Vie des philosophes*, VIII, 1, 28.

76. Notamment Liébault dans le *Thrésor des remèdes secrets pour les maladies des femmes*, Paris, 1587, II, 5, p. 198. A propos des représentations du sperme dans l'Antiquité, voir Michel Foucault, *Histoire de la sexualité*, II, *L'usage des plaisirs*, Paris, Gallimard, 1984, pp. 141-150 pour la période classique et *Histoire de la sexualité*, III, *Le souci de soi*, Paris, Gallimard, 1984, pp. 134-146 pour la période hellénistique.

77. Théophile de Bordeu, *Du sang* (*Recherches sur les maladies chroniques*, 1775), in *Œuvres*, édition de Richerand, Paris, 1818, pp. 957-959.

78. Marcile Ficin, *Les trois livres de la vie*, Paris, 1581, II, 8.

79. Julien-Joseph Virey, *De la femme, considérée sous ses rapports physiologique, moral et littéraire*, Paris, 1825, p. 86. C'est moi qui souligne.

80. Jules Michelet, *L'Amour* (1858), Œuvres complètes, Paris, Flammarion, 1985, pp. 227-229.

81. Julien-Joseph Virey, *De la femme, considérée sous ses rapports physiologique, moral et littéraire*, Paris, 1825, p. 110.

82. Ibid.

83. Laurent Joubert, *Erreurs populaires au fait de la médecine et régime de santé*, Avignon, 1586, II, 11.

84. Des chiffres tout de même un peu « *Guinness des Records* » que je cite sous réserve, seulement pour montrer leurs implications sur le discours journalistico-féministe. Naomi Wolf, *The Beauty Myth*, New York, Morrow, 1990. A propos des « *non-dieteting movements* », voir le *Journal of Family & Consumer Sciences*, automne 1995, p. 16. Je cite par acquit de conscience l'invraisemblable thèse inverse, celle d'une minceur qui conduit la femme « à se prendre en main » pour, au travers de la minceur, « neutraliser les marques trop emphatiques de la féminité » afin d'être « jugé moins comme corps et plus comme sujet maître de lui-même ». Gilles Lipovetsky, *La troisième femme*, Paris, Gallimard, 1997, p. 139.

85. *Dictionnaire universel de Furetière*, Paris, 1732 (1re édition 1680), T. IV, p. 906. La cacochymie est en principe la réplétion des autres humeurs (bile jaune, bile noire et pituite), bien que la terminologie ne soit pas, dans ce domaine, parfaitement stable. Pléthore peut ainsi être employé pour d'autres humeurs que le sang, même si c'est lui qui est généralement évoqué.

86. Hippocrate, *Des maladies des femmes*, I, 1.

87. Râzî (854-932), *Guide du médecin nomade* (Aphorismes), Sindbad, 1980, 116 et 117.

88. Cité par Danielle Gourevitch, *Le mal d'être femme, La femme et la médecine à Rome*, Paris, Les Belles-Lettres, 1984, p. 58.

89. Sénèque, *Lettres*, 95, 16, cité par Danielle Gourevitch, ibid., p. 47.

90. Voir à ce propos le travail de Claude Fischler, *L'homnivore*, Paris, Odile Jacob, 1990, ainsi que « La symbolique du gros », *Communications*, n° 46, Paris, Seuil, 1987, pp. 255-278.

91. Dr D.G. Brinton, Dr George H. Napheys, *The laws of health in relation to the human form*, Springfield, Mass., 1870, p. 37.

92. Gayelord Hauser, *Mirror, Mirror on the Wall,* New York, Farrar, Straus & Cudahy, 1961, p. 5. Nutritionniste, Hauser a écrit nombre d'ouvrages qui sont largement à l'origine de la « pensée diététique » américaine contemporaine. Il est également, comme son prédécesseur Kellogg, à l'origine d'une ligne de produits alimentaires.

93. *Santé et Fitness*, juillet 1997, p. 14. Même chose à propos d'un produit d'origine américaine, *Fat Blocker*, qui permet de « manger régime sans faire de régime ». *Réponse à tout Santé*, avril 1997, p. 14.

94. Je ne détaille ici, relativement au(x) gras, que les discours de vulgarisation médicale. Une analyse plus générale de l'ensemble des représentations liées à cette substance a été faite par Claude Fischler, particulièrement entre gras animal et gras végétal, entre gras cru et gras cuit, etc. « Le complexe alimentaire moderne », *Communications,* n° 56, Paris, Seuil, 1993, pp. 207-223.

95. *Living Fit*, octobre 1996, p. 85.

96. *Réponse à tout santé*, n° 68, mai 1997, p.8.

97. John Harvey Kellogg, *Rules for « Right Living »*, Battle Creek, Publication du Health Extension Department, Battle Creek Sanitarium, 1935. On doit à Kellogg beaucoup d'ouvrages sur la digestion, dont deux sur les désordres de l'estomac, un plusieurs fois réédité sur le colon, et un intitulé *Should the colon be sacrified or may it be reformed.* Voir également de Kellogg, *Ladie's Guide in Health and Disease, Girlhood, Maidenhood, Wifehood, Motherhood*, Battle Creek, Modern Medicine Publ. Co., 1893.

98. Marcelle Auclair, *La beauté de A à Z, dictionnaire de beauté et de santé*, Paris, SEPE, 1949, compilation d'articles édités dans le magazine *Elle*, article « Constipation » , p. 149.

99. Horace Fletcher (1849-1919), cité par James C. Whorton, *Crusaders for Fitness : The History of American Health Reformers*, Princeton University Press, 1982, p. 178.

100. Jules Michelet, *L'Amour* (1858), Œuvres complètes, Paris, Flammarion, 1985, p. 62.

101. Anonyme, *Beauty and Hygiene*, New York, Harper and Brothers, 1897, pp. 7-8.

102. Dr N.G. Payot (Mme), *Etre belle*, Paris, Presses Universitaires de France, 1933, p. 53.

103. Respectivement Estée Lauder et Donna Karan. *Harper's Bazaar*, janvier 1996, p. 44.

Conclusion

1. Hippocrate, *Des maladies des femmes*, I, 1.

2. Claude Lachaise, *Hygiène physiologique de la femme considérée dans son système physique et moral*, Paris, Marvis, 1825, p. xvij.

3. Il est à noter par ailleurs que pour Hippocrate la « mollesse est favorable, la dureté est mauvaise » (*Aphorismes*, V, 67). Hippocrate est, comme la plupart des médecins de l'Antiquité, peu préoccupé d'établir une valeur différentielle entre l'homme et la femme. C'est surtout la médecine classique qui opérera cette hiérarchisation physiologique des deux sexes.

4. Françoise Loux, « Passer la maladie : perméabilité du corps et thérapeutiques de transfert dans la France traditionnelle », *Les frontières du mal : approches anthropologiques de la santé et de la maladie*, sous la direction de Marc-Olivier Gonseth, *Ethnologica Helvetica,* n° 17/18, Berne, Société Suisse d'Ethnologie, 1993/1994, pp. 415-428.

5. A. Debay, *Histoire naturelle de l'homme et de la femme*, Paris, Dentu, 1858.

6. Louis Guyon, *Le cours de médecine en français contenant le miroir de beauté et santé corporelle*, Lyon, 1664, T. II, I, 6. La même recette se trouve chez Liébault.

7. Maria Galand, Dr Claude Chauchard, *Toute la vérité en esthétique, à la recherche de l'éternelle jeunesse*, Paris, Buchet-Chastel, 1980, pp. 28-29.

TABLE

TROISIÈME PARTIE

La « nature » du corps féminin

COLLECTION « PARTAGE DU SAVOIR »
Parrainée par Edgar Morin

Parce que l'Université n'a pas seulement vocation à transmettre et créer des savoirs, mais également à les faire partager au plus grand nombre, *Le Monde de l'éducation* a décidé, en 1997, encouragé par Jean-Marie Colombani, directeur du *Monde*, de créer le prix *Le Monde* de la recherche universitaire, avec le concours de la Fondation d'entreprise Banques CIC pour le livre, de la Fondation Charles Léopold Mayer, et le soutien de l'Unesco.

Notre ambition commune est triple : décloisonner les lieux de production du savoir et encourager la recherche universitaire en lui offrant un autre canal de valorisation, une audience élargie au grand public ; créer une dynamique d'échange entre le monde éditorial et les universités et impulser un débat d'idées permanent autour des savoirs ; encourager, enfin, les chercheurs à aborder des problématiques de recherche visant à réduire les clivages entre l'espace de production des connaissances et les besoins des hommes.

Le prix est ouvert aux titulaires d'un doctorat ayant soutenu, au sein d'une université française ou étrangère, une thèse rédigée en français et non publiée. Les travaux font l'objet d'une sélection effectuée par un comité de lecture rassemblant une centaine de personnalités des communautés scientifique et culturelle. Un jury final attribue la possibilité à cinq jeunes docteurs d'être publiés chez Grasset dans cette collection que nous avons souhaitée grand public, « Partage du savoir ».

En lançant cette collection, nous avons voulu signifier très fortement combien les chercheurs sont impliqués dans l'élaboration de la société de demain. Ils inventent au jour le jour, parfois dans la solitude, de nouveaux savoirs dont les prolongements pourront être essentiels pour l'humanité. Cette collection, destinée à faire découvrir à un large public les nouveaux territoires de la pensée contemporaine, est donc, avant tout, un hommage rendu à leur travail.

ANNE-LINE ROCCATI
Rédactrice en chef.

DANS LA COLLECTION
« PARTAGE DU SAVOIR »

RACHEL BEAUJOLIN
Les vertiges de l'emploi
L'entreprise face aux réductions d'effectifs

RAYMONDE COUDERT
Proust au féminin

ON' OKUNDJI OKAVU EKANGA
Les entrailles du porc-épic
Une nouvelle éthique pour l'Afrique

MARIE-CÉCILE MOULINIER
Au risque de naître : maternité et sida

TRACEY SIMPSON
Le dernier poème du dernier poète
La poésie de Jim Morrison

AGNÈS VILLECHAISE-DUPONT
Amère banlieue
Les gens des grands ensembles

Achevé d'imprimer en janvier 2000
sur presse Cameron
par ***Bussière Camedan Imprimeries***
à Saint-Amand-Montrond (Cher)
pour le compte des éditions Grasset
61, rue des Saints-Pères, 75006 Paris

N° d'Édition : 11357. N° d'Impression : 000363/4.
Dépôt légal : janvier 2000.
Imprimé en France
ISBN 2-246-59761-7